Cours familier d

Volume

Alphonse de Lamartine

Alpha Editions

This edition published in 2023

ISBN : 9789357964715

Design and Setting By
Alpha Editions
www.alphaedis.com
Email - info@alphaedis.com

Contents

XCVIIe ENTRETIEN.

ALFIERI.
SA VIE ET SES ŒUVRES.

(DEUXIÈME PARTIE.)

I.

Alfieri va passer à Naples le temps de son exil volontaire; il y écrit journellement à la comtesse; il y use le temps à cheval dans les beaux sites des environs. Pendant ce temps, il ne trouve point mauvais que la comtesse, privée de la fortune de son mari et peu riche de la sienne, sollicite une pension de la reine de France, Marie-Antoinette, et l'obtienne par l'intervention de Léopold de Toscane, frère de cette princesse. Voilà donc ce féroce ennemi des rois, vivant de leurs débris et de leurs secours: un roi de France lui donne la vie, un roi d'Angleterre lui laisse ravir sa femme; quelle logique!—Ainsi la comtesse ne dépendra plus ni du pape, ni du cardinal d'York, frère de son mari. Le lendemain du jour où elle est émancipée de ses besoins et de sa reconnaissance, elle quitte le couvent des Ursulines de Rome, et rentre dans le palais de la Chancellerie, bâti par Bramante. Alfieri obtient facilement l'autorisation de revenir auprès d'elle à Rome. Il s'y installe, grâce, dit-il, à ses obséquiosités un peu serviles auprès des cardinaux et des prêtres.

«Le 12 mai suivant, Alfieri était auprès d'elle, et à force de sollicitations, de *servilités*, de *petites ruses courtisanesques* (c'est lui-même qui parle ainsi), à force de saluer les Éminences jusqu'à terre, *comme un candidat qui veut se pousser dans la prélature*, à force de flatter et de se plier à tout, lui qui jusque-là n'avait jamais su baisser la tête, toléré enfin par les cardinaux, *soutenu même par ces prestolets qui se mêlaient à tort et à travers des affaires de la comtesse*, il finit par obtenir la grâce d'habiter la même ville que la *gentilissima signora*, celle qu'il appelle sans cesse *la donna mia*, l'*amata donna*.»

Cependant, bien que l'amant vécût toute la matinée très-retiré dans le palais Strozzi, auprès des Thermes de Dioclétien, faubourg isolé de Rome, il passait toutes ses soirées au palais de la Cancellaria, chez son amie. Ce bonheur insolent excita l'envie du clergé romain et les murmures du comte d'Albany auprès du cardinal, son frère.

«Il ne dissimulait pas ses plaintes, en effet, le vieillard abandonné. Dans les intervalles lucides que lui laissait sa misérable passion, aggravée de jour en jour, il tournait ses yeux vers Rome, et, apprenant les longues visites d'Alfieri au palais du cardinal, il sentait sur son visage dégradé la rougeur de la honte. Il suppliait son frère de faire cesser un tel scandale, et bien des voix à Rome se mêlaient à la sienne. Alfieri, au milieu de ses récriminations irritées, est bien obligé de reconnaître que ces plaintes étaient justes. J'avouerai, dit-il, pour l'amour de la justice, que le mari, le beau-frère et tous les prêtres de leur parti avaient bien les meilleures raisons pour ne pas approuver mes trop fréquentes visites dans cette maison, quoiqu'elles ne sortissent pas des bornes de l'honnêteté.» Le soulèvement de l'opinion devint si vif, les hostilités du cardinal furent si menaçantes, que l'amant de la comtesse d'Albany fut obligé de quitter Rome. A-t-il pris spontanément ce parti, comme il l'affirme, pour prévenir la sentence pontificale? A-t-il été chassé par un ordre exprès de Pie VI, de ce même pape à qui il avait offert (si lâchement, dit-il) le premier recueil de ses tragédies, et qui l'avait accueilli avec tant de bonté? Il y a des doutes sur ce point; ce qui est certain, c'est que, le 4 mai 1783, Alfieri fut obligé de dire un long adieu à celle *qui était plus que la moitié de lui-même.* «Des quatre ou cinq séparations qui me furent ainsi imposées, ajoute-t-il, celle-ci fut pour moi la plus terrible, car toute espérance de revoir mon amie était désormais incertaine et éloignée.»

II.

«Alfieri, chassé de Rome, recommence sa vie errante. Il va d'abord à Sienne chez son fidèle ami Francesco Gori Gandinelli. Les grands souvenirs de la poésie nationale l'attirent ensuite vers les lieux consacrés: il cherche l'âme de Dante à Ravenne, il visite à Arqua le tombeau de Pétrarque et celui d'Arioste à Ferrare. Pendant ces pèlerinages, la poétique fureur qui le possède va s'exaltant de plus en plus; ivre d'admiration pour les quatre grands maîtres italiens et impatient de se placer auprès d'eux, s'il rencontre sur sa route un journal dans lequel ses premières tragédies sont librement appréciées, il traite la presse littéraire avec une violence où l'on sent à la fois l'orgueil du patricien et l'irritabilité d'une âme en peine. Enfin, allant de ville en ville, «toujours pleurant, rimant toujours,» il voit à Masino son cher ami de Lisbonne, l'excellent abbé de Caluso; il voit aussi les deux maîtres de ce style facile et souple qu'il s'efforçait d'atteindre, Parini à Milan et Cesarotti à Padoue; il revient ensuite en Toscane, il y fait imprimer un nouveau choix de ses tragédies; puis, incapable de supporter sa douleur, il veut se distraire en changeant de place et part soudain pour l'Angleterre. Son amour pour la comtesse d'Albany et sa passion pour les vers s'étaient développés ensemble; séparé de son amie, il sentait sa troisième passion, celle des chevaux, reprendre invinciblement le dessus et triompher de la poésie. Passion effrontée! dit-il gaiement. Que de fois les beaux coursiers, dans la tristesse et l'abattement de mon cœur, ont osé combattre, ont osé vaincre les livres et les vers! De poëte je redevenais palefrenier...» Il était poëte encore lorsque, débarqué à Antibes, il allait mêler ses larmes brûlantes aux flots de la Sorgue, en face du sombre rocher de Vaucluse, délicieuse solitude, dit-il, car il n'y a vu que l'ombre du *souverain maître d'amour*, et le souvenir de Laure de Noves lui a rappelé Louise d'Albany. C'est bien le poëte aussi, le poëte toscan irrité, le petit-fils de Dante et l'héritier de ses colères, qui maudit en passant l'*immense cloaque parisien*, et les écrivains ignorants qui de toute la littérature italienne comprennent tout au plus Métastase, et le *jargon nasal* de ce pays, *ce qu'il y a de moins toscan au monde*. Fou d'enthousiasme ou de fureur, nous reconnaissons l'auteur d'*Antigone* et de *Virginie*; mais bientôt, quand il arrive à Londres, il ne songe plus qu'aux belles têtes de chevaux, aux fières encolures, aux larges croupes, et son grand souci est de faire traverser le détroit à ces quinze nobles bêtes dont il va enrichir ses écuries.

«Pendant qu'il court le monde, la comtesse d'Albany passe l'été et l'automne à Genzano, dans une retraite enchantée d'où elle aperçoit devant elle les sommets du mont Albano et à ses pieds le lac de Némi,

Le beau lac de Némi qu'aucun souffle ne ride.

«C'est là qu'elle recevait les lettres d'Alfieri, c'est de là qu'elle envoyait ses consolations à cette âme impétueuse. Si nous ne possédons pas cette correspondance où tant de choses sans doute nous seraient révélées, on montre du moins à Florence un document assez bizarre qui appartient précisément à cette date, et n'a pas besoin de commentaire. C'est un cahier renfermant une série de sonnets adressés pour la plupart à la comtesse, avec ce titre étrange: *Sonetti di Psipsio copiati da Psipsia in Genzano, il di 17 ottobre 1783, anno disgraziato per tutti due*. Psipsio, Psipsia, pourquoi ces noms? Il y a là une énigme que personne encore n'a devinée, mais ce détail offre peu d'intérêt; la seule chose à signaler ici, c'est le témoignage de leurs sentiments mutuels pendant ces années de séparation et d'exil.

«Au commencement de l'hiver, la comtesse d'Albany revint à Rome, où de graves événements l'attendaient. Le roi de Suède, Gustave III, visitait alors l'Italie, et, bien qu'il voyageât sous le nom du comte de Haga, c'est-à-dire *incognito*, sans pompe, sans bruit, occupé seulement d'étudier les monuments et les musées, il se mêla cependant, comme tout le monde, des affaires de la comtesse d'Albany. Il avait eu une entrevue le 1er décembre à Pise avec Charles-Édouard; il avait reçu ses confidences, il n'avait pu retenir ses larmes en voyant à quelle misérable situation était réduit l'héritier de tant de rois. Après l'avoir décidé à renoncer pour toujours à son rôle de prétendant, il s'était fait un devoir d'assurer le repos de ses derniers jours, il avait écrit à Louis XVI pour le prier d'améliorer la position pécuniaire du malheureux prince, et cette lettre, remise au roi de France par l'ambassadeur suédois, M. le baron de Staël-Holstein, avait déjà obtenu un résultat favorable. Il lui restait encore à régler les rapports de Charles-Édouard avec sa femme, à mettre fin, d'une manière ou d'une autre, à une situation qui était le scandale de l'Italie et de l'Europe. Gustave III, dès son arrivée à Rome, au commencement de l'année 1784, eut des conférences, à ce sujet, avec la comtesse d'Albany et le cardinal d'York. Que se passa-t-il dans ces conférences? Quel fut le rôle du cardinal? quelle fut l'attitude de la comtesse? On ne sait, mais il est clair que ni l'un ni l'autre ne pouvaient entretenir le roi de Suède dans les illusions qu'il s'était faites. Gustave apprit là bien des choses dont il ne se doutait point, et, voyant qu'il fallait renoncer à l'espoir de ramener la comtesse, il conçut aussitôt le projet de faire prononcer la séparation légale des deux époux. Le 24 mars 1784, il annonçait à Charles-Édouard le résultat de ses démarches; on devine aisément, d'après la réponse du prince, les révélations et les conseils que renfermait cette lettre. Voici ce que l'héritier des Stuarts s'empressait d'écrire, trois jours après, à son ami le roi de Suède, ou plutôt le comte de Haga. De tels documents veulent être cités avec une fidélité scrupuleuse; ce ne sont pas des modèles de style ou de correction qu'on y cherche.

«Monsieur le Comte, j'ai été on ne peut plus sensible à la vôtre obligeante de Rome, du 24 mars. Je me mets entièrement dans les bras d'un si digne ami que vous êtes, Monsieur, car je ne connais personne à qui je puisse confier mieux et mon honneur et mes intérêts. Tâchez de terminer cette affaire le plus tôt possible. Je consens pleinement à une séparation totale avec ma femme, et qu'elle ne porte plus mon nom. En vous renouvelant les plus sincères sentiments de reconnaissance et d'amitié, je suis votre bon ami,

«C. D'ALBANIE[1].»

«Les conditions de la séparation furent réglées par le roi de Suède et le cardinal d'York. La comtesse abandonna la plus grande partie de son douaire, et la cour de France, pour faciliter cet arrangement, lui assura une rente annuelle de soixante mille livres. Ces conventions une fois arrêtées, et le pape ayant autorisé la séparation *a mensa et toro*, Charles-Édouard signa la déclaration que voici:

«Nous, Charles, roi légitime de la Grande-Bretagne, sur les représentations qui nous ont été faites par Louise-Caroline-Maximilienne-Emmanuel, princesse de Stolberg, que pour bien des raisons elle souhaitait demeurer dans un éloignement et séparation de notre personne, que les circonstances et nos malheurs communs rendaient nécessaires et utiles pour nous deux, et considérant toutes les raisons qu'elle nous a exposées, nous déclarons par la présente que nous donnons notre consentement libre et volontaire à cette séparation, et que nous lui permettons dores en avant de vivre à Rome, ou en telle autre ville qu'elle jugera le plus convenable, tel étant notre bon plaisir.

«Fait et scellé du sceau de nos armes, en notre palais, à Florence, le 3 avril 1784.

«Approuvons l'écriture et le contenu ci-dessus.

«Charles R.»

«La comtesse d'Albany (car elle continua de porter ce nom) profita bientôt de sa liberté pour quitter Rome; mais, n'osant pas encore braver l'opinion publique au point de se retrouver avec Alfieri dans quelque ville d'Italie, elle lui donna rendez-vous en Alsace. Elle était allée passer la chaude saison au pied des Vosges; ce fut là, dans une jolie maison de campagne non loin de Colmar, que les deux amants se retrouvèrent. Le poëte y demeure deux mois, et aussitôt voilà les tragédies qui reprennent l'avantage sur les coursiers aux fières encolures. L'inspiration et même, pour parler plus simplement, le désir de se mettre à l'œuvre, le désir de prendre la plume et de tenter quelque chose, étaient intimement attachés pour Alfieri à la présence de la comtesse. Encore *palefrenier* la veille, il redevient poëte tout à coup dans sa villa de Colmar. C'est là qu'il compose *Agis*, *Sophonisbe*, *Myrrha*; c'est là qu'il écrira ses deux *Brutus* et la première de ses *Satires*. L'année suivante, en effet, aux premiers beaux jours de l'été, le poëte et son amie, volontairement séparés pendant l'hiver, accourront de nouveau l'un vers l'autre au fond de cette complaisante Alsace qui les cache si bien à tous les yeux. On sait avec quelle ivresse Alfieri parle de cette période dans l'histoire de sa vie; on se rappelle sa douleur quand la comtesse, encore soigneuse de sa renommée, revient passer l'hiver dans les États du pape, s'établit à Bologne, et oblige son compagnon à choisir une autre résidence; on se rappelle aussi ses transports au moment où le mois d'août, trois ans de suite, le ramène à Colmar; on se rappelle ces explosions d'enthousiasme, ce réveil d'activité poétique, cette soif de gloire qui le tourmente, sa joie de faire imprimer ses œuvres à Kehl dans l'admirable imprimerie de Beaumarchais; puis ses deux voyages à Paris, son installation avec la comtesse dans une maison solitaire, tout près de la campagne, à l'extrémité de la rue du Montparnasse, et tous les soucis que lui donne la publication de ses œuvres complètes chez Didot l'aîné, «artiste passionné pour son art.» Tous ces détails sont racontés dans l'autobiographie du poëte, nous n'avons pas à y revenir ici; mais ce qu'Alfieri ne pouvait pas dire, et ce qui est pourtant un épisode essentiel de cette histoire, ce sont les dernières années de Charles-Édouard, ces années d'abandon et de malheur pendant lesquelles le triste vieillard, si longtemps dégradé, se relève enfin, et retrouve à sa dernière heure une certaine dignité vraiment noble et touchante.»

III.

L'infortuné Charles-Édouard éprouva avant de mourir une consolation inattendue. La fille qu'il avait eue dans sa jeunesse, à Liége, de son premier amour, miss Clémentine, et qui vivait retirée à Meaux, dans l'abbaye de Notre-Dame, lui revint en mémoire, et peut-être en remords. Il la rappela près de lui pour tenir sa maison et consoler ses dernières heures. Il la reconnut, la légitima, et lui rendit le nom, désormais libre, de duchesse d'Albany. Elle fit rentrer avec elle la dignité, l'élégance, la société féminine dans le palais de son père à Florence. Elle réconcilia le roi et le cardinal d'York, brouillés pour des intérêts mal entendus d'argent. La reine de Naples l'accueillit à Pise, où elle passait l'hiver avec le prince vieilli, mais heureux et honoré du moins dans sa vieillesse. Revenu à Rome, dans le palais de son enfance, il y mourut en 1788, et fut enseveli à Frascati, dans la cathédrale du cardinal d'York, son frère. Sa fille chérie, qui ne vivait que pour lui, ne lui survécut pas longtemps. Le cardinal d'York hérita authentiquement des titres de prétendant à la couronne des Stuarts.

IV.

Pendant ces années d'agitation stérile pour un trône imaginaire, la comtesse d'Albany, qui n'avait plus de titre légal même à son nom, avait quitté Rome pour Bologne, afin de conserver toujours son asile dans les États du pape. Insensiblement l'amour qu'elle conservait pour Alfieri la rapprochait de son ami, toujours errant sur ses traces.

«Alfieri l'indique, mais en termes trop vagues: «Au mois de février 1788, mon amie reçut la nouvelle de la mort de son mari, arrivée à Rome, où il s'était retiré depuis plus de deux ans qu'il avait quitté Florence. Quoique cette mort n'eût rien d'imprévu à cause des accidents qui pendant les derniers mois l'avaient frappé à plusieurs reprises, et bien que la veuve, désormais libre de sa personne, fût très-loin d'avoir perdu un ami, je vis, à ma grande surprise, qu'elle n'en fut pas médiocrement touchée, *non poco compunta.*» Ces paroles sont une faible traduction de la vérité, bien qu'elles nous permettent de l'entrevoir; la comtesse d'Albany, en nous ouvrant son cœur, nous y eût montré certainement autre chose. Il y avait dans les destinées si différentes de la duchesse Charlotte et de la comtesse Louise un contraste éloquent, une leçon douloureuse et amère qu'un poëte, un moraliste, un peintre des passions humaines aurait dû mieux comprendre, et qu'il eût comprise sans nul doute, s'il n'avait pas été si directement intéressé dans cette aventure. La punition de l'orgueilleux Alfieri, nous le verrons, fut d'avoir un successeur qui ne le valait point; la punition de la comtesse fut de sentir, au plus profond de son âme, l'humiliante leçon que lui infligeaient les dernières années de Charles-Édouard.»

V.

Alfieri continuait, en attendant la gloire, à préluder avec elle par des éditions consécutives de ses tragédies, surveillées tantôt à Sienne par son ami Gori, tantôt par lui-même. Peu de temps avant son renvoi de Rome, il demanda lâchement au pape Pie VI, l'infortuné et tolérant Braschi, de les lui présenter lui-même. Copions ici le jugement du poëte de *Brutus* sur cette démarche.

«Pendant les deux mois au moins que dura l'impression de ces quatre tragédies, j'étais à Rome sur les charbons ardents, en proie à de continuelles palpitations, et à une fièvre d'esprit que rien ne pouvait calmer. Plus d'une fois, mais la honte me retint, je fus tenté de me dédire et de reprendre mon manuscrit. Enfin elles m'arrivèrent successivement à Rome toutes les quatre, imprimées très-correctement, grâce à mon ami; mais, chacun a pu le voir, très-salement imprimées, grâce au typographe, et versifiées d'une manière barbare, comme je l'ai vu depuis, grâce à l'auteur. L'enfantillage de m'en aller de porte en porte déposer des exemplaires bien reliés de mes premiers travaux pour me concilier des suffrages m'occupa plusieurs jours, et me rendit passablement ridicule à mes propres yeux comme à ceux des autres. J'allai entre autres présenter mon ouvrage au pape qui régnait alors, Pie VI, à qui déjà je m'étais fait présenter il y avait un an, lorsque j'étais venu me fixer à Rome. Et ici je confesserai, à ma grande confusion, de quelle tache je me souillai moi-même dans cette audience bienheureuse. Je n'avais pas une très-grande estime pour le pape comme pape; je n'en avais aucune pour Braschi comme savant ou ayant bien mérité des lettres, qui en effet ne lui devaient rien. Et cependant, moi, ce superbe Alfieri, me faisant précéder de l'offre de mon beau volume, que le Saint-Père reçut avec bienveillance, ouvrit et reposa sur sa petite table, avec beaucoup d'éloges et sans vouloir me laisser lui baiser le pied, mais me relevant au contraire lui-même, car j'étais à genoux; dans cette humble posture il me caressait la joue avec une complaisance toute paternelle; moi donc, ce même Alfieri, l'auteur de ce fier sonnet sur Rome, répliquant alors avec la grâce doucereuse d'un courtisan aux louanges que le pontife me donnait sur la composition et la représentation de l'*Antigone*, dont il avait, m'assurait-il, ouï dire merveille, et saisissant le moment où il me demandait si je ferais encore des tragédies, louant fort du reste un art si ingénieux et si noble, je lui répondis que j'en avais achevé beaucoup d'autres, et dans le nombre un *Saül*, dont le sujet, tiré de l'Écriture, m'enhardissait à en offrir la dédicace à Sa Sainteté, si elle daignait me le permettre. Le pape s'en excusa, en me disant qu'il ne pouvait accepter la dédicace d'aucune œuvre dramatique de quelque genre qu'elle fût, et je n'ajoutai pas un mot sur ce sujet. J'avouerai ici que j'éprouvai alors deux mortifications bien distinctes, mais également méritées: l'une, de ce refus que j'étais allé chercher volontairement; l'autre, de me voir forcé à m'estimer moi-même beaucoup moins que le pape, car j'avais eu la lâcheté, ou la faiblesse, ou la duplicité (ce fut, certes, dans cette occasion, une de ces trois choses qui me fît agir, si ce n'est même toutes trois) d'offrir une de mes œuvres, comme une marque de mon estime, à un homme que je regardais comme fort inférieur à moi, en fait de vrai mérite; mais je dois également, sinon pour me justifier, au moins pour éclaircir simplement cette contradiction apparente ou réelle entre ma conduite et ma manière de penser et de sentir, je dois exposer avec candeur la seule et véritable raison qui me fit prostituer ainsi le cothurne à la tiare. Cette raison, la voici. Les prêtres propageaient depuis quelque temps certains propos sortis de la maison du beau-frère de mon amie, par où je savais que lui et toute sa cour se récriaient fort sur mes trop fréquentes visites à sa belle-sœur; et comme leur mauvaise humeur allait toujours croissant, je cherchais, en flattant le souverain de Rome, à m'en faire plus tard un appui contre les persécutions dont j'avais déjà le pressentiment dans mon cœur, et qui, en effet, attendirent à peine un mois pour se déchaîner. Je crois aussi que cette représentation d'*Antigone* avait trop fait parler de moi pour ne pas augmenter le nombre de mes ennemis et m'en susciter de nouveaux. Si je me montrai alors bas et dissimulé, ce fut donc par excès d'amour, et il faudra bien que celui qui rira de moi reconnaisse en moi son image. Je pouvais laisser cette circonstance dans les ténèbres où elle était ensevelie. J'ai voulu, en la révélant, qu'elle fût une leçon pour tous et pour moi. J'avais trop à en rougir pour l'avoir jamais racontée à personne; je la dis seulement à mon amie quelque temps après. Si je l'ai rapportée, c'est aussi pour consoler tous les auteurs présents ou futurs que des circonstances malheureuses forcent tous les jours honteusement et de plus en plus forceront à se déshonorer, eux et leurs œuvres, par de menteuses dédicaces.»

VI.

Les deux dernières années de cette séparation furent adoucies subrepticement par deux voyages en France, pendant lesquels Mme d'Albany, pour sauver les apparences, loua une maison de campagne isolée, en Alsace, non loin de Colmar, et où Alfieri vint la rejoindre.

«Peu de jours après, écrit-il, arrivèrent à Sienne mes quatorze chevaux anglais; j'y avais laissé le *quinzième*, sous la garde de mon ami Gori: c'était mon beau cheval bai, mon *Fido*[2], le même qui dans Rome avait plusieurs fois reçu le doux fardeau de ma bien-aimée, et c'était assez pour me le rendre plus cher à lui seul que toute ma nouvelle troupe. Toutes ces bêtes me retenaient en même temps dans la distraction et l'oisiveté. Les peines de cœur venant à s'y joindre, j'essayai vainement de reprendre mes occupations littéraires. Je laissai passer une bonne partie de juin et tout le mois de juillet où je ne bougeai pas de Sienne, sans faire autre chose que quelques vers. J'achevai cependant plusieurs stances qui manquaient encore au troisième chant de mon petit poëme, et je commençai même le quatrième et dernier. L'idée de cet ouvrage, quoique souvent interrompu, repris à de longs intervalles et toujours par fragments, et sans que j'eusse aucun plan écrit, était néanmoins restée très-fortement empreinte dans mon cerveau. Ce à quoi je voulais surtout prendre garde, c'était à ne le pas faire trop long, ce qui m'eût été bien facile, si je me fusse laissé entraîner aux épisodes et aux ornements. Mais, pour en faire une œuvre originale et assaisonnée d'une agréable teneur, la première condition, c'était d'être court. Voilà pourquoi dans ma pensée il ne devait d'abord avoir que trois chants; mais la *Revue des conseillers* m'en déroba presque tout un, et il fallut en faire quatre. Je ne suis pas trop sûr cependant, dans mon âme et conscience, que toutes ces interruptions n'aient bien eu leur influence sur l'ensemble du poëme et qu'il n'ait l'air un peu décousu.

«Pendant que j'essayais de poursuivre ce quatrième chant, je ne cessais de recevoir et d'écrire de longues lettres; ces lettres peu à peu me remplirent d'espérance, et m'enflammèrent de plus en plus du désir de revoir bientôt mon amie. Cette possibilité devint si vraisemblable, qu'un beau jour, ne pouvant plus y tenir, je ne confiai qu'à mon ami où je voulais me rendre, et, feignant une excursion à Venise, je me dirigeai du côté de l'Allemagne. C'était le 4 août, un jour, hélas! dont le souvenir me sera toujours amer; car tandis que, content et ivre de joie, j'allai chercher la moitié de moi-même, je ne savais pas qu'en embrassant ce rare et cher ami, quand je croyais ne me séparer de lui que pour six semaines, je le quittais pour l'éternité. Je ne puis en parler, je ne puis y songer sans fondre en larmes, aujourd'hui encore après tant d'années. Mais je ne reviendrai pas sur ces larmes; aussi bien je me suis efforcé ailleurs de leur donner un libre cours.

«Me voici donc de nouveau sur les grands chemins. Je reprends ma charmante et poétique route de Pistoja à Modène, je passe comme un éclair à Mantoue, à Trente, à Inspruck, et de là par la Souabe, j'arrive à Colmar, ville de la haute Alsace, sur la rive gauche du Rhin. Près de cette ville, je retrouvai enfin celle que je demandais à tous les échos, que je cherchais partout, et dont la douce présence me manquait depuis plus de seize mois. Je fis tout ce trajet en douze jours, et j'avais beau courir, je croyais à peine changer de place. Pendant ce voyage, la veine poétique se rouvrit en moi, plus abondante que jamais, et il n'y avait guère de jour où celle qui avait sur moi plus d'empire que moi-même ne me fit composer jusqu'à trois sonnets et plus encore. J'étais tout hors de moi à la pensée que sur toute cette route chacun de mes pas rencontrait une de ses traces. J'interrogeais tout le monde, et partout j'apprenais qu'elle y était passée environ deux mois auparavant. Souvent mon cœur tournait à la joie, et alors j'essayais aussi de la poésie badine. J'écrivis, chemin faisant, un chapitre à Gori, où je lui donnais les instructions nécessaires pour la garde de mes chevaux bien-aimés; cette passion n'était chez moi que la troisième, je rougirais trop de dire la seconde, les muses, comme de raison, devant avoir le pas sur Pégase.

«Ce *chapitre* un peu long, que j'ai placé dans la suite parmi mes poésies, est le premier et à peu près l'unique essai que j'aie tenté dans le genre de Berni, dont je crois sentir toutes les grâces et la délicatesse, quoique la nature ne me porte pas de préférence vers ce genre. Mais il ne suffit pas toujours d'en sentir les finesses pour les rendre; j'ai fait de mon mieux. J'arrivai le 16 août chez mon amie, près de qui deux mois passèrent comme un éclair. Alors me retrouvant de nouveau tout entier de cœur, d'esprit et d'âme, il ne s'était pas encore écoulé quinze jours depuis que sa présence m'avait rendu à la vie, que moi, ce même Alfieri, qui depuis deux ans n'avais pas même eu l'idée d'écrire d'autres tragédies, qui au contraire, ayant déposé le cothurne aux pieds de *Saül*, avais fermement résolu de ne jamais le reprendre, je me trouvai alors, presque sans m'en douter, avoir conçu ensemble et par force trois tragédies nouvelles: *Agis*, *Sophonisbe* et *Myrrha*. Les deux premières m'étaient d'autres fois venues à la pensée, et je les avais toujours écartées; mais cette fois elles s'étaient si profondément fixées dans mon imagination, qu'il fallut bien en jeter l'esquisse sur le papier, avec la conviction et l'espoir que j'en resterais là. Pour ce qui est de *Myrrha*, je n'y avais jamais pensé. Ce sujet m'avait paru tout aussi peu que la Bible ou tout autre fondé sur un amour incestueux de nature à être traduit sur la scène; mais tombant par hasard, comme je lisais les *Métamorphoses* d'Ovide, sur ce discours éloquent et vraiment divin que Myrrha adresse à sa nourrice, je fondis en larmes, et aussitôt l'idée d'en faire une tragédie passa devant mes yeux comme un éclair. Il me sembla qu'il pouvait en résulter une tragédie très-touchante et très-originale, pour peu que l'auteur eût l'art d'arranger sa fable de manière à laisser le spectateur découvrir lui-même par degré les horribles tempêtes qui s'élèvent dans le cœur embrasé et tout ensemble innocent de la pauvre Myrrha, bien plus infortunée que coupable, sans qu'elle en dît la moitié, n'osant s'avouer à elle-même, loin de la confier à personne, une passion si criminelle. En un mot, dans ma tragédie, telle que je la conçus tout d'abord, Myrrha ferait les mêmes choses qu'elle décrit dans Ovide; mais elle les ferait sans les dire. Je sentis dès le début quelle immense difficulté j'éprouverais à prolonger pendant cinq actes, sans le secours d'aucun épisode, ces fluctuations de l'âme de Myrrha, si délicates à rendre. Cette difficulté, qui ne fit alors que m'enflammer de plus en plus, et qui, lorsque ensuite je voulus développer, versifier et imprimer ma tragédie, a toujours été l'aiguillon qui m'excitait à vaincre l'obstacle, l'œuvre achevée, je la crains, cette difficulté, et la reconnais dans toute son étendue, laissant aux autres à juger si j'ai su la surmonter complétement ou en partie, ou si elle demeure tout entière.

«Ces trois nouvelles productions tragiques allumèrent dans mon cœur l'amour de la gloire que je ne désirais plus désormais que pour la partager avec celle qui m'était plus chère que la gloire. Il y avait donc un mois environ que mes jours s'écoulaient heureux et pleins, sans qu'il s'y mêlât d'autre pensée amère que celle-ci, déjà si horrible: Un mois encore, un mois au plus, et il faudra nous séparer de nouveau. Mais, comme si la crainte de ce coup inévitable n'eût pas suffi à elle seule pour répandre une affreuse amertume sur les fugitives douceurs qu'il me restait à savourer, la fortune ennemie voulut y joindre sa dose cruelle pour me rendre plus chère encore cette éphémère consolation. Des lettres de Sienne m'annoncèrent, dans l'espace de huit jours, et la mort du jeune frère de Gori, et une maladie grave de Gori lui-même. Celles qui suivirent m'apportèrent la nouvelle de sa mort, après une maladie qui n'avait duré que huit jours. Si je ne me fusse pas trouvé auprès de mon amie en recevant ce coup si rapide et si inattendu, les effets de ma juste douleur auraient été bien plus terribles; mais, quand on a quelqu'un pour pleurer avec soi, les pleurs sont moins amers. Mon amie connaissait aussi et elle aimait tendrement ce cher François Gori. L'année d'avant, après m'avoir, comme je l'ai dit, accompagné jusqu'à Gênes, de retour de Toscane, il s'était rendu à Rome presque uniquement pour faire connaissance avec elle, et pendant son séjour, qui dura plusieurs mois, il l'avait vue constamment, et l'avait accompagnée dans ses visites de chaque jour à tous les monuments des beaux-arts, qu'il aimait lui-même passionnément, et qu'il jugeait en appréciateur éclairé. Aussi, en le pleurant avec moi, ne le pleurait-elle pas seulement pour moi, mais encore pour elle-même, sachant bien ce qu'il valait par l'expérience qu'elle venait d'en faire. Ce malheur troubla plus que je ne saurais le dire le reste du temps déjà si court que nous passâmes ensemble; et, à mesure que le terme approchait, cette nouvelle séparation me paraissait bien plus amère et plus horrible. Quand fut venu ce jour redouté, il fallut obéir au sort, et je rentrai dans de tout autres ténèbres, séparé de ma bien-aimée, sans savoir, cette fois, pour combien de temps, et privé de mon ami avec la certitude cruelle que c'était pour toujours. À chaque pas de cette même route où s'étaient dissipées en venant ma douleur et mes noires pensées, je les retrouvai au retour plus poignantes. Vaincu par la douleur, je composai peu de vers et ne fis que pleurer jusqu'à Sienne, où j'arrivai dans les premiers jours de novembre. Quelques amis de mon ami, et qui m'aimaient à cause de lui, comme moi-même je les aimais, accrurent démesurément mon désespoir, pendant ces premiers jours, en ne me servant que trop bien dans mon désir de savoir jusqu'aux moindres particularités de ce funeste accident. Tremblant, j'évitais de les entendre, et je ne cessais de les demander. Je n'allai plus demeurer, comme on peut bien le croire, dans cette maison de deuil que je n'ai plus jamais revue. À mon retour de Milan, l'année précédente, j'avais de grand cœur accepté de mon ami, et dans sa maison, un petit appartement solitaire et fort gai, et nous vivions comme deux frères.

«Cependant, sans Gori, le séjour de Sienne me devint tout d'abord insupportable; j'espérai qu'en changeant de lieux et d'objet j'allais affaiblir ma douleur sans rien perdre de sa mémoire. Dans le courant de novembre, je me transportai à Pise, décidé à y passer l'hiver, en attendant qu'un destin meilleur vînt me rendre à moi-même; car, privé de tout ce qui nourrit le cœur, je ne pouvais, en vérité, me regarder comme vivant.

«Je restai à Pise jusqu'à la fin d'août 1785, mais sans y rien écrire depuis ces notes; je me bornai seulement à faire recopier les dix tragédies imprimées et à mettre à la marge beaucoup de changements qui alors me parurent suffire. Mais quand plus tard je m'occupai de ma réimpression de Paris, je les trouvai plus qu'insuffisants, et il fallut alors en ajouter quatre fois autant pour le moins. Au mois de mai de cette même année, je me donnai à Pise le divertissement du *jeu du pont*[3], spectacle admirable, où l'antique se mêle à je ne sais quoi d'héroïque. Il s'y joignit encore une autre fête fort belle aussi dans son genre, l'*illumination* de la ville entière, comme elle a lieu, tous les deux ans, pour la fête de saint Ranieri; ces deux fêtes furent alors célébrées ensemble, à l'occasion du voyage que le roi et la reine de Naples firent en Toscane pour y visiter le grand-duc Léopold, beau-frère de ce roi. Ma petite vanité eut alors de quoi se trouver satisfaite, car on distingua surtout mes beaux chevaux anglais qui l'emportaient en force, en beauté, sur tous ceux qu'on avait pu voir en pareille rencontre; mais, au milieu d'une jouissance si puérile et si trompeuse, je vis, à mon grand désespoir, que dans cette Italie morte et corrompue il était plus facile de se faire remarquer par des chevaux que par des tragédies.

«Sur ces entrefaites, mon amie était partie de Bologne et avait pris, au mois d'avril, la route de Paris. Décidée à ne plus retourner à Rome, elle ne pouvait se retirer nulle part plus convenablement qu'en France, où elle avait des parents, des relations, des intérêts. Après être restée à Paris jusque vers la fin du mois d'août, elle revint en Alsace, dans la même villa où nous nous étions réunis, l'année précédente. Je laisse à juger avec quelle joie, quel empressement, dès les premiers jours de septembre, je pris, pour me rendre en Alsace, la route ordinaire des Alpes Tyroliennes. Mon ami que j'avais perdu à Sienne, ma bien-aimée qui désormais allait vivre hors de l'Italie, me déterminèrent aussi à ne pas y demeurer plus longtemps. Je ne voulais pas alors, et les convenances ne le permettaient pas, m'établir à demeure aux lieux qu'elle habitait, mais je cherchai à m'en tenir éloigné le moins possible, et à n'avoir plus du moins les Alpes entre nous. Je mis donc en mouvement toute ma cavalerie qui, un mois après moi, arriva saine et sauve en Alsace, où j'avais alors rassemblé tout ce que je possédais, excepté mes livres, dont j'avais laissé à Rome la majeure partie. Mais le bonheur de cette seconde réunion ne dura et ne pouvait guère durer que deux mois, mon amie devant passer l'hiver à Paris. Au mois de décembre, je l'accompagnai jusqu'à Strasbourg, où il m'en coûta cruellement de me séparer d'elle et de la quitter une troisième fois. Elle continua sa route vers Paris, et je retournai à notre maison de campagne; j'avais le cœur bien gros, mais mon affliction cette fois n'avait plus autant d'amertume, nous étions plus près l'un de l'autre; je pouvais, sans obstacle et sans crainte de lui faire tort, tenter une excursion de son côté. L'été enfin ne devait-il pas nous réunir? Toutes ces espérances me mirent un tel baume dans le sang, et me rafraîchirent si bien l'esprit, que je me rejetai tout entier entre les bras des Muses. Pendant ce seul hiver, dans le repos et la liberté des champs, je fis plus de besogne qu'il me fût jamais arrivé d'en faire en un aussi court espace de temps. Ne penser qu'à une seule et même chose, et n'avoir à se défendre ni des distractions du plaisir, ni de celles de la douleur, rien n'abrége autant les heures et ne les multiplie davantage. À peine rentré dans ma solitude, je finis d'abord de développer l'*Agis*. Je l'avais commencé à Pise, dès le mois de décembre de l'autre année, puis, las et dégoûté de ce travail (ce qui jamais ne m'arrivait dans la composition), il ne m'avait plus été possible de continuer. Mais alors l'ayant heureusement mené à terme, je ne respirai pas que je n'eusse également développé, pendant ce même mois de décembre, la *Sophonisbe* et la *Myrrha*. Le mois suivant, en janvier 1786, j'achevai de jeter sur le papier le second et le troisième livre du *Prince des Lettres*; je conçus et j'écrivis le dialogue de *la Vertu méconnue*. C'était un tribut que depuis longtemps je me reprochais de n'avoir point payé à la mémoire adorée de mon vénérable ami, François Gori. J'imaginai, en outre, et je développai entièrement la *mélo-tragédie* d'*Abel*, dont je mis en vers la partie lyrique: c'était un genre nouveau, sur lequel j'aurai plus tard l'occasion de revenir, si Dieu me prête vie et me donne avec la force d'esprit nécessaire les moyens d'accomplir tout ce que je me propose d'entreprendre. Une fois revenu à la poésie, je ne quittai plus mon petit poëme que je ne l'eusse complétement terminé, y compris le quatrième chant. Je dictai ensuite, je recorrigeai, je rassemblai les trois autres qui, composés par fragments, dans l'espace de dix années, avaient, ce qu'ils ont peut-être encore, je ne sais quoi de décousu. Si grand que soit le nombre de mes défauts, ce n'est pas là celui qu'on rencontre habituellement dans mes autres compositions. J'avais à peine terminé ce poëme, que dans une de ses lettres toujours si fréquentes et si chères, mon amie, comme par hasard, me raconta qu'elle venait d'assister au théâtre à une représentation du *Brutus* de Voltaire, et que cette tragédie lui avait plu souverainement. Moi qui avais vu représenter cette même pièce dix ans peut-être auparavant, et qui depuis l'avais complétement oubliée, je sentis aussitôt mon cœur et mon esprit se remplir d'une émulation où il entrait à la fois de la colère et du dédain, et je me dis: «Et quels *Brutus*! des *Brutus* d'un Voltaire? J'en ferai, moi, des *Brutus*... Je les traiterai l'un et l'autre. Le temps fera voir à qui de nous il appartenait de revendiquer un tel sujet de tragédie, ou de moi, ou d'un Français, qui, né du peuple, a pendant plus de soixante et dix ans signé: *Voltaire, gentilhomme ordinaire du roi*.» Je n'en dis pas davantage, je n'en touchai même pas un mot dans ma réponse à mon amie, mais, sur-le-champ et avec la rapidité de l'éclair, je conçus à la fois les deux *Brutus*, tels que depuis je les ai exécutés. C'est ainsi que, pour la troisième fois, je manquai à ma résolution de ne plus faire des tragédies, et que de douze qu'elles devaient être, elles sont arrivées au nombre de dix-neuf. Je renouvelai sur le dernier *Brutus*, mais avec plus de solennité que jamais, mon serment à Apollon, et cette fois je suis à peu près sûr de ne plus le violer. J'en ai pour garants les années qui vont s'amassant sur ma tête, et tout ce qui me reste encore à faire dans un autre genre, si toutefois j'en trouve la force et le moyen.

«Je passai plus de cinq mois à cette maison de campagne, dans une continuelle effervescence d'esprit. Le matin, à peine éveillé, j'écrivais aussitôt cinq ou six pages à mon amie; je travaillais ensuite jusqu'à deux ou trois heures de l'après-midi; je montais alors à cheval ou en voiture pendant une couple d'heures; mais, au lieu de me distraire et de me reposer, ne cessant de penser soit à tels vers, soit à tel personnage, soit à telle autre chose, je fatiguais ma tête loin de la soulager. Je fis si bien que j'y gagnai au mois d'avril, un violent accès de goutte qui pour la première fois me cloua dans mon lit, où pendant quinze jours au moins il me retint immobile et souffrant, ce qui vint mettre une interruption cruelle à mes études si chaudement reprises. C'était aussi trop entreprendre que de vouloir vivre solitaire tout à la fois et occupé; je n'aurais pu y résister sans mes chevaux qui me forçaient à prendre le grand air et à faire de l'exercice. Mais, même avec mes chevaux, je ne pus supporter cette perpétuelle et incessante tension des fibres du cerveau, et si la goutte, plus sage que moi, ne fût venue y faire trêve, j'aurais fini par devenir fou ou par défaillir de faiblesse, car je dormais fort peu et ne mangeais presque plus. Toutefois, au mois de mai, grâce au repos et à une diète sévère, les forces m'étaient revenues. Mais des circonstances qui lui étaient personnelles ayant alors empêché mon amie de me rejoindre à notre maison de campagne, et me voyant condamné à soupirer encore après son retour, seule consolation que j'eusse au monde, je tombai dans un trouble d'esprit, qui pendant plus de trois mois obscurcit mon entendement. Je travaillai peu et mal jusqu'à la fin du mois d'août, où la présence tant désirée de mon amie fit évanouir tous ces maux d'une imagination mécontente et enflammée. À peine redevenu sain de corps et d'esprit, j'oubliai les douleurs de cette longue absence qui, heureusement pour moi, fut la dernière, et je me remis au travail avec passion et fureur. Vers le milieu de décembre, époque à laquelle nous partîmes ensemble pour Paris, je me trouvai avoir versifié l'*Agis*, la *Sophonisbe* et la *Myrrha*, développé les deux *Brutus* et composé la première de mes *Satires*. Déjà, neuf ans auparavant, j'avais à Florence tenté ce nouveau genre, j'en avais distribué les sujets, et j'avais même alors essayé d'en exécuter quelque chose. Mais, n'étant point encore assez maître de la langue et de la rime, je m'y étais rompu les cornes; et, craignant de ne pouvoir jamais y réussir, du moins pour le style et la versification, j'en avais à peu près abandonné l'idée. Mais le rayon vivifiant des yeux de mon amie me rendit alors ce qu'il fallait pour cela de courage et de hardiesse, et, m'étant de nouveau mis à l'œuvre, je crus qu'il pourrait m'être donné d'entrer dans la carrière, sinon de la parcourir. Je fis aussi, avant de partir pour Paris, une revue générale de mes poésies, dictées et achevées en grande partie, et je m'en trouvai un bon nombre, trop peut-être.»

VII.

On voit poindre, dans ce mot sur le *Brutus* de Voltaire, la première jalousie d'Alfieri contre la littérature des Français; on la retrouve dans la suite de ce chapitre.

«Avec tout cela, écrit-il, inébranlable dans ma conviction du beau et du vrai, j'aime mieux (et je saisis toutes les occasions de renouveler à cet égard ma profession de foi), j'aime beaucoup mieux encore écrire dans une langue presque morte et pour un peuple mort, et me voir enseveli moi-même de mon vivant, que d'écrire dans ces langues sourdes et muettes, le français ou l'anglais, quoique leurs armées et leurs canons les mettent à la mode; plutôt mille fois des vers italiens, pour peu qu'ils soient bien tournés, même à la condition de les voir pour un temps ignorés, méprisés, non compris, que des vers français ou anglais, ou dans tout autre jargon en crédit, lors même que, lus aussitôt par tout le monde, ils pourraient m'attirer les applaudissements et l'admiration de tous. Est-ce donc la même chose de faire résonner pour ses propres oreilles les nobles et mélodieuses cordes de la harpe, encore que personne ne vous écoute, ou de souffler dans une vile cornemuse, quand toute une multitude d'auditeurs aux longues oreilles devrait vous étourdir de ses acclamations solennelles?»

Son méprisable recueil d'épigrammes grossières et d'invectives de collége, intitulé *Misogallo* (haine aux Français), va confirmer bientôt ces impressions *antinationales*.

Après ces seize mois de bonheur caché, libres de leur séjour et de leur vie, les deux amants partirent enfin pour Paris.

«Dès que nous fûmes à Paris, où l'engagement pris de mon édition commencée me faisait une nécessité de me fixer à demeure, je cherchai une maison, et j'eus le bonheur d'en trouver une très-tranquille et très-gaie, isolément située sur le boulevard neuf du faubourg Saint-Germain, au bout de la rue du Mont-Parnasse. J'y avais une fort belle vue, un air excellent et la solitude des champs.»

Il s'y occupa trois ans de l'impression de toutes ses tragédies chez Didot, le prince des typographes français, et chez Beaumarchais, à Kehl, de l'impression de tous ses sonnets très-peu dignes de Pétrarque, et d'une multitude de caprices d'auteur sans mérite et de traductions qu'il recueillait comme des reliques de lui-même à léguer *in extenso* à la très-indifférente postérité. Cela marchait du même pas sourd sans que le temps lui-même, qui s'occupait de bien autre chose, en sût rien. On était en 1789. La Bastille était prise par la révolution, les états généraux tonnaient à Versailles par la voix séculaire de Mirabeau, et il n'en parle pas. Seulement, ami de quelques philosophes de seconde ligne, il écrit, pour complaire à l'époque, une ode sur la prise de la Bastille. Ainsi l'ennemi des rois et des reines qui pensionnaient son amie, Alfieri, flagornait à Paris le peuple qui devait bientôt les traîner à l'échafaud. On trouve peu d'exemples de telles inconséquences d'esprit et de cœur dans les lettrés de ce temps-là. Que pouvait-il se répondre à lui-même, et que pouvait-il répondre à la comtesse d'Albany, quand elle lui disait: «Je suis reine, et vous exécrez les rois! je suis proscrite de mon trône, et vous invectivez le roi et la reine qui nous prêtent asile! je suis dénuée de tout, et vous poussez au dépouillement de ce roi et de cette reine qui nous subventionnent largement pour vivre! Si la reconnaissance ne vous dit rien, que vous conseille notre intérêt légitime? Sont-ce les vainqueurs de la Bastille qui nous pensionneront, et nous honoreront en sœur et en frère du trône? Vous parlez de la tyrannie? Mais ce peuple a-t-il consulté d'autre loi que sa colère, quand il a attaqué ce vieux donjon sans défenseurs et ce vieux cachot sans prisonniers, et massacré en allant triompher à l'Hôtel-de-Ville le gouverneur et les victimes très-étrangères à ces événements? Ne vous mêlez donc pas des triomphes de ce peuple et de la ruine de nos bienfaiteurs. Je suis reine; respectez en moi la royauté! Mon mari était roi; respectez en lui son titre, et en moi son nom! Un autre roi nous solde; respectez en lui ses bienfaits! il nous protége; respectez en lui l'asile qu'il nous assure!

«—Mais j'ai fait quatorze ou quinze tragédies contre les rois de l'antiquité, j'ai fait *Brutus*! La liberté est classique.—C'est vrai, mais n'en parlez pas: personne, excepté votre imprimeur, n'en parle; imprimez, si vous voulez, pour les lecteurs à venir, et taisez-vous sur les ingratitudes du présent!»

Alfieri n'en poursuivait pas moins ses diatribes et ses amours, et se mettait en règle avec l'avenir par ses tragédies mort-nées, en règle avec les rois en leur enlevant plus que leur trône, leur famille! en règle avec l'opinion en applaudissant lyriquement aux premiers égarements de la révolution;

En règle avec le vieux classique, en accumulant tragédies sur tragédies;

En règle avec l'avenir, comptant sur la gloire et sur l'immortalité anonyme qu'il se préparait en silence au bout de la rue;

En règle avec la fortune, puisqu'il avait encore quatre chevaux de selle, ayant vendu tous les autres à son ami pour monter sa maison à Paris;

En règle enfin avec le bonheur, puisqu'il allait à leur maison de campagne, en Alsace, passer les mois inoccupés de l'année dans l'intimité d'une union paisible.

«Une seule inquiétude le poignait, dit-il; c'étaient des transes d'esprit de tout genre que la révolution qu'il chantait ne vînt, de jour en jour, par ses mouvements insurrectionnels qui éclataient dans Paris depuis la convocation des états généraux et la prise de la Bastille, l'empêcher de terminer ses éditions qui touchaient à leur fin, soit à Paris chez Didot, soit à Kehl chez Beaumarchais, et qu'après tant de peines et de lourdes dépenses, il ne fallût échouer au port. Je me hâtais autant que je pouvais, mais ainsi ne faisaient pas les ouvriers de l'imprimerie de Didot, qui, nouvellement travestis en politiques et en hommes libres, passaient les journées entières à lire les journaux et à faire des lois, au lieu de composer, de corriger, de tirer les épreuves que j'attendais. Je crus que j'en deviendrais fou par contre-coup. J'éprouvai donc une immense satisfaction, quand vint le jour où ces tragédies, qui m'avaient coûté tant de sueurs, terminées et emballées, s'en allèrent en Italie et ailleurs. Mais ma joie ne fut pas de longue durée; les choses allant de mal en pis, et chaque jour, dans cette Babylone, ôtant quelque chose au repos et à la sécurité de la veille, pour augmenter le doute et les sinistres présages qui menaçaient l'avenir, tous ceux qui ont affaire avec ces espèces de singes, et nous sommes malheureusement dans ce cas, mon amie et moi, doivent passer leur vie à craindre un dénouement qui ne peut tourner à bien.

«Voilà donc plus d'une année que je regarde en silence et que j'observe le progrès des lamentables effets de la docte ignorance de ce peuple, qui a le don de savoir babiller sur toutes choses, mais qui ne peut en mener aucune à bonne fin, parce qu'il n'entend rien à la pratique des affaires et au maniement des hommes, ainsi que déjà l'avait finement remarqué et dit notre prophète politique, Machiavel.»

—Les intérêts de mon amie, ajoute-t-il, me retiennent seuls à Paris.— Quels pouvaient être ces intérêts, si ce n'est de faire ratifier par M. Necker et par l'Assemblée française les pensions que le roi et la reine avaient généreusement accordées à la comtesse?

VIII.

Mais il y en avait encore un autre que M. de Reumont, traduit par M. Saint-René-Taillandier, interprète tout autrement, c'était la pension à solliciter de l'Angleterre pour la veuve de son roi détrôné. On ne peut expliquer autrement la visite inconvenante qu'Alfieri et la comtesse allèrent rendre, avec éclat, à la cour de Londres en 1791.

«Sans cela, ajoute le commentateur de la vie d'Alfieri, on ne comprendrait pas certain épisode de ce voyage à Londres, dont Alfieri ne parle pas dans ses mémoires (pour éviter sans doute des explications très-étranges). Le 29 mai 1791, la comtesse d'Albany consentit, si elle ne le sollicita pas, à être présentée au roi George III et à la reine Caroline d'Angleterre! La veuve de Charles-Édouard, offrant publiquement ses hommages au représentant couronné de cette maison de Hanovre qui avait été, en 1746, si impitoyable pour les amis du prétendant, c'est là un contraste qui devait exciter un immense étonnement.»

Deux sœurs, dont l'une fut aimée par Horace Walpole, mesdemoiselles Berry, avec lesquelles je passais mes soirées à Rome en 1820, avaient reçu de leur correspondant Walpole un document qu'elles ne craignaient pas de communiquer dans leur intimité.—«La comtesse d'Albany, écrivait Horace Walpole à mademoiselle Berry, non-seulement est à Londres, mais il est probable qu'en ce moment même elle est au palais de Saint-James (résidence de la cour à Londres). Ce n'est pas une révolution à la manière française qui l'a restaurée, c'est le *sens dessus dessous* si caractéristique de notre époque. On a vu dans ces deux derniers mois le pape brûlé en effigie à Paris, madame du Barry invitée à dîner chez le lord-maire de Londres, et la veuve du prétendant présentée à la reine de la Grande-Bretagne.» Il ajoute quelques jours après: «J'ai eu par un témoin oculaire des détails très-précis sur l'entrevue des deux reines. La reine-veuve a été annoncée sous le titre de princesse de Stolberg. Elle était vêtue fort élégamment, et ne parut pas embarrassée le moins du monde. Le roi parla beaucoup avec elle, mais seulement de son voyage, de la traversée, et d'autres choses générales. La reine lui parla aussi, mais moins longtemps. Elle se trouva placée ensuite entre deux des frères du roi, le duc de Glocester et le duc de Clarence, et eut avec eux une longue conversation. Il paraît qu'elle avait connu le premier en Italie. Elle n'a point parlé avec les princesses. Je n'ai rien su du prince de Galles, mais il était présent, et probablement il ne s'est pas entretenu avec elle. La reine la regardait avec la plus sérieuse attention. Ce qui rend l'événement plus étrange, c'est qu'il y a fête aujourd'hui pour l'anniversaire de la naissance de la reine. Madame d'Albany a été conduite à l'Opéra dans la loge royale...» Trois semaines après cette présentation, le 10 juin, la comtesse assista à la séance de clôture du parlement.

IX.

M. Saint-René-Taillandier, très-embarrassé évidemment de justifier cette présence inconvenante de Mme d'Albany à la cour des ennemis acharnés de son mari, laisse croire que la comtesse ne faisait ces concessions à la cour de Saint-James que pour populariser en Angleterre la gloire d'Alfieri. Il n'a pas réfléchi que son intérêt réel était au contraire de faire disparaître cet adorateur postiche de l'attention d'une cour sévère et puritaine, justement offensée d'une cohabitation si expressive; et quand on sait, du reste, que la comtesse rapporta de Londres la pension considérable que lui fit cette cour, on ne peut raisonnablement douter que cette pension, si offensante pour la mémoire de son premier mari, le Prétendant, n'ait été l'objet et le prix du voyage. Elle en a joui jusqu'à sa mort. Alfieri ne parut pas et disparut avec elle peu de temps après. Voilà la vérité; la France menaçait, il fallait pourvoir par l'Angleterre à la cessation de ces secours. Ils les obtinrent. L'honneur délicat de la comtesse y resta, mais la vie des deux amants fut assurée. Voilà le stoïcisme d'Alfieri! Excepté la prétention de l'orgueil dans cet homme, tout était faux.

X.

Rentrés en France, ils reprirent dans leur maison du Mont-Parnasse la vie équivoque, moitié majestueuse, moitié retirée, qu'ils menaient avant ce voyage inexplicable autrement. Les éléments très-mêlés de la société qui se réunissait chez eux étaient à demi révolutionnaires, à demi royalistes, en mesure ainsi avec les deux partis qui luttaient dans la nation. C'étaient le peintre David, bientôt après régicide; Beaumarchais, tenant d'une main à la cour, de l'autre au peuple insurgé; les deux frères Chénier, l'un, André, prédestiné au prochain échafaud pour son courageux royalisme, l'autre, Marie-Joseph, très-injustement accusé d'avoir immolé son frère; la future impératrice des Français, Joséphine de Beauharnais, femme aimable d'un des futurs martyrs de l'Assemblée constituante.

J'y ajoute, moi, la comtesse de Virieu, femme du comte de Virieu, membre alors constitutionnel de l'Assemblée, et tué depuis au siége de Lyon où il commandait la cavalerie royaliste. La comtesse, femme d'une vertu rigide et d'une piété mystique, représentait dans cette société le respect pour cette légitimité des reines qu'elle ne permettait pas même au soupçon d'effleurer. C'est à elle que j'ai dû mes rapports avec la comtesse d'Albany, qu'elle prévint par une lettre à mon passage à Florence, quand je la vis pour la première fois.

XI.

Le 10 août, qui détrône et emprisonne l'infortuné Louis XVI, force Alfieri à fuir inopinément cette scène de carnage. Le 18 août il part avec la comtesse, sans avoir eu le temps de pourvoir à tout ce qu'il laisse à Paris.

«Après avoir employé ou perdu environ deux mois, dit-il, à chercher et à meubler une nouvelle maison, nous y entrâmes au commencement de 1792. Elle était très-belle et fort commode. Chaque jour on attendait celui qui verrait s'établir enfin un ordre de choses tolérable; mais le plus souvent on désespérait que jamais ce jour dût venir. Dans cette position incertaine, mon amie et moi, comme aussi tous ceux qui alors étaient à Paris et en France, et que leurs intérêts y retenaient, nous ne faisions que traîner le temps. Déjà, depuis plus de deux ans, j'avais fait venir de Rome tous les livres que j'y avais laissés en 1783, et le nombre s'en était fort augmenté, tant à Paris que dans ce dernier voyage en Angleterre et en Hollande. Ainsi, de ce côté, il s'en fallait peu que je n'eusse à ma disposition tous les livres qui pouvaient m'être nécessaires ou utiles dans l'étroite sphère de mes études. Entre mes livres et ma chère compagne, il ne me manquait donc aucune consolation domestique; mais ce qui nous manquait à tous les deux, c'était l'espoir, c'était la vraisemblance que cela pût durer. Cette pensée me détournait de toute occupation, et, ne pouvant songer à autre chose, je continuai à me faire le traducteur de Virgile et de Térence. Pendant ce dernier séjour à Paris, non plus que dans le précédent, je ne voulus jamais fréquenter ni connaître, même de vue, un seul de ces innombrables faiseurs de prétendue liberté, pour qui je me sentais la répugnance la plus invincible, pour qui j'avais le plus profond mépris. Aujourd'hui même où j'écris, depuis plus de quatorze ans que dure cette farce tragique, je puis me vanter que je suis encore, à cet égard, vierge de langue, d'oreilles, et même d'yeux, n'ayant jamais vu, ou entendu, ou entretenu aucun de ces Français esclaves qui font la loi, ni aucun de ces esclaves qui la reçoivent.

«Au mois de mars de cette année, je reçus des lettres de ma mère, et ce furent les dernières. Elle m'y exprimait, avec une vive et chrétienne affection, sa grande inquiétude de me voir, disait-elle, «dans un pays où il y avait tant de troubles, où l'exercice de la religion catholique n'était plus libre, où chacun ne cesse de trembler dans l'attente de nouveaux désordres et de calamités nouvelles.» Elle ne disait, hélas! que trop vrai, et l'avenir le prouva bientôt. Mais lorsque je me remis en route pour l'Italie, la digne et vénérable dame n'existait déjà plus. Elle quitta ce monde le 23 avril 1792, à l'âge de soixante-dix ans accomplis.

«Cependant s'était allumée entre la France et l'empereur cette guerre funeste, qui finit par devenir générale. Au mois de juin on essaya de détruire entièrement le nom de roi; c'était tout ce qui restait de la royauté. La conspiration du 20 juin ayant avorté, les choses traînèrent encore de mal en pis, jusqu'au fameux 10 août, où tout éclata, comme chacun sait. Il ne sera pas hors de propos de rapporter ici le détail que j'en écrivais à l'abbé de Caluso, le 14 août 1792.....

«L'événement accompli, je ne voulus pas perdre un seul jour, et ma première, mon unique pensée étant de soustraire mon amie à tous les dangers qui pouvaient la menacer, je me hâtai, dès le 18, de faire tous les préparatifs de notre départ. Restait la plus grande difficulté; il nous fallait des passe-ports pour sortir de Paris et du royaume; nous fîmes si bien pendant ces deux ou trois jours, que le 15 ou le 16 nous en avions déjà obtenu, en qualité d'étrangers, moi de l'envoyé de Venise, mon amie de celui de Danemark, qui, seuls à peu près de tous les ministres, étaient restés auprès de ce simulacre de roi. Nous eûmes beaucoup plus de peine à obtenir de notre section (c'était celle du Mont-Blanc) les autres passe-ports qui nous étaient nécessaires, un par personne, tant les maîtres que les valets et les femmes de chambre, avec le signalement de chacun, la taille, les cheveux, l'âge, le sexe, que sais-je, moi? Ainsi munis de toutes ces patentes d'esclaves, nous avions fixé notre départ au lundi 20 août; mais, tout étant prêt, un juste pressentiment nous en fit devancer le jour, et nous partîmes le 18, qui était un samedi, dans l'après-dînée. Arrivés à la barrière Blanche, qui était la plus rapprochée de nous, pour gagner Saint-Denis et la route de Calais où nous nous dirigions pour sortir au plus vite de ce malheureux pays, nous n'y trouvâmes qu'un poste de trois ou quatre gardes nationaux avec un officier, qui, ayant visité nos passe-ports, se disposait à nous ouvrir la grille de cette immense prison, et à nous laisser passer en nous souhaitant bon voyage. Mais il y avait auprès de la barrière un méchant cabaret d'où s'élancèrent à la fois une trentaine environ de misérables vauriens déguenillés, ivres, furieux. Ces gens ayant vu nos voitures, nous en avions deux, et nos impériales chargées de malles, avec une suite de deux femmes et deux ou trois hommes pour nous servir, s'écrièrent que tous les riches voulaient s'échapper de Paris avec toutes leurs richesses, et les laisser, eux, dans la misère et l'abandon. Alors commença une lutte entre ce petit nombre de pauvres gardes nationaux et ce ramas ignoble de coquins, les uns voulant nous aider à sortir, les autres nous retenir. Je me jetai hors de la voiture, et, tombant au milieu du tumulte, muni de nos sept passe-ports, je me mis à disputer, à crier, à tempêter plus fort qu'eux tous; c'est là le vrai moyen de venir à bout des Français. Ils lisaient l'un après l'autre, ou se faisaient lire par ceux d'entre eux qui savaient lire, la description des figures de chacun de nous. Mais, plein de colère et d'emportement, et méconnaissant alors le danger, ou, si l'on veut, assez dominé par la passion pour m'exposer à la grandeur du péril qui menaçait nos têtes, je parvins jusqu'à trois fois à reprendre mon passe-port, m'écriant à haute voix: «Voyez et écoutez-moi: Je me nomme Alfieri; je ne suis pas Français, je suis Italien; grand, maigre, pâle, les cheveux roux; c'est bien moi, regardez plutôt. J'ai mon passe-port. Je l'ai obtenu, dans les formes, de ceux qui avaient autorité pour me le délivrer. Nous voulons passer, et par le ciel nous passerons.» L'échauffourée dura plus d'une demi-heure; je fis bonne contenance, et ce fut ce qui nous sauva. Sur ces entrefaites, beaucoup de gens s'étaient amassés autour de nos deux voitures; les uns criaient: Mettons le feu aux voitures! D'autres: Brisons-les à coups de pierres! D'autres encore: Ce sont des nobles et des riches qui se sauvent, ramenons-les à l'hôtel de ville, et qu'on en fasse justice! Mais peu à peu le faible secours de nos quatre gardes nationaux, qui de loin en loin ouvraient la bouche en notre faveur, la violence de mes cris, ces passe-ports que je leur montrai, et que je leur déclamai avec une voix de crieur public, plus que tout le reste enfin, la grande demi-heure pendant laquelle ces *singes-tigres* eurent tout le temps de se fatiguer à la lutte, tout cela finit par ralentir leur résistance, et les gardes m'ayant fait signe de remonter dans ma voiture où j'avais laissé mon amie (en quel état! on peut l'imaginer), je m'y jetai; les postillons se remirent en selle, la grille s'ouvrit, et nous sortîmes au galop, accompagnés par les sifflets, les insultes et les malédictions de cette canaille. Il fut heureux pour nous que l'avis de ceux qui voulaient nous reconduire à l'hôtel de ville ne prévalût pas; si on nous voyait arriver ainsi avec deux voitures surchargées, et ramenés en pompe avec ce renom de fugitifs, il y avait beaucoup à craindre pour nous au milieu de cette populace. Une fois devant les brigands de la municipalité, nous étions bien sûrs de ne plus partir; tout au contraire, on nous envoyait en prison; et si le hasard voulait que nous y fussions encore le 2 septembre, c'est-à-dire quinze jours après, nous étions de la fête, et nous partagions le sort de tant d'autres braves gens qui s'y virent cruellement égorgés. Échappés de cet enfer, nous arrivâmes à Calais en deux jours et demi, pendant lesquels nous montrâmes nos passe-ports plus de quarante fois. Nous sûmes depuis que nous étions les premiers étrangers qui eussent quitté Paris et le royaume, depuis la catastrophe du 10 août. À chaque municipalité, sur la route, où il nous fallait aller présenter nos passe-ports, ceux qui les lisaient demeuraient frappés d'étonnement et de stupeur au premier coup d'œil qu'ils y jetaient. Ils étaient imprimés, mais on y avait effacé le nom du roi. On était peu ou mal informé des événements de Paris, et on tremblait. Voilà sous quels auspices je sortis enfin de France, avec l'espoir et la résolution de ne jamais plus y rentrer. À Calais, on nous laissa entièrement libres de continuer jusqu'à la frontière de Flandre par Gravelines, et, au lieu de nous embarquer, nous préférâmes aller sur-le-champ à Bruxelles. Nous avions pris la route de Calais, parce que la guerre n'ayant point encore éclaté entre la France et les Anglais, nous pensâmes qu'il serait plus facile de passer en Angleterre qu'en Flandre, où la guerre se poussait vivement. En arrivant à Bruxelles, mon amie voulut se remettre un peu de la peur qu'elle avait eue, et passer un mois à la campagne, avec sa sœur et son digne beau-frère. Là nous apprîmes, par ceux de nos gens que nous avions laissés à Paris, que, ce même lundi 20 août fixé d'abord pour notre départ, que j'avais par bonheur avancé de deux jours, cette même section qui nous avait délivré nos passe-ports s'était présentée en corps (voyez un peu la démence et la stupidité de ces gens-là!) pour arrêter mon amie et la conduire en prison. Pourquoi? cela va sans dire, elle était noble, riche, irréprochable. Pour moi, qui ai toujours valu moins qu'elle, ils ne me faisaient pas encore cet honneur. Ne nous trouvant pas, ils avaient confisqué nos chevaux, nos livres et le reste, mis le séquestre sur nos revenus, et ajouté nos noms à la liste des émigrés. Nous sûmes depuis, de la même manière, la catastrophe et les horreurs qui ensanglantèrent Paris le 2 septembre, et nous remerciâmes, nous bénîmes la Providence, qui nous avait permis d'y échapper.

«Voyant s'obscurcir de plus en plus l'horizon de ce malheureux pays, et s'établir dans le sang et par la terreur la soi-disant république, nous tînmes sagement pour gagné tout ce qui pouvait nous rester ailleurs, et nous partîmes pour l'Italie, le premier jour d'octobre. Nous passâmes par Aix-la-Chapelle, Francfort, Augsbourg et Inspruck, et nous arrivâmes au pied des Alpes. Nous les franchîmes gaiement, et nous crûmes renaître, le jour où nous retrouvâmes notre beau et harmonieux pays. Le plaisir de me sentir libre et de fouler avec mon amie ces mêmes chemins que plusieurs fois j'avais parcourus pour aller la voir; la satisfaction de pouvoir, à mon gré, jouir de sa sainte présence, et de reprendre sous son ombre mes études chéries, tout ce bonheur me remit tant de calme et de sérénité dans l'âme, que, d'Augsbourg à Florence, la source poétique s'ouvrit de nouveau, et les vers jaillirent en foule. Enfin, le 3 novembre, nous arrivâmes à Florence, que nous n'avons plus quittée, et où je retrouvai le trésor vivant de ma belle langue, ce qui me dédommagea amplement de tant de pertes en tout genre, qu'il m'avait fallu supporter en France.»

XII.

Qu'on se figure l'accès de rage d'Alfieri, homme si personnel et si mobile au gré de ses passions, après une telle aventure de la révolution, qu'il avait célébrée en républicain classique, et qui s'était retournée pour lui disputer sa tête au moment où il se sauvait devant elle! Tout fut bouleversé dans sa vie et dans sa tête. Il lui paya en invectives ce qu'il lui avait avancé en lâches adulations. Il faut, pour s'en faire une idée, lire ce sordide recueil d'invectives rimées dans lequel il épanche de sang-froid ses déboires. Nous y reviendrons.

XIII.

Après s'être reposé quelques semaines en Belgique, chez la sœur de Mme d'Albany, il n'osa pas reparaître sur le territoire français, et revint vite à Florence chercher un abri encore intact. À peine arrivé, il écrit, protégé par les Alpes et les Apennins, une lettre *au président de la populace française* pour revendiquer ses meubles et ses livres. On ne daigne pas lui répondre. Il loue enfin, à vie, une charmante maison, en plein soleil, sur le quai de l'Arno, près du pont de la Trinité, et il fait disposer cet asile pour la comtesse et pour lui. M. de Reumont parle ici de quelques légèretés amoureuses qu'Alfieri se permet à Florence, et dont il se vante dans des sonnets licencieux en contravention avec son amour déclamatoire pour la veuve du roi d'Angleterre. Ces licences classiques détruiraient, si elles étaient vraies, le dernier charme qui reste à sa vie, le charme de la fidélité reconnaissante à cet amour. Je n'en ai jamais entendu parler ailleurs; mais, si c'était fondé, cela justifierait la veuve royale de sa liaison avec Fabre, le jeune peintre français, ami et commensal du poëte. Il y a des âmes où les plus grandes passions finissent comme les plus vulgaires amours! Nous vous dirons bientôt ce que c'était que Fabre, que nous avons beaucoup connu après la mort d'Alfieri, mais de qui nous n'avons jamais reçu aucune confidence irrespectueuse pour ses deux amis.

XIV.

Au sein de ce repos, Alfieri, devenu plus royaliste que républicain, depuis le triomphe de ses opinions républicaines en France, s'occupait à élever, à l'exemple de Voltaire, un théâtre dans sa maison pour y jouer ses tragédies. Il y mettait le sérieux que sa vie avait perdu depuis tant de variations éclatantes à Paris et à Londres. Le Piémont, conquis par la République, renvoya le roi de Sardaigne, Charles-Emmanuel IV. Le poëte, réconcilié avec les rois par leur infortune, fit demander une audience à son ancien maître fugitif. Le roi lui ouvrit ses bras en lui disant avec une ironie triste: *Ecco il tyranno! Voilà le tyran!* allusion et reproche attendrissants au préjugé antiroyaliste et antipaternel de son ancien ennemi!

XV.

Pendant qu'on s'égorgeait à Paris et que le monde avait les yeux sur ces catastrophes de rois et de peuples, Alfieri, dans sa nouvelle maison du quai de l'Arno, faisait... quoi? Il jouait *Brutus* devant un auditoire de complaisants grands seigneurs. Il faut lui rendre justice cependant. Au moment du procès de Louis XVI, et touché de loin par sa mort, il avait écrit, dans son cabinet, une défense de ce roi. S'il n'y avait pas là courage, il y avait au moins justice. En 1796, il lui vint en idée d'apprendre le grec par des procédés solitaires que le dernier des hellénistes lui aurait épargnés; mais il aurait été obligé d'avouer à quelqu'un son ignorance. Il y parvint tant bien que mal.

L'arrivée de l'armée française en Toscane redoubla sa haine; il allait être dérangé dans son pédantisme. Il se crut suffisamment vengé en sauvant son *Misogallo*, et en confiant à la postérité sa vengeance. Écoutons-le:

«En 1798, chaque jour, le danger devenait,» dit-il, «plus sérieux pour la Toscane, grâce à la *loyale amitié* que les Français professaient pour elle! Déjà, au mois de décembre 1798, ils avaient achevé la magnifique conquête de Lucques, d'où ils ne cessaient de menacer Florence, et, au commencement de 1799, l'occupation de cette ville semblait inévitable. Je voulus donc mettre ordre à mes affaires et me tenir prêt à tous événements. Déjà, l'année précédente, j'avais, dans un accès d'ennui, abandonné le *Misogallo*, et m'étais arrêté à l'occupation de Rome, que je regardais comme le plus brillant épisode de cette épopée servile. Pour sauver cet ouvrage qui m'était cher et auquel je tenais beaucoup, j'en fis faire jusqu'à dix copies, et je veillai à ce que, déposées en différents lieux, elles ne pussent ni s'anéantir ni se perdre, mais reparaître, quand le moment serait venu. N'ayant jamais dissimulé ma haine et mon mépris pour ces esclaves mal nés, je résolus d'être prêt pour toutes leurs violences et toutes leurs insolences, c'est-à-dire de m'y préparer de manière à ne point les subir. Je n'y savais qu'un moyen: si on ne me provoquait pas, je ferais le mort; si l'on me touchait le moins du monde, je saurais donner signe de vie et me montrer en homme libre.

«Je pris donc toutes mes mesures pour vivre sans tache, libre et respecté, ou, s'il le fallait, pour mourir, mais en me vengeant. J'ai écrit ma vie pour empêcher qu'un autre ne s'en acquittât plus mal que moi; le même motif me fit alors aussi composer l'épitaphe de mon amie et la mienne, et je les donnerai ici en note, parce que ce sont celles que je veux et non pas d'autres, et qu'elles ne disent de mon amie et de moi que la vérité pure, dégagée de toute fastueuse amplification.

«Ayant ainsi avisé à ma renommée, ou du moins au moyen de la sauver de l'infamie, je voulus aussi pourvoir à mes études, et corriger, copier, séparer ce qui était achevé de ce qui ne l'était pas, abandonner enfin ce qui ne convenait plus à mon âge ni à mes desseins. J'entrais dans ma cinquantième année; c'était le moment de mettre un dernier frein au débordement de mes poésies. J'en arrangeai donc un nouveau recueil en un petit volume qui contenait soixante et dix sonnets, un chapitre et trente neuf épigrammes que l'on pouvait joindre à ce qui déjà en avait été imprimé à Kehl. Cela fait, je mis le sceau sur ma lyre pour la rendre à qui de droit, avec une ode à la manière de Pindare que, pour me donner l'air un peu grec, j'intitulai: *Teleutodia.* Après quoi, je pliai bagage pour toujours; et si depuis j'ai composé quelque pauvre petit sonnet, quelque chétive épigramme, ç'a été sans l'écrire; ou si je les ai écrits, je ne les ai point gardés, je ne saurais où les retrouver, et ne les reconnais plus pour être de moi. Il fallait finir une fois, finir de mon propre mouvement et sans y être forcé. Mes dix lustres sonnés et l'invasion menaçante de ces barbares antilyriques m'en offraient une occasion naturelle et opportune, s'il en fut. Je la saisis, et je n'y pensai plus.

«Quant à mes traductions, j'avais, les deux années précédentes, recopié et corrigé le *Virgile* tout entier; je le laissai vivre sans toutefois le regarder comme chose terminée. Le *Salluste* me sembla de nature à pouvoir passer, et je le laissai aussi; mais non pas le *Térence*, lequel, n'ayant été fait qu'une seule fois, n'avait été ni revu ni corrigé, était tel, en un mot, qu'il est encore aujourd'hui. Je ne pouvais me décider à jeter au feu mes quatre traductions du grec; je ne pouvais non plus les regarder comme achevées, elles ne l'étaient pas. Je résolus, à tout hasard, et sans me demander si j'aurais ou non le temps d'y revenir, de les recopier avec l'original, en commençant par l'*Alceste*, que je voulais sérieusement retraduire sur le grec, sans quoi elle eût eu l'air d'être traduite d'une traduction. Les trois autres, bien ou mal venues, avaient été du moins traduites sur le texte, et il devait m'en coûter pour les revoir beaucoup moins de temps et de peine. L'*Abel*, désormais condamné à rester, je ne dirai pas une œuvre unique, mais isolée, et privé des compagnes que je m'étais promis de lui donner, avait été mis au net, corrigé, et me semblait pouvoir passer. J'avais ajouté à ces ouvrages de ma façon une toute petite brochure politique, écrite quelques années auparavant sous le titre de: *Avis aux puissances italiennes.* J'avais aussi corrigé ce morceau; il était recopié, et je lui fis grâce. Non que j'eusse le sot orgueil de vouloir trancher de l'homme d'État; ce n'est pas là mon métier. Cet écrit était né de l'indignation légitime qu'avait excitée en moi une politique assurément plus sotte que la mienne, celle qui, depuis deux ans, était mise en œuvre par l'impuissance de l'empereur, combinée avec les impuissances italiennes. Enfin les satires que j'avais composées, morceau par morceau, et à plusieurs reprises corrigées et limées, je les laissai achevées et recopiées au nombre de dix-sept, qu'elles n'ont point dépassé, et que je me suis bien promis de ne plus franchir.

«Après avoir ainsi disposé et mis en ordre mon second patrimoine poétique, je cuirassai mon cœur, et j'attendis les événements.....

«Après avoir ainsi réglé ma manière de vivre, j'encaissai tous mes livres, excepté ceux dont j'avais besoin, et je les envoyai dans une villa, hors de Florence, pour voir si je pourrais éviter de les perdre une seconde fois. Cette invasion très-bien prévue et si fort détestée, l'invasion des Français à Florence, eut lieu le 25 mai 1799, avec toutes les circonstances que chacun sait ou ne sait pas, et qui ne méritent pas d'être sues, la conduite de ces esclaves partout la même n'a en toute occasion qu'une couleur. Ce même jour, peu d'heures avant l'arrivée des Français, mon amie et moi, nous nous retirâmes dans une villa du côté de la porte San-Gallo, près de Montughi; ce ne fut pas cependant sans enlever tout ce qui nous appartenait de la maison que nous habitions à Florence, avant de l'abandonner à l'oppression peu scrupuleuse des logements militaires.

«Ainsi courbé sous le poids de l'oppression commune, sans néanmoins me confesser vaincu, je restai dans cette villa avec un petit nombre de domestiques, et la douce moitié de moi-même, infatigablement occupés l'un et l'autre de l'étude des lettres; car, assez forte sur l'allemand et sur l'anglais, également bien instruite dans l'italien et le français, elle connaît à merveille la littérature de ces quatre nations, et, de l'ancienne, les traductions qui en ont été faites dans ces quatre langues lui en ont appris tout ce qu'il faut savoir. Je pouvais donc m'entretenir de tout avec elle, et, le cœur et l'esprit également satisfaits, jamais je ne me sentais plus heureux que quand il nous fallait vivre tête-à-tête, loin de tous les soucis de l'humanité. Ainsi vivions-nous dans cette villa, où nous ne recevions qu'un très-petit nombre de nos amis de Florence, et rarement encore, de peur d'éveiller les soupçons de cette tyrannie militaire et avocatesque, qui, de tous les mélanges politiques, est le plus monstrueux, le plus ridicule, le plus déplorable, le plus intolérable, et qui ne s'offre à moi que sous l'image d'un tigre guidé par un lapin.

«Chaque jour, ou plutôt chaque nuit, c'étaient des arrestations arbitraires, selon l'usage de ce gouvernement qui n'en était pas un. Ainsi avaient été arrêtés sous le titre d'otages une foule de jeunes gens des plus nobles familles. On venait les prendre de nuit, dans leur lit, à côté de leurs femmes, puis on les expédiait pour Livourne, où on les embarquait brutalement pour les îles Sainte-Marguerite. Bien qu'étranger, je devais craindre un traitement pareil ou plus cruel encore, car il était naturel que l'on m'eût signalé aux Français comme un contempteur et un ennemi de leur autorité. Chaque nuit on pouvait venir me chercher; mais j'avais pris toutes mes mesures pour ne me laisser ni surprendre ni maltraiter. Cependant on proclamait dans Florence cette même liberté qui régnait en France, et les plus lâches coquins triomphaient. Pour moi, je faisais des vers, je faisais du grec, et je rassurais mon amie. Cette situation déplorable dura depuis le 25 mai, que les Français entrèrent, jusqu'au 5 de juillet, où, battus et perdant la Lombardie entière, ils s'échappèrent, pour ainsi dire, de Florence, un matin, à la pointe du jour, après avoir pris, cela va sans dire, tout ce qu'ils pouvaient emporter. Mon amie et moi, nous n'avions pas mis le pied à Florence tant que l'invasion avait duré, ni souillé nos regards de la vue d'un seul Français. Mais les mots ne sauraient peindre la joie de Florence, le matin où les Français la quittèrent, et les jours suivants où l'on ouvrit ses portes à deux cents hussards autrichiens.....

«Uniquement occupé du soin d'assembler et de revoir mes quatre traductions du grec, je traînais le temps, sans autre souci que de poursuivre avec ardeur des études commencées trop tard. Le mois d'octobre arriva, et le 15, voici qu'au moment où on s'y attendait le moins, pendant la trêve conclue avec l'empereur, les Français se jettent de nouveau sur la Toscane qu'ils savaient occupée au nom du grand-duc, avec lequel ils n'étaient point en guerre. Je n'eus pas le temps, comme la première fois, de me retirer à la campagne, et il me fallut les voir et les entendre, jamais ailleurs toutefois que dans la rue, voilà qui va sans dire. Du reste, le plus grand ennui et le plus oppressif, la corvée de loger le soldat, la commune de Florence eut l'heureuse idée de m'en exempter en qualité d'étranger, et comme ayant une maison étroite et trop petite. Délivré de cette crainte, pour moi la plus cruelle et celle qui me donnait le plus de souci, je me résignai pour le surplus à ce qui pouvait arriver. Je m'enfermai, pour ainsi dire, dans ma maison, et à l'exception de deux heures de promenade, que je faisais chaque matin pour ma santé, et dans les lieux les plus écartés, je ne me laissais voir à personne, et m'absorbais dans le travail le plus obstiné.

«Mais si je fuyais les Français, les Français ne voulaient pas me fuir, et, pour mon malheur, celui de leurs généraux qui commandait à Florence, tranchant du littérateur, voulut faire connaissance avec moi, et très-honnêtement il se présenta deux fois à ma porte, toujours sans me trouver, car je m'étais arrangé de manière que jamais on ne me trouvât. Je ne voulus pas même lui rendre politesse pour politesse, et lui renvoyer ma carte. Quelques jours après il me fit demander de vive voix, par un message, à quelle heure je pouvais être chez moi. Quand je vis qu'il s'obstinait, ne voulant pas confier à un domestique de place une réponse verbale qui aurait pu être changée ou altérée, j'écrivis sur une petite feuille de papier: «Victor Alfieri, pour éviter tout malentendu dans la réponse qu'il fait rendre à M. le général, la remet par écrit à son domestique. Si M. le général, en sa qualité de commandant de Florence, lui fait signifier l'ordre de l'attendre chez lui, Alfieri, qui ne résiste pas à la force qui commande, quelle qu'elle soit, se constituera immédiatement en tel état que de raison; mais si M. le général ne veut que satisfaire une curiosité personnelle, Victor Alfieri, naturellement très-sauvage, ne désire plus faire connaissance avec personne, et le prie, en conséquence, de l'en dispenser.» Le général me répondit directement deux mots pour me dire que mes ouvrages lui avaient inspiré le désir de me connaître; mais que désormais, averti de mon humeur sauvage, il ne me chercherait plus. Il tint parole; et voilà comment j'échappai à un ennui pour moi plus pénible et plus triste que tout autre supplice que l'on eût voulu me faire subir.

«Cependant le Piémont, autrefois ma patrie, déjà francisé à sa manière et voulant singer ses maîtres en tout, changea son académie des sciences, ci-devant royale, en un institut national, sur le modèle de celui de Paris, où se trouvaient réunis les belles-lettres et les beaux-arts. Il plut à ces messieurs (je ne saurais les nommer, car mon ami Caluso s'était démis de sa place de secrétaire de l'académie), il leur plut, dis-je, de m'élire membre de cet institut et de me l'apprendre directement par une lettre. Prévenu d'avance par l'abbé, je leur renvoyai la lettre sans l'ouvrir, et je chargeai mon ami de leur dire, de vive voix, que je n'acceptais point ce titre d'associé, que je ne voulais être d'aucune association, et, moins que de toute autre, d'une académie qui récemment avait exclu avec tant d'insolence et d'acharnement trois personnages aussi respectables que le cardinal Gerdil, le comte Balbo, le chevalier Morozzo (comme on peut le voir dans les lettres que je cite en note), sans en apporter un autre motif, sinon qu'ils étaient trop royalistes.

«Je n'ai jamais été, je ne suis pas royaliste; mais ce n'est pas une raison pour que j'aille me mêler à cette clique. Ma république n'est pas la leur; je fais et ferai toujours profession d'être en tout ce qu'ils ne sont pas. Furieux de l'affront que je recevais, je manquai à ma parole pour rimer quatorze vers sur ce sujet, et je les envoyai à mon ami; mais je n'en gardai point copie, et ni ceux-ci, ni d'autres que l'indignation ou toute autre passion arracha de ma plume, ne figureront plus désormais parmi mes poésies déjà trop nombreuses.

«Je n'avais pas eu la même force, au mois de septembre de l'année précédente, pour résister à une nouvelle impulsion, ou, pour mieux dire, à une impulsion renouvelée de ma nature, impulsion toute-puissante cette fois, qui m'agita pendant plusieurs jours, et à laquelle il fallut bien me rendre, ne pouvant la surmonter. Je conçus et jetai sur le papier le plan de six comédies à la fois.»

XVI.

À quarante-neuf ans il semble revenir à une seconde enfance, se sentant vieilli à l'époque où les hommes d'action se sentent jeunes. Il s'amuse à créer pour lui-même un ordre de chevalerie littéraire: «J'inventai un collier où seraient gravés les noms de vingt poëtes et auquel serait suspendu un camée avec le portrait d'Homère. Je me parerai moi-même de ce nouvel ordre.»

Ses mémoires sont surtout intéressants par la sincérité de sa vanité ridicule et aussi par la passion moitié sincère moitié ostentative qu'il affecta de prouver toute sa vie à la comtesse d'Albany. L'abbé de Caluso, son ami de Turin, qu'il avait engagé à venir le voir à Florence en 1803, rend compte ainsi de sa mort:

«Il expira le 3 octobre de cette année. Ce jour-là, s'étant levé en apparence mieux portant et plus gai qu'il n'avait coutume depuis longtemps, il sortit, après son étude habituelle du matin, pour se promener en phaéton. Mais il avait à peine fait quelques pas qu'il se sentit pris d'un froid extrême, et voulant, pour le chasser, se réchauffer, descendre et marcher un peu, il en fut empêché par des douleurs d'entrailles. Il rentra avec un accès de fièvre qui dura quelques heures et baissa sur le soir. Quoiqu'il fût d'abord tourmenté d'une envie de vomir, il passa la nuit sans trop grandes douleurs, et le lendemain, non-seulement il s'habilla, mais il sortit de son appartement, et descendit à la salle à manger pour dîner; cependant il ne put manger ce jour-là, et il en passa une grande partie à dormir. Il eut ensuite une nuit agitée. Le 5 au matin, après s'être rasé, il voulait sortir pour prendre l'air; mais la pluie ne le permit pas. Le soir, selon sa coutume, il but son chocolat, et le trouva bon. Mais, dans la nuit du 5 au 6, il fut repris de très-vives douleurs d'entrailles. Le docteur ordonna des sinapismes aux pieds; mais, au moment où ils commençaient à opérer, le malade s'en débarrassa, dans la crainte que, la plaie venant à se former, il ne fût pendant plusieurs jours empêché de marcher. Le soir, il paraissait mieux, et ne voulut pas se mettre au lit, ne croyant pas pouvoir le supporter. Dans la matinée du 7, son médecin ordinaire fit appeler un de ses confrères en consultation, et ce dernier ordonna des bains et des vésicatoires aux jambes. Mais le malade n'en voulut pas non plus, toujours dans la crainte de ne pouvoir marcher. On lui fit prendre de l'opium, qui calma les douleurs et lui fit passer une nuit assez tranquille. Toutefois il ne se mit pas encore au lit; ce repos que lui donnait l'opium n'était pas sans quelque mélange d'hallucinations importunes; il avait la tête pesante, et, quoique éveillé, il retrouvait comme en songe le souvenir des choses passées le plus vivement empreintes dans son esprit. Il se rappelait alors ses études et ses travaux de trente années, et, ce qui l'étonnait davantage, un bon nombre de vers grecs du commencement d'Hésiode, qu'il n'avait lus qu'une fois, lui revenaient à la mémoire... Vous étiez assise près de lui, madame la comtesse, et c'est à vous qu'il le disait. Toutefois il ne semblait pas croire que la mort, avec laquelle il s'était depuis longtemps familiarisé, le menaçât alors de si près. Du moins, madame, il ne vous en témoigna rien, quoique vous ne l'ayez quitté que le matin, à six heures, lorsqu'il s'obstina, contre l'avis des médecins, à prendre de l'huile et de la magnésie. Ce remède ne pouvait que lui nuire et lui embarrasser les intestins. En effet, sur les huit heures, on s'aperçut qu'il était en danger, et quand on vous rappela près de lui, madame, vous le trouvâtes qui respirait à peine et à demi suffoqué. Néanmoins, s'étant levé de sa chaise, il eut encore la force de s'approcher du lit et de s'y appuyer; un moment après sa vue s'obscurcit, ses yeux se fermèrent, et il expira. On n'avait négligé ni les devoirs ni les consolations de la religion; mais on ne croyait pas que le mal fît des progrès si rapides, ni qu'il fût nécessaire de se hâter, et le confesseur qu'on avait mandé n'arriva pas à temps. Toutefois nous ne pouvons douter que le comte ne fût prêt pour ce terrible passage, dont la pensée lui était si présente que très-souvent il y revenait dans ses discours. C'est ainsi que, le samedi 8 octobre 1803, au matin, ce grand homme nous fut enlevé, ayant à peine dépassé la moitié de la cinquante-cinquième année de son âge.

«Il a été enseveli où le furent avant lui tant de personnes célèbres, à Sainte-Croix, près de l'autel du Saint-Esprit, sous une simple pierre, en attendant le mausolée digne de tous deux que lui fait élever Mme la comtesse d'Albany, non loin de Michel-Ange. Déjà Canova y a mis la main, et l'œuvre d'un si grand sculpteur ne peut être qu'une œuvre grande. J'ai essayé d'exprimer dans les sonnets qu'on va lire les sentiments que j'ai apportés sur la tombe de notre ami.»

Et comme en Italie tout commence et tout finit par des sonnets, l'abbé de Caluso, oncle de la comtesse Mazin, femme très-distinguée du Piémont, avec laquelle j'ai eu des rapports aimables, dédie, en finissant, trois sonnets infiniment médiocres à la comtesse d'Albany. Nous ne les citerons pas par respect pour les sonnets de Pétrarque, pour l'Italie, et pour la veuve de Charles-Édouard. Mais Alfieri ne méritait guère mieux.

De la gloire, il n'eut que la passion;

Du civisme, il n'eut que l'affectation;

Du génie, il n'eut que la prétention;

De l'amour, il n'eut que l'ostentation;

Ostentation peut-être sincère, mais suspecte au moins, comme nous allons le montrer dans la suite de ce commentaire. Toutefois laissons-lui cet honneur contesté, car c'est par lui qu'il est encore quelque chose.

Nous allons examiner en détail ses œuvres, et prouver qu'il n'eut d'un grand poëte que la manie et non le génie, que l'Italie s'est trompée en le prenant pour un grand homme, et qu'il ne fut en réalité qu'un *pédant magnifique*. Parcourons ses titres.

Lamartine.

(*La suite au prochain Entretien.*)

XCVIII^e ENTRETIEN.

ALFIERI.
SA VIE ET SES ŒUVRES.

(TROISIÈME PARTIE.)

I.

Suivons maintenant la comtesse d'Albany:

Le lendemain de la mort d'Alfieri, rien ne change dans la demeure du poëte. Alfieri va habiter la demeure classique commandée à Canova par celle qu'on pouvait appeler sa veuve, mais qui en réalité ne l'était pas. Les lettres du poëte et de la comtesse, emportées à Montpellier par *Fabre* après la mort des deux amis, lettres brûlées par la main sévère d'un troisième ami, puritain de décence, le prouvent. Si le mariage supposé avait eu lieu, il aurait été attesté par cette correspondance, et les amis zélés pour la mémoire religieuse de la comtesse ne les auraient pas anéanties. C'est évident: on n'anéantit pas ce qui justifie!

Donc aucun lien, ni religieux ni légal, ne resserrait l'union entre la comtesse d'Albany et son chevalier servant; ils étaient libres, excepté des liens que l'habitude et les mœurs de l'Italie consacrent. On a vu qu'Alfieri ne les respectait pas complétement pendant leur cohabitation à Florence, à leur retour de Paris et de Londres en 1793. Son sonnet licencieux sur un amour immoral, avoué en ce temps-là dans une mauvaise société de Florence, sonnet commémoratif de cette pitoyable aventure, en est la preuve en ce qui le concerne. Mais si on réfléchit que ce sonnet prouvant l'infidélité scandaleuse de l'amant a été introduit dans l'édition de ses soixante-dix sonnets par la comtesse d'Albany elle-même, éditant et révisant ses œuvres, il est difficile de douter de l'intention des deux amants, le poëte et l'éditeur. Le poëte s'adorait trop lui-même pour brûler un méchant sonnet si peu respectueux pour la comtesse, et la comtesse, de son côté, libre de publier ou d'anéantir ce sonnet, preuve de la légèreté d'Alfieri envers elle, ne le laissait évidemment imprimer que pour en faire usage à son tour, en donnant au public la preuve qu'Alfieri lui laissait désormais la liberté de son cœur en se vantant de la licence du sien. Il est difficile de se refuser à cette conclusion. Quel est l'amant qui imprimerait sous l'œil de son amie un sonnet où il attesterait lui-même sa propre infidélité cynique? quelle est l'amante qui, libre d'anéantir la preuve d'une pareille offense, la laisserait subsister si elle n'avait elle-même l'intention de se déclarer libre par la plume de son premier adorateur? Il est donc à croire que les liens étaient rompus à cette époque, et que la comtesse n'était pas fâchée qu'on le sût, afin de se justifier elle-même d'un changement dont on lui avait donné l'exemple. Je n'ai pas pu tirer de l'impression posthume de ce sonnet une autre conjecture.

II.

Quoi qu'il en soit, il y avait alors dans la maison et dans l'intimité d'Alfieri un jeune Français sur lequel les regards et les suspicions du public commençaient à se tourner. Ce jeune homme était M. Fabre.

«La mort d'Alfieri ouvre une période nouvelle dans la vie de Mme d'Albany. Si douloureuse que fût l'heure de la séparation, cette mort, il faut bien le dire, était un affranchissement pour la comtesse. Il paraît certain qu'elle avait aimé Fabre avant qu'Alfieri fût descendu au tombeau; il est certain aussi que la misanthropie toujours croissante du poëte l'avait condamnée pendant ces derniers temps à une solitude bien contraire à ses goûts. Elle se résignait sans doute, car elle était débonnaire et soumise; elle demandait à l'étude des consolations, elle passait des journées entières plongée dans ses lectures. Qui oserait dire pourtant que sa résignation fût complète? qui oserait affirmer qu'à la mort de son amant, au milieu de sa douleur et de ses larmes, elle ne se sentit pas, sans se l'avouer à elle-même, plus légère, plus à l'aise, et comme débarrassée d'une chaîne pesante? Toutes ces Maintenons, occupées à distraire des rois malheureux et irrités, finissent toujours par laisser éclater leur ennui. Mme d'Albany, une fois séparée de son poëte, ne prononce pas un mot, n'écrit pas une ligne qui puisse nous faire soupçonner le fond de son âme; mais sa conduite nous révèle la vérité tout entière beaucoup plus clairement qu'on ne le voudrait. Quelques mois à peine sont écoulés, et déjà le peintre a pris la place du poëte dans l'hôtel du *Lung' Arno*; la *casa di Vittorio Alfieri* est aussi désormais la maison de François-Xavier Fabre. Quant à ces salons où la royale comtesse était si impatiente d'avoir sa cour et que la sauvagerie d'Alfieri tenait si obstinément fermés, ils vont enfin s'ouvrir: grands seigneurs et grandes dames, hommes de guerre et hommes d'État, écrivains et artistes, y affluent bientôt de toutes parts; c'est le foyer littéraire de l'Italie du nord, c'est un des rendez-vous de la haute société européenne. Voilà comment furent célébrées les funérailles d'Alfieri!

«Nous voudrions qu'il nous fût possible de voiler ce triste épisode. À Dieu ne plaise qu'on nous accuse d'avoir cédé ici à l'indiscrète curiosité de notre temps! Les commérages de l'histoire intime ne sont pas de notre goût; nous ne cherchons pas le scandale, nous ne scrutons pas les mystères de la vie privée. Ce sont là, par malheur, des choses devenues publiques. Et qui donc est coupable de cette publicité? Mme d'Albany a étalé elle-même une partie de ses fautes dans cette *Vita d'Alfieri* qu'elle a imprimée librement après la mort du poëte, et, pour ce qui concerne ses relations avec Fabre, elle n'y a pas, dans son insouciance, apporté plus de réserve. D'ailleurs on a tant parlé de ces singuliers incidents, on a tant discuté le pour et le contre, que notre silence sur un point si délicat serait plus grave encore qu'une condamnation expresse. Comment supprimer tout à fait un épisode qui renferme la conclusion du drame? Des romanciers se sont plu à mettre en scène la femme de quarante ans, et ils ont eu beau se montrer sympathiques pour des souffrances qui ne dépendent pas du nombre des années, on voit percer une secrète ironie dans leurs peintures. De quel ton les plus complaisants pourraient-ils raconter ces dernières aventures de la comtesse? Mme d'Albany avait cinquante et un ans lorsque Alfieri mourut, Fabre n'en avait que trente-sept; la jeunesse de Fabre, jointe à un mérite qu'on ne peut nier, fut peut-être ce qui captiva le plus l'amante si longtemps soumise du misanthrope Alfieri. N'oublions pas cependant que sur un point si délicat des opinions bien diverses se sont produites, et peut-être suffira-t-il de mettre ces opinions en présence pour concilier les devoirs de l'historien avec les justes égards dus à une femme célèbre, dont les dernières années ont laissé un souvenir honorable.

«Il n'est pas du tout prouvé, disent les défenseurs de la comtesse, que personne ait remplacé Alfieri dans son cœur. Qu'était-ce que Fabre, en effet, pour lui inspirer une passion si vive et si impatiente? Le peintre de Montpellier, si estimable à tant d'égards, n'avait d'ailleurs aucune des qualités qui peuvent séduire un cœur enthousiaste. Je ne parle pas seulement de l'impression qu'il a laissée à ceux qui l'ont connu dans les dernières années de sa vie: la goutte le tourmentait alors depuis longtemps, et son caractère, assez peu aimable déjà, était devenu singulièrement âpre. Sans avoir en 1803 cette humeur chagrine et bourrue, Fabre, esprit sérieux, intelligent, causeur instruit et plein de ressources, connaisseur du premier ordre en matière d'art, ne brillait ni par le charme ni par l'élévation du talent. Aucune flamme chez lui, pas la moindre étincelle de ce génie qui faisait pardonner à l'auteur de *Marie Stuart* ses brusqueries farouches. Une âme honnête et droite pouvait animer les traits vulgaires de son visage; il n'y fallait chercher aucune grâce, aucune finesse, nulle expression délicate et poétique. Les personnes qui ont vu à Montpellier le portrait de Fabre tel qu'il l'a peint lui-même se demandent comment la veuve de Charles-Édouard, *l'adorata donna* d'Alfieri, aurait pu effacer comme à plaisir, par cet inexplicable attachement, la poétique auréole qui entourait son nom.

—Prenez garde! a-t-on répondu. Il faudrait, pour être tout à fait juste envers Fabre, se demander si la comtesse elle-même, en 1803, n'était pas un peu atteinte de cette vulgarité qu'on reproche au successeur d'Alfieri. Elle avait eu et gardé longtemps un merveilleux éclat de jeunesse, un teint éblouissant, quelque chose de ces fraîches carnations de Rubens, son compatriote et son peintre favori. À cinquante et un ans, sa beauté n'existait plus, et si les adorateurs de la comtesse, ceux qui ne la connaissent que par les Mémoires d'Alfieri, s'étonnent qu'elle ait pu aimer après lui le moins poétique des hommes, les amis de Fabre peuvent s'étonner à leur tour qu'il ait pu aimer, jeune encore, la vieille comtesse alourdie par l'âge. «J'ai connu Mme d'Albany à Florence, écrit M. de Chateaubriand dans les *Mémoires d'outre-tombe*; l'âge avait apparemment produit chez elle un effet opposé à celui qu'il produit ordinairement: le temps ennoblit le visage, et, quand il est de race antique, il imprime quelque chose de sa race sur le front qu'il a marqué. La comtesse d'Albany, d'une taille épaisse, d'un visage sans expression, avait l'air commun. Si les femmes des tableaux de Rubens vieillissaient, elles ressembleraient à Mme d'Albany à l'âge où je l'ai rencontrée. Je suis fâché que ce cœur, *fortifié et soutenu* par Alfieri, ait eu besoin d'un autre appui.» Les souvenirs que consigne ici le célèbre écrivain se rapportent à l'année 1812; il est probable cependant que dès l'année 1803 la veuve du dernier Stuart, la vieille amie de l'ardent poëte piémontais, avait déjà cette physionomie sans jeunesse, ces allures sans légèreté, que Chateaubriand nous signale. Qu'il y ait dans ces lignes un sentiment de fatuité mondaine, que l'auteur soit heureux d'opposer secrètement à la Béatrice un peu déformée d'Alfieri la Béatrice toute gracieuse et tout idéale de l'Abbaye-aux-Bois, nous n'essayerons pas de le nier; ce n'est pas une raison pour récuser un témoignage confirmé par des juges plus bienveillants. M. de Lamartine, qui vit la comtesse d'Albany en 1810, c'est-à-dire à une époque très-rapprochée de la date qui nous occupe, la représente à peu près dans les mêmes termes. «Rien, dit-il, ne rappelait en elle, à cette époque déjà un peu avancée de sa vie, ni la reine d'un empire, ni la reine d'un cœur. C'était une petite femme dont la taille, un peu affaissée sous son poids, avait perdu toute légèreté et toute élégance. Les traits de son visage, trop arrondis et trop obtus aussi, ne conservaient aucunes lignes pures de beauté idéale.» Il est vrai qu'il ajoute ce correctif précieux, oublié ou dédaigné par Chateaubriand: «Mais ses yeux avaient une lumière, ses cheveux cendrés une teinte, sa bouche un accueil, toute sa physionomie une intelligence et une grâce d'expression qui faisaient souvenir, si elles ne faisaient plus admirer. Sa parole suave, ses manières sans apprêt, sa familiarité rassurante, élevaient tout de suite ceux qui l'approchaient à son niveau. On ne savait si elle descendait au vôtre, ou si elle vous élevait au sien, tant il y avait de naturel dans sa personne.»

«Ici les défenseurs de la comtesse d'Albany, qui ne peuvent nier son attachement pour le jeune artiste de Montpellier, essayent de soutenir qu'ils étaient secrètement mariés. Non, répliquent leurs adversaires. Mme d'Albany installa Fabre auprès d'elle, elle en fit le compagnon de sa vie, elle le fit accepter par le monde de l'Empire et de la Restauration; elle le présenta familièrement à l'aristocratie européenne; elle l'emmena dans tous ses voyages, à Paris en 1810, à Naples en 1812; elle vécut enfin sans scrupule et sans embarras comme la femme du peintre, mais elle ne songea pas un seul jour à l'épouser. Nous avons sur ce point un renseignement assez curieux. Le premier volume du Supplément de la *Biographie universelle*, publié en 1834, contient un article sur la comtesse d'Albany, article signé du nom de Meldola, et dans lequel on lit ces paroles: «Quelques biographes ont prétendu que Mme d'Albany s'était unie par un mariage secret à Alfieri, et qu'après la mort de ce poëte elle avait épousé M. Fabre. Ce dernier fait est démenti par M. Fabre lui-même, qui regarde le premier comme également controuvé.» Or, comme si cette dénégation imprimée ne suffisait pas au successeur d'Alfieri, il l'inscrivit de sa main sur l'exemplaire qui lui appartenait. Ces mots, *elle avait épousé M. Fabre*, sont soulignés par lui au crayon, et d'une main brusque il a écrit à la marge: «C'est faux.» Ce volume ainsi annoté a été donné par Fabre à la bibliothèque de Montpellier, et chacun peut y lire cette singulière protestation. Pourquoi donc une telle insistance? Au nom de quel sentiment a-t-il protesté de la sorte? Que craignait-il en laissant s'accréditer le bruit d'un mariage secret entre la comtesse et lui? Il ne craignait rien et ne se souciait de rien; toutes ces délicatesses lui étaient complétement inconnues. Véridique autant que bourru, il avait son franc-parler sur toutes les choses, et il n'a songé en cette circonstance qu'à dire la vérité, brutalement ou non, peu importe.»

III.

Fabre fils, d'une famille obscure de Montpellier, élève de David, homme de bon sens et de cœur droit, était allé à Rome étudier l'art dans lequel il devint érudit de premier ordre, sans sortir tout à fait d'une élégante et savante médiocrité dans l'exécution. Tout ce que la science peut donner, il l'avait; le génie lui était à peu près refusé. Son extérieur un peu vulgaire n'avait rien qui motivât la passion, que la jeunesse. Ses yeux étaient beaux et limpides, mais ses traits n'avaient aucune noblesse et aucune distinction naturelle de ces visages desquels la race ou le génie écrit d'avance l'origine. C'était un visage flamand, ayant assez d'analogie avec les traits arrondis et allemands de la comtesse d'Albany elle-même. Bien accueilli à Florence par les deux amants, il fit par reconnaissance un très-beau portrait d'Alfieri et finit par cohabiter assidûment chez eux, bien qu'alors il n'y eût pas son logement. Il logeait alors dans la même rue que moi à Florence, et il remplissait son logement des chefs-d'œuvre de l'art qu'on se procurait assez économiquement alors en Italie. Son musée était un reliquaire de la peinture, où un magnifique Raphaël présumé recevait son culte et celui des amateurs. Je l'ai souvent visité et admiré sur parole. Fabre avait beaucoup d'esprit et surtout de bon sens. Sa conversation nourrie, sans prétention, devait avoir dans l'intimité beaucoup de charme. Il n'était ni jaloux ni intrigant, propre à se laisser aimer plus qu'à séduire, sûr comme l'amitié, fidèle et discret comme elle. Alfieri avait cinquante ans, Fabre trente-six, la comtesse d'Albany approchait de quarante-six ans; c'était là tout le charme.

On n'a aucun détail sur la manière dont cette liaison fut contractée jusqu'après la mort du poëte. Mais le *duo* parut devenir un *trio*, jusqu'à ce qu'il redevînt un *duo* par l'absence éternelle d'un des acteurs. Peu de temps avant la mort d'Alfieri, Fabre vint habiter comme maître de maison le palais de la comtesse. Le monde italien, accoutumé à ces habitudes, ne le trouva pas mal séant; il fallait un homme, au gouvernail de cette demeure, soit un peintre, ami ou amant, peu importait aux mœurs du pays et du temps? La comtesse, l'abbé de Caluso, Fabre, recueillirent en une seule édition les œuvres d'Alfieri et livrèrent tout ce fatras à l'œil du public avec un soin religieux.

C'est ici le moment pour nous de jeter un coup d'œil impartial sur cette œuvre. Les sonnets sont vides d'amour, le lyrisme ou l'inspiration manquent totalement à cet homme, on n'en retiendra pas un vers; c'est du pédantisme glacé, l'éternel hiver du cœur dont l'imagination de l'Italie ne fond pas même les neiges. Pétrarque n'eût pas daigné en lire un seul; jamais cela ne chante; les satires, fade imitation de Juvénal, sont de l'antique réchauffé à froid par une méchanceté classique.

Le *Misogallo* est un recueil de toutes les injures à la France, qui n'a pas même daigné s'en apercevoir; caprice de haine et d'envie aussi faux que son amour! Les traductions sont des traductions pénibles, sans originalité, sans grâce et sans sel; exercices de collége qu'on brûle après les avoir écrits, quand on n'a pas l'adoration de sa plume et quand on ne fait pas de la collection de ses *lignes* l'*ex-voto* de sa misérable vanité.

Quant à ses tragédies, c'est un peu moins médiocre, mais toujours médiocre. L'ennui en est la séve: on sent qu'il s'est prodigieusement ennuyé à les écrire, et quand on les a lues on sent qu'on s'est prodigieusement ennuyé à les lire. C'est le monde de l'ennui dont on sort soulagé, avec la ferme résolution de n'y jamais rentrer!—Il n'y a qu'un seul mérite, mais mérite tout local et que les Italiens seuls peuvent apprécier: c'est la langue toscane, ou plutôt l'effort de l'auteur pour traduire avec peine et succès son piémontais en étrusque. Mais, comme dit Chateaubriand, «le feuillage n'a de grâce que sur l'arbre qui le porte.» On éprouve en essayant à les lire toute la peine qu'Alfieri a éprouvée en les écrivant.

Le style en est classiquement beau et fort, mais d'une beauté morte et d'une force enragée qui ne se détend jamais. Les vers blancs sans rime dans lesquels il écrit ses tragédies sont une prose cadencée, qui ne donne pas même à l'oreille le plaisir de la difficulté vaincue et de la complète harmonie des mots. C'est une prose concassée en fragments égaux, âpres, durs, secs, dont la brièveté, fruit de la réflexion, est le seul caractère, et qui exclut presque tout développement des sentiments et du drame; sorte d'algèbre en vers blancs, qu'un géomètre littéraire écrirait, non pour faire sentir, mais pour faire comprendre en peu de signes sa pensée; le contraire de l'éloquence, qui ne vous entraîne qu'en s'épanchant, et du drame, qui ne vous saisit, comme la nature, que par ses développements. Aussi ses tragédies ne méritent-elles pas ce nom; ce sont des *dialogues des morts*, où *trois* ou *quatre* acteurs causent ensemble avec une passion furieuse, et finissent au cinquième acte par s'entre-tuer: voilà les tragédies de ce grand homme de volonté, quelquefois éloquent par tirades, mais toujours fastidieux par sécheresse. Une admirable actrice italienne, rivale plus débordante de feu que Mlle Rachel, Mme Ristori, est venue à Paris et à Londres représenter devant le pays de *Racine* et de *Shakespeare* quelques scènes de ces tragédies toscanes d'Alfieri.

Comme on déclame en pays étranger, devant un peuple curieux, les balbutiements d'un écolier de rhétorique, on a applaudi la magique beauté, le geste neuf et pathétique, la sublime diction de la tragédienne; mais la tragédie? Non; personne n'a été tenté de traduire pour nous ces drames avortés, excepté M. *Legouvé*, par complaisance de talent, pour que l'actrice universelle eût le plaisir d'émouvoir en français les Français. *Myrra* a fait pleurer sur son amour néfaste, mais *Myrra* tout entière n'était qu'une scène, un dialogue entre la passion et l'impossible dont le coup de poignard est le seul dénoûment, une métaphysique en conversation, une frénésie en vers blancs.

IV.

Octavie, *Timoléon*, *Mérope*, *Philippe II*, *Polynice*, *Antigone*, *Brutus I* et *Brutus II*, *Sophonisbe*, *Rosmonde*, *Oreste*, *Agamemnon*, *Virginie*, *Marie Stuart*, *la Conjuration des Pazzi*, *Don Garcia*, *Agis*, etc., etc.; *Saül*, tragédie biblique que j'ai imitée ou traduite en vers dans ma jeunesse, et qui a quelque originalité parce qu'elle a plus de poésie réelle, ne sont pas sans talent, mais sont presque sans génie; ces plagiats plus ou moins éloquents de langue étrangère, si l'on n'est pas soi-même un maniaque de langues, ne laissent rien dans l'esprit de celui qui les parcourt, que la froide satisfaction de se dire: J'ai lu une banale déclamation dans un dialecte bien imité. Mais ce n'est pas ainsi que *Shakespeare*, *Corneille*, *Racine*, *Voltaire*, *Gœthe*, *Schiller* lui-même,—ont introduit ou renouvelé l'art théâtral dans leur pays.—Un *pensum* dialogué en vers toscans, voilà le vrai nom que l'Italie laissera à son prétentieux poëte dramatique, jusqu'à ce qu'on n'en parle plus, quand l'Italie aura son théâtre sérieux, après la fédération nationale des Italiens modernes?

Voilà l'homme! N'en parlons plus.

V.

Je reviens à la comtesse d'Albany. Le respect humain la rendit en apparence fidèle au culte de la gloire de ce grand homme *convenu*, qu'elle avait aimé jeune sous le nom d'Alfieri. Bien qu'elle en fût dès longtemps saturée sans le montrer et sans le dire, et qu'il y eût, dit-on, plus de domination que d'attrait dans l'espèce de subjugation qu'Alfieri exerçait sur elle, elle ne voulut pas l'avouer; elle eût retranché quelque chose à son excuse, en retranchant un atome à la grandeur factice de son héros. Elle consacra tout ce qui venait de lui à l'édition de ses pauvres œuvres et à la dépense de son monument en marbre par Canova. Quand ces devoirs furent accomplis, elle reprit dans la société de *Fabre* la vie élégante et princière qu'elle avait commencée à Paris avant la révolution. Elle recevait des amis assidus, dont j'ai particulièrement connu le plus grand nombre, cité par M. de *Reumont* et par M. *Saint-René Taillandier* dans son intéressante biographie des deux amis.

Le premier cité est le comte *Baldelli*, époux d'une charmante jeune femme et père d'une plus charmante fille. Le comte Baldelli vivait à Florence, et sa société savante plaisait à Mme d'Albany; je le voyais souvent moi-même de 1820 à 1826. Ses opinions, modifiées par la lecture du comte de Maistre, le séparèrent plus tard des amis florentins de la comtesse d'Albany. C'était un homme jeune encore, ardent, religieux, d'abord favorable à la révolution française, puis devenu plus acerbe contre elle, par esprit de piété et de propagande.

Voici la lettre qu'elle lui écrivit peu de jours après la mort d'Alfieri:

«Florence, 24 novembre 1803.

«Vous pouvez juger, mon cher Baldelli, de ma douleur par la manière dont je vivais avec l'incomparable ami que j'ai perdu. Il y aura samedi sept semaines, et c'est comme si ce malheur m'était arrivé hier. Vous qui avez perdu une femme adorée, vous pouvez concevoir ce que je sens. J'ai tout perdu, consolation, soutien, société, tout, tout. Je suis seule dans ce monde, qui est devenu un désert pour moi. Je déteste la vie, qui m'est odieuse, et je serais trop heureuse de finir une carrière dont je suis déjà fatiguée depuis dix ans par les circonstances terribles dont nous avons été témoins: mais je la supportais, ayant avec moi un être sublime qui me donnait du courage. Je ne sais que devenir; toutes les occupations me sont odieuses. J'aimais tant la lecture! Il ne m'est plus possible que de lire les ouvrages de notre ami, qui a laissé beaucoup de manuscrits pour l'impression. Il s'est tué à force de travailler, et sa dernière entreprise de six comédies était au-dessus de ses forces... Il a succombé en six jours sans savoir qu'il finissait, et a expiré sans agonie, comme un oiseau, ou comme une lampe à qui l'huile manque. Je suis restée avec lui jusqu'au dernier moment. Vous jugerez comme cette cruelle vue me persécute; je suis malheureuse à l'excès. Il n'y a plus de bonheur pour moi dans ce monde, après avoir perdu à mon âge un ami comme lui, qui, pendant vingt-six ans, ne m'a pas donné un moment de chagrin que celui que les circonstances nous ont procuré à l'un et à l'autre. Il est certain qu'il y a peu de femmes qui puissent se vanter d'avoir eu un ami tel que lui; mais aussi je le paye bien cher dans ce moment, car je sens cruellement sa perte. Je regrette bien votre absence; votre âme sensible et en même temps forte aurait relevé la mienne, qui est anéantie. J'ai trouvé du courage dans toutes les circonstances de ma vie: pour celle-ci, je n'en trouve pas du tout; je suis tous les jours plus accablée, et je ne sais pas comment je ferai pour continuer à vivre aussi malheureuse.»

Pour que rien ne manquât à l'exactitude et aussi à la moralité de cette histoire, il fallait entendre les cris de douleur que pousse la comtesse d'Albany. Écoutez encore ses gémissements et ses sanglots dans cette lettre à M. d'Ansse de Villoison. Je le répète, au moment où elle trace cette page, elle est sincère. On ne joue pas de cette façon avec la douleur et les larmes; on n'imite pas ainsi le désespoir. Oui, elle est sincère encore, à cette date, quand elle se voit seule dans un désert, quand elle parle de son impuissance de vivre. Le grand helléniste qui savait apprécier Alfieri a écrit à la comtesse ses compliments de condoléance.

Voici ce qu'elle lui répond:

«Florence, le 9 novembre 1803.

«J'étais bien sûre, mon cher monsieur, que vous prendriez un grand intérêt à la perte horrible que j'ai faite. Vous savez par expérience quel malheur affreux c'est de perdre une personne avec qui on a vécu pendant vingt-six ans, et qui ne m'a jamais donné un moment de déplaisir, que j'ai toujours adorée, respectée et vénérée. Je suis la plus malheureuse créature qui existe... Le plus grand bonheur, et le seul qui puisse m'arriver, ce serait d'aller rejoindre cet ami incomparable. Il s'est tué à force d'étudier et de travailler. Depuis dix ans qu'il était à Florence, il avait appris le grec tout seul. Il a traduit en vers une tragédie de chaque auteur grec, les *Perses* d'Eschyle, *Philoctète* de Sophocle, *Alceste* d'Euripide, et il a fait une *Alceste* à son imitation, ainsi qu'une tragi-mélodie d'*Abel*, qui est moitié tragédie et moitié pour chanter, afin de donner aux Italiens le goût de la tragédie: ce seront les premières choses que je ferai imprimer pour finir son théâtre. Il a traduit les *Grenouilles* d'Aristophane, tout Térence, tout Virgile en vers, c'est-à-dire l'*Énéide*,—la *Conjuration de Catilina*. Il a fait dix-sept satires, un tome de poésies lyriques. Il a écrit toute sa vie jusqu'au 14 mars de cette année, et puis il a fait depuis deux ans six comédies qui ont été la cause de sa mort, y travaillant trop pour les finir plus vite, et malgré cela il n'a pu en corriger que quatre et demie; il est tombé malade à la moitié du troisième acte de la cinquième. Il se portait très-bien le 3 octobre au matin, et il travailla à son ordinaire; je rentrai à quatre heures pour dîner, et je le trouvai avec la fièvre: la goutte s'était fourrée dans les entrailles, qu'il avait très-affaiblies depuis quelque temps, ne pouvant quasi plus manger... Enfin le samedi 8, après avoir passé une nuit moins mauvaise que les précédentes, il s'affaiblit, il perdit la vue, et mourut sans fièvre, comme un oiseau, sans agonie, sans le savoir. Ah! monsieur, quelle douleur! J'ai tout perdu: c'est comme si on m'avait arraché le cœur! Je ne puis pas encore me persuader que je ne le reverrai plus. Imaginez-vous que depuis dix ans je ne l'avais plus quitté, que nous passions nos journées ensemble; j'étais à côté de lui quand il travaillait, je l'exhortais à ne pas tant se fatiguer, mais c'était en vain: son ardeur pour l'étude et le travail augmentait tous les jours, et il cherchait à oublier les circonstances des temps en s'occupant continuellement. Sa tête était toujours tendue à des objets sérieux, et ce pays ne fournit aucune distraction. Je me reproche toujours de ne l'avoir pas forcé à faire un voyage: il se serait distrait par force. Son âme ardente ne pouvait pas exister davantage dans un corps qu'elle minait continuellement. Il est heureux, il a fini de voir tant de malheurs; sa gloire va augmenter: moi seule, je l'ai perdu, il faisait le bonheur de ma vie. Je ne puis plus m'occuper de rien. Mes journées étaient toujours trop courtes, je lisais au moins sept ou huit heures, à présent je ne puis plus ouvrir un livre. Pardonnez-moi de vous entretenir de mon chagrin. Je sais que vous avez de l'amitié pour moi et que vous aimiez cet ami incomparable: c'est ce qui fait que je me livre avec vous à ma douleur.

«....Vous me feriez grand plaisir de me donner de vos nouvelles, de vous et de vos occupations littéraires. Je sais que vous enseignez le grec moderne à l'Institut. On me dit qu'on imprime l'*Énéide* de M. Delille; je serais charmée de la lire, si ma tête peut un jour se calmer. Je n'ai aucun projet de déplacement; je vis au jour la journée, heureuse quand j'en ai fini une, et au désespoir d'en recommencer une autre. La mort serait pour moi un véritable bonheur; je déteste la vie, le monde, et tout ce qui s'y fait et s'y voit. Je ne vivais que pour un seul objet, et je l'ai perdu. Adieu, mon cher monsieur; plaignez-moi, car je suis bien malheureuse. Je ne puis m'arracher de ces lieux où j'ai vécu avec lui, et où il reste encore.»

Quoi de plus touchant? Chateaubriand, attaché alors à l'ambassade de Rome, venait d'arriver à Florence au moment où Alfieri rendait le dernier soupir; il le vit coucher au cercueil, il lut les deux inscriptions funéraires, il fut touché de cet immense amour, de ce dernier rendez-vous donné au sein de la mort; ces images devaient frapper l'auteur du *Génie du Christianisme*, et ce qu'elles avaient d'un peu théâtral n'était pas pour lui déplaire. Il s'apprêtait donc à en parler en poëte, comme il l'a fait trois mois après, sous l'impression toute récente de ce douloureux épisode, quand se produisit un incident assez singulier, un incident qui aurait pu le mettre en défiance, s'il y eût arrêté sa pensée. François-Xavier Fabre, le jeune peintre de Montpellier, qui était déjà pour Mme d'Albany un confident intime, écrivit de la part de la comtesse à M. de Chateaubriand pour le prier de ne rien publier qui pût être défavorable à la mémoire d'Alfieri. Qu'est-ce à dire? D'où viennent ces alarmes? Pourquoi ces précautions? Le sens de cette démarche, qui dut paraître si extraordinaire alors, n'est plus un secret pour nous aujourd'hui: on craignait que Chateaubriand, ayant visité Florence, n'eût appris bien des choses qui pouvaient nuire un peu à l'idéale peinture des amours d'Alfieri et de la comtesse. On craignait que cette consécration poétique, cette transfiguration merveilleuse de la réalité ne souffrît quelque atteinte dans l'esprit du brillant écrivain, s'il prêtait l'oreille à des confidences indiscrètes. On le suppliait enfin, avec la diplomatie du cœur, de ne pas altérer la légende; on lui fournissait même des notes pour entretenir son enthousiasme. La *Vita di Vittorio Alfieri, scritta da esso*, n'avait pas encore été publiée; il importait que Chateaubriand connût au moins les pages enflammées où le Dante piémontais glorifie sa royale Béatrice. C'est à cette demande, à ces préoccupations, à ces inquiétudes inattendues, que répondait Chateaubriand, quand il adressait à Fabre la lettre que voici:

Monsieur,

J'ai reçu votre obligeante lettre, ainsi que le paquet que vous m'avez fait l'honneur de m'envoyer par Son Éminence monseigneur le cardinal de Consalvi. Je vous prie seulement de m'adresser directement à l'avenir ce que vous pourriez avoir à me faire passer. Les moyens les plus simples sont toujours les plus prompts et les plus sûrs.

J'ignore encore le moment, monsieur, où je pourrai faire usage de votre excellente notice. Ma tête est tellement bouleversée par des chagrins de toute espèce, que je ne puis rassembler deux idées[4]. J'espère que mon ami sera arrivé sans accident à Venise. L'air de Florence et surtout celui de Rome lui étaient tout à fait contraires. Les marais de Venise ne sont pas sans inconvénients, mais il faut bien prendre son parti. En général, toutes les personnes qui ont la poitrine délicate se plaignent beaucoup de ce pays, et c'est ce qui me forcera moi-même à l'abandonner.

Au reste, monsieur, soyez sûr que je ne publierai rien sur le comte Alfieri qui puisse vous être désagréable, et surtout à son admirable amie, aux pieds de laquelle je vous prie de mettre mes respects. Si les circonstances me le permettent, je vous soumettrai mon travail avant de l'envoyer à l'imprimerie.

J'ai l'honneur d'être, monsieur, votre très-humble et très-obéissant serviteur,

Chateaubriand.

«*P. S.* Je reçois l'arrêté de ma promotion à une autre légation. Je pars pour Naples, et j'espère être à Florence du 15 au 20 janvier. J'aurai sûrement l'honneur de vous y saluer.

«Je prends la liberté de vous adresser cette lettre chez Mme la comtesse d'Albany, faute d'avoir votre adresse directe: j'espère qu'elle voudra bien me le pardonner.

«Rome, mercredi 28 décembre 1803.»

Ce scrupule d'inquiétude de Mme d'Albany prouve qu'elle redoutait quelques vérités pénibles racontées dans le public européen par un mot indiscret de Chateaubriand, dont elle sollicitait le silence.

Le silence fut accordé, et rien ne troubla les obsèques du grand homme ni la paix de son amie.

VI.

Dans le même temps elle se ressouvint de l'ancienne amitié qu'elle avait conçue, en 1792, pour la femme du premier consul, qui fut plus tard l'impératrice Joséphine Beauharnais. Joséphine lui répondit:

Paris, 1801.

Combien je vous remercie, ma chère amie, de l'intérêt touchant que vous nous accordez, à Bonaparte et à moi! Une amitié distinguée comme la vôtre offre des consolations au milieu des idées affligeantes qui naissent des dangers continuels auxquels on est exposé, et l'on regrette moins de les avoir courus quand ils excitent les témoignages d'une estime aussi pure que celle que vous nous laissez voir.

JOSEPHINE BONAPARTE, née LA PAGERIE.

P. S. Je vois souvent ici M. de Lucchesini, dont j'estime beaucoup l'esprit et le caractère. Nous parlons de vous fréquemment, et je l'aime à cause de l'attachement qu'il vous porte.—Dites, je vous prie, de ma part, à Mme de Bernardini tout ce que vous pouvez imaginer d'aimable. Adieu, chère princesse.

Mme de Staël, qui l'avait beaucoup connue et cultivée à Paris, de 1789 à 1793, lui écrivit un billet de condoléance. Elle l'appelait sa *chère souveraine*, et ce nom, où la familiarité s'unissait au respect, flattait les deux femmes:

Bologne, 22 mars 1805.

Je ne sais, madame, si j'ai su vous exprimer comme je le sentais mon respect pour vous et pour votre malheur. Je ne suis jamais entrée sans émotion dans votre maison; je ne vous ai jamais vue sans l'intérêt le plus tendre; je me persuade que nos amis sont réunis, et je vous demande de penser quelquefois au mien, qui a partagé un grand nombre des opinions de celui qui vous fut si cher. Oh! je ne puis croire qu'un jour nous ne nous retrouverons pas tous. L'affection serait sans cela le plus trompeur des sentiments naturels... Mes compliments à vos dames, et pour vous, madame, le plus tendre et le plus respectueux attachement.

Necker de Staël-Holstein.

VII.

Cependant, le 4 septembre 1810, époque précise où j'arrivai en Toscane, le monument funèbre de Canova fut inauguré dans l'église de *Santa-Croce*, malgré la véhémente réclamation du clergé. Mme d'Albany était à Paris et conversait avec Bonaparte, auprès de qui elle avait alors la nécessité de conserver une attitude de bienveillance utile à ses intérêts et qui ne répugnait point à ses opinions. Ses liaisons avec Mme de Staël et sa société lui rendaient, sous l'Empire, son rôle très-complexe et très-délicat. Elle ne désirait point rompre avec les connaissances de Mme de Staël à Coppet et à Paris, et elle voulait moins encore se déclarer en hostilité avec l'homme dont sa tranquillité et son bien-être dépendaient; toute sa fortune en France et en Angleterre était dans ces ménagements.

Un ami de Mme de Staël, M. de Sismondi, Toscan d'origine, Genevois de séjour, Français de goût, l'embarrassait beaucoup par ses correspondances très-indiscrètes; il ne cessait de la provoquer, avec un défaut de tact qui touchait par la candeur à une ingénuité presque niaise, à se prononcer contre l'Empire. On voit clairement combien cette importunité lui était à charge. Sismondi, retiré pendant quelques mois à *Pescia*, sa patrie, en Toscane, ne s'en apercevait pas; il continuait l'obsession de sa correspondance compromettante.

Voici une de ses lettres, du 7 juin 1807, de Pescia:

Madame,

Permettez-moi de me rappeler à votre souvenir en vous envoyant les deux premiers volumes de mon histoire. Si votre noble ami avait vécu, c'est à lui que j'aurais voulu les présenter, c'est son suffrage que j'aurais ambitionné d'obtenir par dessus tous les autres. Son âme généreuse et fière appartenait à ces siècles de grandeur et de gloire que j'ai cherché à faire connaître. Né comme par miracle hors de son siècle, il appartenait tout entier à des temps qui ne sont plus, et il avait été donné à l'Italie comme un monument de ce qu'avaient été ses enfants, comme un gage de ce qu'ils pouvaient être encore. Il me semble que l'amie d'Alfieri, celle qui consacre désormais sa vie à rendre un culte à la mémoire de ce grand homme, sera prévenue en faveur d'un ouvrage d'un de ses plus zélés admirateurs, d'un ouvrage où elle retrouvera plusieurs des pensées et des sentiments qu'Alfieri a développés avec tant d'âme et d'éloquence. Avant la fin de l'été, je compte aller à Florence vous rendre mes devoirs et entendre de votre bouche, madame, votre jugement sur mes *Républiques*.

Il y a quinze jours que j'ai quitté Mme de Staël à Coppet; elle avait chargé son libraire de vous faire parvenir sa *Corinne*, et elle se flattait que vous l'aviez reçue. Si cependant elle ne vous est pas parvenue encore, je pourrai vous en envoyer un exemplaire; je serai sûr, en le faisant, de l'obliger, car elle désirait sur toute chose que cet ouvrage fût de bonne heure entre vos mains, et qu'il obtînt votre approbation. Je me flatte qu'elle sera entière, et que, si la France a été juste pour elle, l'Italie sera reconnaissante.—Vous aurez su, madame, que notre amie a éprouvé de nouveaux désagréments. Vous en aurez su même davantage, car la malignité publique s'est plu à en exagérer les rapports. On lui avait laissé acheter une campagne dans la vallée de Montmorency, en lui donnant des espérances trompeuses, et, au lieu de lui permettre ensuite de l'habiter, on avait confirmé l'exil à trente lieues; c'est alors qu'elle est revenue à Coppet où j'ai passé un mois auprès d'elle. Aujourd'hui je m'éloigne d'elle de nouveau, et pour une année entière; mais j'espère voir bientôt ici un autre de nos amis communs, M. de Bonstetten, qui doit avoir eu, il y a peu de mois, l'avantage de vous voir, et qui m'annonce par sa dernière lettre son retour prochain de Rome. Peut-être vous l'arrêterez quelque temps à Florence, et nous nous le disputerons...

J.-Ch.-Léon Simonde Sismondi.

Pescia, 18 juin 1807.

Nous voici, dès cette première lettre, introduits dans le monde de Mme de Staël. Entre le château de Coppet et le palais du *Lung' Arno*, Sismondi sera désormais un intermédiaire actif et dévoué. Plus d'un curieux détail, ignoré des biographes les mieux informés, des historiens littéraires les plus pénétrants, va nous être révélé dans ses messages. Pourquoi n'avons-nous pas les lettres de Mme d'Albany? Le tableau serait bien autrement complet; profitons du moins des pages qui nous restent. Mme d'Albany a dû répondre immédiatement à la lettre que nous venons de citer, et sans doute elle regrettait de ne pas avoir encore reçu la *Corinne* de Mme de Staël, dont la publication toute récente avait causé une émotion si vive. «S'il faut en croire une anecdote, dit M. Villemain, le dominateur de la France fut tellement blessé du bruit que faisait ce roman, qu'il en composa lui-même une critique insérée au *Moniteur*.» Cette critique *amère et spirituelle*, au jugement de M. Villemain, mais surtout si fort inattendue, n'aurait-elle pas été provoquée par le refus qu'opposa Mme de Staël à certaines insinuations du maître? La lettre suivante, datée du 25 juin, peut jeter quelque jour sur ce singulier incident:

«Je me hâte de vous envoyer *Corinne*, c'était à vous que l'auteur voulait que son livre parvînt avant tout autre en Italie. Mme de Staël n'avait point attendu le voyage long et incertain de M. de Sabran, elle avait donné ordre à son libraire de vous expédier cet ouvrage au moment où il paraîtrait. Si cet exemplaire, qui vous était destiné, vous parvient enfin, je prendrai la liberté de vous le demander pour le faire passer à Naples à la place de celui-ci. Sans doute, madame, moi aussi j'aurais ardemment désiré que Mme de Staël eût assez de fermeté dans le caractère pour renoncer complétement à Paris et ne faire plus aucune démarche pour s'en approcher; mais elle était attirée vers cette ville, qui est sa patrie, par des liens bien plus forts que ceux de la société; ses amis, quelques personnes chères à son cœur, et qui seules peuvent l'entendre tout entier, y sont irrévocablement fixées. Il ne lui reste que peu d'attachements intimes sur la terre, et hors de Paris elle se trouve exilée de ce qui remplace pour elle sa famille aussi bien que de son pays. C'est beaucoup, sensible comme elle est, passionnée pour ce qui lui est refusé, faible et craintive comme elle s'est montrée souvent, que d'avoir conservé un courage négatif qui ne s'est jamais démenti. Elle a consenti à se taire, à attendre, à souffrir pour retourner au milieu de tout ce qui lui est cher; mais elle a refusé toute action, toute parole qui fût un hommage à la puissance. Encore à présent, comme on la renvoyait loin de la terre qu'elle avait achetée, le ministre de la police lui fit dire que, si elle voulait insérer dans Corinne un éloge, une flatterie, tous les obstacles seraient aplanis et tous ses désirs seraient satisfaits. Elle répondit qu'elle était prête à ôter tout ce qui pouvait donner offense, mais qu'elle n'ajouterait rien à son livre pour faire sa cour. Vous le verrez, madame, il est pur de flatterie, et, dans un temps de honte et de bassesse, c'est un mérite bien rare.—Nous allons donc bientôt voir ceux où l'âme antique de votre ami s'exprime avec toute sa fierté, toute son énergie. Je n'en doute pas, madame, vous réussirez à obtenir une libre publication, puisque vous avez déjà été si avant. Ce succès ne pouvait être obtenu que par vous seule au monde; il fallait les efforts, le courage, la persévérance d'une affection que la mort a rendue plus sacrée et qu'elle a presque transformée en culte. Parmi ces hommes qui comprennent si mal les hautes pensées et les sentiments généreux, il reste cependant encore une secrète admiration pour des vertus et un dévouement dont ils sont incapables. Vous les avez dominés, vous les dominerez encore par cette profonde vérité de votre caractère et de vos affections. Ils céderont, ils obéiront au grand nom d'Alfieri, parce que vous, en sentant toute la hauteur de son génie, toute la noblesse de son caractère, vous les forcez à le reconnaître.

«J.-Ch.-L. SIMONDE SISMONDI.

«Pescia, 25 juin 1807.»

VIII.

Pendant que Mme de Staël réunissait à Coppet l'élite de ces esprits dépaysés, ennemis momentanés de l'empire, Mme d'Albany, attentive à ne pas mécontenter l'empereur, proscrivait la politique de son salon, et y recevait les proconsuls français avec empressement. La grande-duchesse *Élisa Bonaparte* régnait à Florence; Mme d'Albany se gardait de rompre avec sa cour. M. de Sismondi lui écrivait avec ironie sur ces relations. C'était le moment où Mme de Staël, entre Schlegel et Benjamin Constant, écrivait le plus réellement beau de ses ouvrages, *l'Allemagne*.

«Vous avez lu sans doute *les Martyrs* de Chateaubriand; c'est la chute la plus brillante dont nous ayons été témoins, mais elle est complète: les amis mêmes n'osent pas le dissimuler, et, quoiqu'on sache que le gouvernement voit avec plaisir ce déchaînement, la défaveur du maître n'a rien diminué de celle du public. La situation de Chateaubriand est extrêmement douloureuse; il voit qu'il a survécu à sa réputation, il est accablé comme amour-propre, il l'est aussi comme fortune, car il n'a rien. Il ne tient aucun compte de l'argent, et il a dépensé sans mesure ce qu'il comptait gagner par cet ouvrage, qui, au contraire, achève de le ruiner. J'en ai une pitié profonde; c'est un si beau talent mal employé! C'est même un beau caractère, qui, à quelques égards, s'est démenti. Comme il n'est rien qu'avec effort, comme il veut toujours paraître au lieu d'être lui-même, ses défauts sont *tachés* comme ses qualités, et une vérité profonde, une vérité sur laquelle on se repose avec assurance, n'anime pas tous ses écrits. Ainsi on assure qu'il est très-indépendant de caractère, qu'il parle avec une grande liberté et un grand courage; cependant il y a dans les *Martyrs* des passages indignes de ces principes, il y en a où il semble avoir cherché des allusions pour flatter. Il a pris la servilité pour le caractère de la religion, parce qu'il a appris cette religion au lieu de la sentir.

«Nous sommes à présent réunis à Coppet. Mme de Staël a auprès d'elle tous ses enfants, mais l'aîné est sur le point de partir pour l'Amérique; il va reconnaître les terres qu'ils y possèdent et prendre des arrangements pour le voyage de sa mère elle-même, car celle-ci veut dans une année chercher la paix et la liberté au-delà de l'Atlantique. Il m'est impossible de dire tout ce que je souffre de cette perspective et combien je suis abîmé de douleur en pensant à la solitude où je me trouverai. Depuis huit ou neuf ans que je la connais, vivant presque toujours auprès d'elle, m'attachant à elle chaque jour davantage, je me suis fait de cette société une partie nécessaire de mon existence: l'ennui, la tristesse, le découragement m'accablent dès que je suis loin d'elle. Une amitié si vive est bien au-dessus de l'amour, car il m'est arrivé plus d'une fois d'en ressentir pour d'autres femmes..., sans que les deux sentiments méritassent seulement d'être comparés l'un à l'autre. Nous avons ici Benjamin, M. de Sabran et M. Schlegel; M. de Bonstetten y reviendra bientôt aussi; il est à présent à Berne, où il n'avait, je crois, pas fait de voyage depuis la Révolution. On nous annonce pour l'été la plus brillante compagnie de Paris: à la bonne heure, je ne suis curieux de rien, et je ne voudrais pas ajouter au cercle que nous avons déjà. Je porte envie à votre calme, je porte envie à votre retraite dans les livres et la pensée, mais vous aussi avez connu les orages du cœur, et vous ne voudriez pas n'avoir pas eu cette intuition complète de la vie.»

IX.

En 1810, l'empereur sachant l'arrivée de Mme d'Albany à Paris, la reçut bien, et lui parla en souverain qui veut être compris par une femme, jadis souveraine. Fabre l'accompagnait. En personne prudente, elle n'eut garde de se montrer à Genève, où ses amis de Coppet espéraient bien l'arrêter au passage. «Je ne sais quelle route vous avez prise pour ne pas y arriver,» lui écrivait Bonstetten. Ce n'était point le cas, pensait-elle, de faire une halte à Coppet au moment de subir un interrogatoire de l'empereur. On s'aperçoit de plus en plus qu'il n'y a rien d'héroïque chez la *reine d'Angleterre*. Elle arriva donc avec Fabre dans ce Paris qu'elle avait quitté dix-sept années auparavant, soutenue par Alfieri au milieu des vociférations de la populace. Que de changements dans sa destinée! Que de différences aussi entre le Paris du 10 août et le Paris de 1809! Une seule ressemblance rapprochait les deux époques: la liberté individuelle n'avait pas encore de garanties. L'empereur, nous le savons par les lettres de Fabre, reçut la comtesse avec courtoisie, mais avec une courtoisie un peu ironique dans la forme, et au fond singulièrement impérieuse: «Je sais,» lui dit-il, «quelle est votre influence sur la société florentine; je sais aussi que vous vous en servez dans un sens opposé à ma politique; vous êtes un obstacle à mes projets de fusion entre les Toscans et les Français. C'est pour cela que je vous ai appelée à Paris, où vous pourrez tout à loisir satisfaire votre goût pour les beaux-arts.»

Elle n'y séjourna que quelques mois. L'empereur ne tarda pas à être convaincu de sa parfaite innocuité en Toscane, et l'y laissa retourner, vieillir et mourir!

X.

Mme de Staël voyait, pendant ce temps, son bel ouvrage sur *l'Allemagne* saisi et mis au pilon par la police. Sismondi se désolait et écrivait bêtement à Mme d'Albany qu'il espérait qu'elle passerait à Coppet et qu'elle s'y arrêterait pour consoler son hôtesse. Elle s'en garda bien, rentra à Florence, et de là à Naples. Un pamphlétaire français d'un grand esprit, mais d'un caractère versatile comme militaire, *Paul-Louis Courier*, la cultiva.

L'esprit de parti a voulu en faire un héros d'un seul bloc; voici ce que je tiens moi-même du plus honnête des hommes, le général de l'artillerie française à Wagram, Pernetty: «Je l'avais placé sur le bord du Danube, la nuit qui précéda la bataille de Wagram. Je ne le retrouvai plus à son poste le lendemain, et j'appris qu'il était parti pour l'Italie, sans congé et sans avis! C'était la deuxième ou troisième fois qu'il manquait ainsi par caprice et par indiscipline à ma confiance.—Je le remplaçai le matin de la bataille, et je ne pensai plus à un tel homme.»

Paul-Louis Courier note dans ses œuvres une conversation très-brillante qu'il soutint contre la comtesse d'Albany et Fabre dans cette occasion.

XI.

1813 sonnait la chute de l'empire et la décomposition momentanée de l'œuvre politique. Mme d'Albany regardait, comme elle le dit, de sa fenêtre, passer le flux et le reflux des événements. Elle était un peu trop compromise avec le nouveau pouvoir pour se réjouir secrètement de sa disparition. Elle se tut; mais 1815 éclata, comme le coup de foudre d'un orage qu'on avait cru épuisé d'électricité et qui allait recommencer sur le monde.

Quel ne fut pas son étonnement quand ce même Sismondi, si implacable quelques mois auparavant contre le tyran du monde, semblable à Benjamin Constant, son compatriote et son modèle, passa soudainement aux pieds de l'exilé vaincu de l'île d'Elbe, se fit nommer au conseil d'État pour que son ami Benjamin Constant ne fût pas seul dans l'apostasie de sa haine, et écrivit à la comtesse des lettres embarrassées et inexplicables pour expliquer cette politique sans convenance et sans transition!

Sismondi écrit:

«Voilà donc, madame, le dernier acte de cette terrible tragédie commencé! Selon toute apparence, nous marchons rapidement au dénoûment. Le sénat assemblé à Paris sous les yeux des armées étrangères déposera l'empereur, il proclamera le roi, avec ou sans conditions, il acceptera au nom de la France la paix qu'on voudra bien lui donner, il attendra de la générosité des puissances coalisées qu'elles retirent leurs armées, ce qui pourrait bien n'être pas si prompt; mais en attendant il sera obéi par les armées françaises et par toute la France. Ce météore flamboyant a éclaté. Le magicien a prononcé les paroles sacramentelles qui détruisent l'enchantement. Tout est fini. Il ne s'agit plus que de savoir comment Bonaparte mourra: il ne peut plus vivre. Dieu sait ce qui viendra ensuite, si ce sera le partage de la France, ou la guerre civile, ou le despotisme, ou l'anarchie, ou enfin la paix et la liberté, que les proclamations du jour feraient espérer. Il n'y a qu'une bonne chance contre un millier de mauvaises. C'était une grande raison à tous ceux qui aiment la France pour ne pas vouloir que ce terrible dé fût jeté; il est en l'air, il ne reste plus à présent qu'à faire des vœux pour qu'il tombe bien. Sans doute l'intérêt bien entendu des coalisés serait encore aujourd'hui même d'accord avec celui de la France et de l'humanité; mais est-ce une raison pour oser se flatter qu'il sera écouté? *Quidquid delirant reges...* et pourquoi finiraient-ils de délirer?... Quant à l'homme qui tombe aujourd'hui, j'ai publié quatorze volumes sous son règne, presque tous avec le but de combattre son système et sa politique, et sans avoir à me reprocher ni une flatterie, ni même un mot de louange, bien que conforme à la vérité; mais au moment d'une chute si effrayante, d'un malheur sans exemple dans l'univers, je ne puis plus être frappé que de ses grandes qualités. Sa folie était de celles que la nôtre n'a que trop longtemps qualifiées du nom de grandeur d'âme. Les ressorts par lesquels il maintenait un pouvoir si démesuré, quelque violents qu'ils nous parussent, étaient modérés, si on les compare à l'effort dont il avait besoin et à la résistance qu'il éprouvait. Prodigue du sang des guerriers, il a été avare de supplices, plus non pas seulement qu'aucun usurpateur, mais même qu'aucun des rois les plus célèbres...»

Il paraît que cette horreur de Sismondi pour la contre-révolution, et surtout cette impartialité d'historien, cet hommage au glorieux vaincu de la campagne de France, scandalisèrent profondément la comtesse. À la vivacité des répliques de Sismondi, on voit que la discussion avait pris un caractère passionné. Mme d'Albany ne pouvait comprendre qu'un ami de Mme de Staël pardonnât si facilement; elle ne pouvait comprendre qu'on se préoccupât encore des idées de 89 après tant de si horribles malheurs, après des déceptions si cruelles, et, quand elle reprochait au grave historien son irréflexion, sa témérité juvénile, peu s'en fallait, en vérité, qu'elle ne l'accusât de passions révolutionnaires.

«Notre dissentiment, répliquait Sismondi, avec son énergique bon sens, tient à ce que vous vous attachez aux personnes, tandis que je m'attache aux principes. Nous sommes fidèles chacun à l'objet primitif de notre attachement ou de notre haine, moi aux choses, vous aux gens. Moi, je continue à professer le même culte pour les idées libérales, la même horreur pour les idées serviles, le même amour pour la liberté civile et religieuse, le même mépris et la même haine pour l'intolérance et la doctrine de l'obéissance passive. Vous, madame, vous conservez les mêmes sentiments pour les hommes, dans quelque situation qu'ils soient. Ceux que vous avez plaints et révérés dans le malheur, vous les aimez aussi dans la prospérité; ceux que vous avez exécrés quand ils exerçaient la tyrannie, vous les exécrez encore quand ils sont tombés... En comparant ces deux manières de fidélité, l'une aux principes, l'autre aux personnes, je remarquerai, quoi que vous en puissiez dire, que la vôtre est beaucoup plus *passionnée*, beaucoup plus *jeune* que la mienne...»

XII.

Mme de Staël, qui était allée à Pise marier sa fille avec M. le duc de Broglie, écrivait à la comtesse des lettres empreintes du même embarras que Sismondi:

«Pise, 20 décembre 1815.

«Combien je vous remercie, madame, de votre inépuisable bonté!... J'espère que le duc de Broglie pourra être ici le 1er de février; alors nous irons tous à vos pieds, et je sortirai de mon exil de Pise. La princesse Rospigliosi, qui vous connaît et qui vous admire, est en femmes la seule avec qui j'aime à causer. Il y a deux ou trois hommes d'esprit et de sens: du reste, c'est une ignorance dans les nobles dont je ne me faisais pas l'idée. Vous dites avec raison qu'on est aussi libre ici que dans une république. Certainement, si la liberté est une chose négative, il ne s'y fait aucun mal quelconque; mais où est l'émulation, où est le mobile de la distinction dans les hommes? Je croirais avec vous que c'est un grand bonheur pour le monde que l'affranchissement de Bonaparte, et qu'un peu de bêtise dont on est assez généralement menacé vaut mieux que la tyrannie; mais la France, la France, dans quel état elle est! Et quelle bizarre idée de lui donner un gouvernement qui a de bien nombreux ennemis, en ôtant à ce pauvre bon roi qu'on lui fait prendre tous les moyens de se faire aimer, car les contributions et les troupes étrangères se confondent avec les Bourbons, quoiqu'ils en soient à beaucoup d'égards très-affligés! J'ai dit, quand à Paris la nouvelle de cet affreux débarquement de Bonaparte m'est arrivée: «S'il triomphe, c'en est fait de toute liberté en France; s'il est battu, c'en est fait de toute indépendance,» N'avais-je pas raison? Et ce débarquement, à qui s'en prendre? Se pouvait-il que l'armée tirât sur un général qui l'avait menée vingt années à la victoire? Pourquoi l'exposer à cette situation? Et pourquoi punir si sévèrement la France des fautes qu'on lui a fait commettre? J'aurais plutôt conçu le ressentiment en 1814 qu'en 1815; mais alors on craignait encore le colosse abattu, et après Waterloo c'en était fait. Voilà ma pensée tout entière... Ai-je raison? C'est à votre noble impartialité que j'en appelle. J'aurai beaucoup de plaisir à revoir M. et Mme de Luchesini, mais rien n'égalera celui que je sentirai près de vous. Mille respects.

«N. de Staël.»

Mme d'Albany, toujours sensée et modérée dans son hostilité, ne comprenait plus rien à ces inconséquences. Son salon, rouvert avec la paix, accueillait tous les voyageurs intéressants qui briguaient l'honneur de la voir. Ce fut alors qu'en 1820 j'y fus moi-même introduit par le comte *Gino Capponi*, qui vit encore; c'était l'homme de l'Italie sagement libérale.

M. de Reumont me cite dans la liste de ces adorateurs du génie, de la gloire, de la renommée. «C'est la duchesse de Devonshire, la plus belle et la plus riche des Anglaises, avec laquelle j'étais lié, et qui me mentionne dans son testament d'amitié peu d'années après; l'excellent cardinal Consalvi, ministre du cœur de Pie VII; lord Byron; Hoblouse, son ami; Thomas *Moore*, le poëte de l'Inde; lord Russell, qui gouverne encore aujourd'hui l'Angleterre; Lamartine, ajoute l'historien, non plus timide et tremblant, comme en 1811, mais levant déjà son front inspiré, et lisant à ce noble auditoire les strophes mélodieuses qui allaient renouveler la poésie en France.»

Ce salon était un sommet serein de la pensée qui réapparaissait au-dessus des flots. On se sentait illustré en y posant le pied. La renommée est un prestige. On croyait y participer en adorant de près et familièrement la place où, en s'éteignant, elle avait laissé la plus belle et la plus chère moitié d'elle même. On croyait sérieusement alors qu'*Alfieri* était mort grand homme. En se faisant illusion à soi-même, il l'avait fait aux autres. Tels étaient les sentiments dont j'étais animé à son égard et à l'égard de Mme d'Albany. J'étais encore à l'âge des belles illusions. Je serais entré à Ferney, que je n'aurais pas cherché avec plus de respect les traces encore chaudes du génie très-réel de Voltaire. J'éteignais le bruit de mes pas sur chaque marche de l'escalier pour ne pas éveiller l'ombre de ce soi-disant poëte.

Mme d'Albany recevait avec grâce et bonté ces hommages qui la relevaient à ses propres yeux.

Le 24 janvier 1824, elle s'éteignit aux premiers rayons de l'aurore. Elle n'avait point paru gravement malade. Elle mourut tout entière. Elle avait reçu avec décence les secours spirituels de la religion; son testament était en faveur de Fabre. Ses legs, soigneusement spécifiés, étaient le registre de ses amitiés. Sa mère, qui vivait encore, la duchesse de Berwik, sa sœur aînée, y eurent les principales parts. Fabre, après avoir accompli tout ce qu'il devait à son amie et à la ville de Florence, obtint du prince l'autorisation de se retirer, avec tous ses trésors d'art et de littérature, dans la patrie de son enfance; il vint mourir à Montpellier, se faisant de sa ville natale une famille, et léguant son nom au musée qu'il y forma, en sanctifiant ainsi sa bonne fortune. Ainsi la mort seule dénoua ce drame et congédia les trois acteurs. Alfieri ne laissa pas une œuvre mais un nom; Mme d'Albany alla dormir à l'ombre de ce nom dans le mausolée de son amant. Fabre, comme un personnage épisodique, disparut humblement dans l'obscurité de sa ville des Gaules, et tout fut dit.

XIII.

La comtesse d'Albany, à l'âge où je la connus, devait naturellement appeler la curiosité sur sa physionomie, et faire demander si elle avait été belle. J'avais plus qu'un autre cette curiosité; vous devez l'avoir: voici son portrait à cinquante-cinq ans:

Était-elle encore belle de cette beauté que les Laure de Pétrarque, les Léonora du Tasse, les Vittoria-Colonna de Michel-Ange, les Béatrice de Dante, les Fornarina de Raphaël, les Récamier de Chateaubriand, ont laissée dans l'éternel souvenir de la postérité? Non.

Mais avait-elle dû, dans sa première jeunesse, être assez belle pour allumer dans l'âme d'un Piémontais, résolu à être un grand homme, une de ces passions classiques qui complètent le grandiose d'un poëte en Italie? Oui.

D'abord la comtesse d'Albany avait dû être très-séduisante à seize ans, puisque la cour de France, et le conseil des amis du prétendant, qui voulaient perpétuer la race des Stuarts et arracher Charles-Édouard à ses mauvaises habitudes de vie, en avaient fait choix, pour cette séduction, parmi toutes les belles héritières d'Angleterre, d'Écosse, de Belgique et d'Allemagne; et tout indique qu'elle l'était alors.

Quand je la vis, elle était un peu alourdie de taille, mais nullement flétrie de visage. La légèreté qui avait quitté son corps n'avait point quitté sa physionomie. On sentait en la décomposant qu'elle avait du être remarquablement agréable dans ses belles années. Sa taille moyenne n'était ni grande ni petite: la taille qui exclut la majesté, mais qui permet l'agrément; ses cheveux étaient blonds, son front poli et divisé au milieu en deux zones légèrement arrondies, qui indiquent la facilité de l'intelligence; ses joues d'un contour élastique, son nez un peu grossi et retroussé qu'on ne voit jamais en Italie, mais qui dans la jeunesse donne à la figure un mordant et un éveillé très-propre à mordre et à éveiller le regard, sa bouche entr'ouverte et souriante, douce, fine, pleine de réticence sans malignité; le plus beau de ses traits, c'étaient ses yeux, d'un bleu noir, larges, confiants, obéissants à sa pensée; elle leur commandait. Son regard était toujours approprié à la personne qu'elle regardait, comme s'il y avait eu un secret entre elle et son interlocuteur. Un voile naturel quoique invisible semblait répandu sur cet ensemble. Le cou était un peu gros, et les contours de sa stature annonçaient une femme qui eût été mère si la politique n'avait pas faussé sa riche nature. En contemplant Fabre, dont les traits spirituels, quoique vulgaires, rappelaient si fidèlement ceux de son amie, je me suis demandé souvent si la maternité n'était pas involontairement le vrai mot de ce mystère. Telle qu'elle était, et en enlevant par la pensée trente ans de vie agitée à cette personne, on ne pouvait s'empêcher de lui restituer une vivacité sereine et une grâce agile, en contraste avec la majesté de son rang et avec les malheurs de son union, très-propres à inspirer un immense amour. En un mot, Mme d'Albany par son extérieur attristait, mais n'étonnait pas. Sa conversation, sans aucune prétention, attachait et intéressait ses habitués; on désirait la voir par curiosité, et, une fois vue, on désirait la revoir par amitié. Le caractère dominant de sa personne et de son esprit était la bonté, la sérénité, et une certaine dignité rêveuse qui rappelait sa vie sans en parler jamais. Sa destinée parlait assez pour elle.

Telles sont les impressions exactes que j'en ai reçues et conservées: une femme du nord de l'Allemagne dépaysée par le sort dans une cour proscrite, et naturalisée par l'habitude dans le midi de l'Italie. On ne pouvait s'empêcher de compatir à ses revers, d'excuser ses fautes, de respecter ses adversités. On comprenait même les faiblesses qu'elle avait eues en 1792 envers la cour d'Angleterre. Née à Stolberg, dans une famille privée, prise par ambition dans son couvent de chanoinesses pour régénérer une famille royale, maltraitée par le prétendant son mari, obligée de s'en séparer pour éviter les derniers outrages, séduite par l'amour d'un homme qu'elle croyait grand; pendant cette séparation, le prétendant mort, et ne devant plus rien à son nom, elle accepta une pension modique de la France et une de l'Angleterre pour soutenir son rang de princesse et l'honneur de son trône évanoui!—Elle ne devait plus rien à personne qu'à elle-même; elle ne sacrifiait rien de ses droits anéantis; la misère royale d'une femme qui avait porté la triple couronne d'Angleterre ne déshonorerait maintenant que l'Angleterre elle-même. La comtesse d'Albany eut tort d'abaisser l'ombre des Stuarts devant la maison d'Hanovre; mais la maison d'Hanovre eut plus tort cent fois d'exiger cet abaissement peut-être juste. Voilà mon jugement: le vrai coupable de cette inconvenance fut le républicain Alfieri, conseiller et compagnon de cette reine, et vivant de l'inconvenance commise sous ses auspices par la royauté.

XIV.

Quant à Alfieri lui-même, nous avons son portrait par Fabre, au milieu de ses années. Sa taille était gigantesque comme sa prétention; il avait plus de six pieds. Ses traits correspondant à cette majesté du corps, un front haut et droit, un œil vaste, encaissé profondément dans une arcade creuse et sévère; un nez droit bien dessiné, surmontant une bouche dédaigneuse; un tour de visage maigre et dur; des cheveux touffus et longs, couleur de feu, comme ceux d'un Apollon des Alpes, qu'il rejetait en arrière, tantôt enfermés dans un ruban, tantôt flottant et épars sur le collet de son habit: cheveux rouges qu'on ne rencontre jamais en Italie, mais qui sont le signe des races étrangères et la marque naturelle de l'homme du Nord, l'Anglais, l'Allobroge, le Piémontais teint de Savoyard. Sa physionomie, frappant au premier aspect, avait quelque chose de sauvage, qui étonnait mais n'attirait pas. Mais, en totalité, il pouvait avoir paru beau dans sa jeunesse à une femme transplantée en Italie, qui cherchait la forme de la force dans un protecteur de sa faiblesse. C'est par là qu'il avoit dû plaire à cette jeune et vive Allemande rencontrée au bord de l'Arno et intimidée par un vieux mari. Les disgrâces et les événements avaient fait le reste. L'amour d'un géant est l'attrait de la faiblesse. Mais Alfieri n'avait ni charme, ni grâce, ni douceur: on l'aimait par surprise, on continuait de l'aimer par crainte; on se figurait que la force de ses traits était une marque de la force de son génie, et que ce génie était démesuré comme son corps... Ce génie n'était qu'imaginaire; on n'osait pas en douter tout haut, on se résignait tout bas à son erreur. Tel fut évidemment le secret de son ascendant sur la comtesse d'Albany tant qu'il vécut, et de l'espèce de culte ostensible qu'elle lui rendit jusqu'après sa mort, en voulant lui bâtir un monument à deux. Mais longtemps avant sa mort il était remplacé dans le cœur de Mme d'Albany. Tout cet attachement poétique n'était que respect pour soi-même et convenance envers le monde.

Cet homme vivait solitaire entre ses livres, sa plume et ses chevaux, signe de noblesse. Ce pédantisme *équestre* l'isolait du monde. Il n'avait de séve que dans ses prétentions tout à fait fausses pour sa robe de citoyen romain et de tragique italien moderne. À quarante ans il se sentait vieux et usé, comme s'il eût assez de ce petit nombre d'années pour dévider l'existence infinie d'un *Sophocle*, d'un *Racine* ou d'un *Voltaire*. Il était né vieux; toute sa vie est d'un vieillard. Il ne lui reste à quarante-deux ans que des mots dans la tête; il se met à traduire, ne pouvant plus rien composer.

XV.

Quant à son rôle de patriote et de citoyen, le voici: il aime si peu sa patrie et l'humanité qu'il l'abandonne dès qu'il est sorti de l'enfance.

Il va voyager, c'est-à-dire courir à travers le monde, sans but et sans fruit.

À son retour, il rêve une gloire poétique, mais il ne se trouve dans l'esprit ni poésie ni langue; il se décide à suppléer à la poésie, qui lui manque totalement, par cette espèce de jargon *pédestre* qu'on fait passer pour du génie devant les parterres; il va chercher une langue presque morte en Étrurie.

Là il trouve une *Laure* à adorer dans une femme couronnée qui flatte sa vanité et ses sens. Ennemi des rois, il n'hésite pas à se faire courtisan de son royal époux.

Il l'enlève à son mari et fuit avec elle à Rome.

Ennemi des tyrans, il se fixe auprès d'elle sous l'empire de la double tyrannie des rois et des pontifes.

Pour capter le pape, il sollicite de lui une audience obséquieuse et lui présente l'édition de ses œuvres.

Le cardinal d'York et les prêtres de sa cour sont humblement servis et adulés par lui.

Il est forcé enfin de sortir de Rome pour éviter le scandale de cette inconvenante fréquentation du palais de son ami.

Il s'éloigne et va à Naples.

Pendant cette absence, son amie sollicite et obtient du roi et de la reine de France une subvention qui assure son existence.

Elle va le rejoindre trois ans de suite dans une solitude opulente de l'Alsace.

Son mari meurt.

Ils vont à Paris pour soigner leurs intérêts royaux auprès du gouvernement populaire qui va administrer à leur place.

Il se lie avec tous les ennemis de ce roi et de cette reine leurs bienfaiteurs.

Il célèbre dans ses vers adulateurs la première journée de leur déchéance dans la prise de la Bastille, au 14 juillet.

La monarchie française continue à s'écrouler et menace leur fortune et leur vie.

Il entraîne en Angleterre son amie, qu'il consent à voir humilier publiquement devant la maison d'Hanovre pour en obtenir une pension pour la veuve des Stuarts.

Il réussit et revient à Paris.

Le peuple révolutionné triomphe au 10 août.

Il se sauve devant la victoire du peuple.

L'ennemi des rois qui a chanté le 14 juillet invective le 10 août!

Menacé à sa sortie de Paris par la populace, il devient sans pudeur l'ennemi le plus acharné, non de la populace, mais de la nation française. Sa politique n'est que de l'humeur et de la peur. Il se réfugie chez les princes autrichiens qu'il a insultés.

Il écrit le *Misogallo*, le plus odieux et le plus plat pamphlet en mauvais vers qu'on ait jamais rimé contre la France révolutionnaire. Il en fait faire dix copies qu'il confie à ses amis, pour que l'injure ne risque pas de mourir avec lui.

Et pendant que le sang coule à Paris, il joue à Florence ses rôles de tragédie.

Excepté ses palefreniers et ses quatorze chevaux anglais, son seul souci sur la terre, il ne fait de bien à personne, et il meurt en rimaillant des épigrammes contre le genre humain.

Voilà le civisme, le patriotisme, le puritanisme de ce modèle des citoyens!

Son amie lui survit et prend un autre serviteur.

Elle meurt cependant et se fait ensevelir dans le même tombeau.

Voilà le grand poëte tragique des Piémontais! le grand citoyen, le grand homme! le Démosthène de l'Italie! Comparez les faits et les prétentions!

Ce tombeau ne garde à la postérité que deux ombres: l'ombre d'une femme faible et charmante, à laquelle on pardonne pour ses malheurs et pour son sexe;

Et l'ombre d'un mauvais poëte tragique, enflé d'orgueil et vide de vraie grandeur d'âme comme de vrai talent, et qui n'eut du génie tragique que la manie,

Et du poëte que la déclamation!

Rien n'empêche aujourd'hui l'Italie, qui a *Dante*, *Arioste*, *le Tasse* et *Pétrarque* pour ses poëtes immortels, d'élever à sa gloire nationale un théâtre qu'elle n'a jamais eu!

La place d'Alfieri est vacante; les hommes de talent y surabondent, et les *Ristori* ne lui manquent pas!

Mais il lui faut pour cela autre chose qu'un plagiaire de l'antique, et qu'un magnifique pédant.

Lamartine.

FIN.

XCIX^e ENTRETIEN.

BENVENUTO CELLINI.

(PREMIÈRE PARTIE.)

I.

Êtes-vous curieux de vivre quelques heures d'une vie intime et confidentielle avec les *Raphaël* et les *Michel-Ange*, qui nous paraissent aujourd'hui des hommes de la Fable? avec les *Léonard de Vinci*, les *Bandinello*, les *peintres*, les *sculpteurs*, les *hommes de lettres*, les *poëtes*, les *cardinaux*, les *Médicis*, les papes mémorables de l'Italie, et les François Ier au quinzième siècle? Prenez ce télescope qui rapproche les âges et qui vous introduit dans les mœurs de ce temps, comme le télescope d'Herschel vous introduit dans le monde supérieur des astres et des nébuleuses du septième ciel! Ce télescope unique, c'est-à-dire original, bizarre, passionné, vaniteux, que je vais analyser, ce sont les Mémoires de Benvenuto Cellini.

II.

Benvenuto Cellini, d'une famille bourgeoise et artiste de la Toscane, naquit en 1500. Mon père, dit-il, prit le même état d'*architecte* que le sien; et comme, selon Vitruve, un bon architecte doit savoir bien dessiner, et un peu de musique, mon père apprit l'un et l'autre, et surtout à jouer de la flûte et de la viole. Il s'y appliqua d'autant plus qu'il ne sortait jamais de son logis. Il avait pour très-proche voisin un certain Étienne *Granaci*, qui avait plusieurs filles fort belles. Il plut à Dieu de le rendre amoureux d'Élisabeth, l'une d'elles, qui lui fut accordée, à cause de l'amitié qui régnait entre les deux familles. Les deux vieux pères parlèrent d'abord du mariage, ensuite de la dot. Il y eut cependant quelques petites difficultés à vaincre. André disait à Étienne: Jean mon fils est le plus brave jeune homme qui soit à Florence et en Italie, et je pourrais lui donner un des plus riches partis de Florence dans notre état. Étienne lui répondait: Vous avez raison; mais j'ai cinq filles et cinq garçons, et, mon compte fait, je lui donne pour dot tout ce que je puis lui donner. Mon père Jean, qui était caché près de là, et qui les écoutait, arriva à l'improviste, et s'écria: Ah! mon cher père, c'est Élisabeth que j'aime, et non sa dot! Malheur à ceux qui ne se marient que pour l'argent! Puisque vous vantez mes petits talents, croyez-vous qu'ils ne suffisent pas à l'entretien de ma femme? Je ne veux que votre consentement; donnez-moi Élisabeth, et gardez sa dot. À ce discours, André *Cellini* se mit en colère, car il était un peu vif; mais, fort peu de jours après, il consentit au mariage. Mon père et ma mère s'aimèrent du plus saint amour pendant dix-huit ans, avec le plus grand désir d'avoir des enfants. Cependant, après ce long terme, ma mère fit une fausse couche de deux jumeaux, causée par l'ignorance des médecins.

Depuis, elle devint grosse d'une fille, à laquelle la mère de mon père donna son nom de *Rose*. Deux ans après, ma mère devint encore grosse; et comme les femmes dans cet état sont sujettes à certaines envies, qui furent les mêmes que dans sa dernière grossesse, on crut qu'elle mettrait encore au monde une fille à laquelle on donnait d'avance le nom de *Reparata*, en l'honneur de la mère de ma mère. Celle-ci accoucha pendant la nuit de la Toussaint de l'année 1500. La sage-femme, qui savait que mes parents attendaient une fille, après avoir nettoyé l'enfant, et l'avoir enveloppé dans du beau linge bien blanc, alla tout doucement trouver mon père, et lui dit: Je vous apporte un présent que vous n'attendez pas. Mon père, qui était philosophe, lui répondit: Je prends avec plaisir ce que le ciel m'envoie; et, ayant soulevé le linge, il vit un fils qu'il n'attendait pas en effet. Ayant ensuite joint ses deux vieilles mains, et levant les yeux vers le ciel: Seigneur, dit-il, je te rends grâces de tout mon cœur; j'accepte avec joie le présent que tu me fais; qu'il soit le bienvenu! Toutes les personnes qui étaient présentes lui demandèrent, en le félicitant, quel nom il voulait donner à cet enfant? Qu'il *soit Bienvenu*, ce fut son prénom.

III.

Son père, qui, indépendant de son état d'architecte, était sculpteur en ivoire, et très-habile musicien sur la flûte, entra dans la compagnie des musiciens de la ville et fut aimé des premiers Médicis, ces citoyens élevés par les richesses à la tyrannie volontaire de leur patrie.

Quelque temps après, il rentra dans la confrérie des flûteurs de la Seigneurie. À cette époque, qui précédait celle de ma naissance, ces flûteurs étaient d'honorables artisans qui travaillaient en laine ou en soie; ce qui fut cause que mon père ne dédaigna point d'être leur confrère. Son plus grand désir était que je pusse devenir un jour un excellent joueur de flûte; et mon plus grand chagrin était de lui entendre dire que, si je le voulais, je serais dans cet art le premier homme du monde. Mon père, comme je l'ai déjà dit, était un grand serviteur et un zélé partisan de la maison *Médicis*. Lorsque *Pierre* fut banni de Florence, il lui confia des choses de la plus haute importance. Depuis, le magnifique Pierre *Soderini* étant mis à la tête du gouvernement, et mon père étant à son service en qualité de flûteur, il employa ses talents à des ouvrages plus relevés. J'étais bien jeune encore, et cependant on me faisait faire la basse dans le concert de la Seigneurie. J'y jouais de la flûte, porté par un domestique, afin que je pusse lire plus facilement la musique. Le gonfalonier *Soderini* se plaisait souvent à me faire babiller, me donnait des bonbons, et disait à mon père: Maître Jean, ne négligez pas de lui donner vos autres talents. Je veux, lui répondait-il, qu'il ne fasse autre chose que composer et jouer de la flûte, parce que, si Dieu lui prête vie, il sera le premier homme du monde dans cette profession; mais un des vieux sénateurs lui dit: Maître Jean, faites ce que vous dit le gonfalonier, parce que cet enfant sera quelque chose de plus qu'un joueur de flûte. Quelque temps après, les

Médicis furent rappelés à Florence. Le cardinal, qui fut depuis Léon X, fit mille caresses à mon père. Quelques jours après, arriva la nouvelle de la mort du pape Jules II, et ce cardinal, étant allé à Rome, fut élu pape, contre l'attente de tout le monde. Mon père fut appelé auprès de lui, mais il refusa de s'y rendre; et, pour l'en punir, le gonfalonier *Salviati* lui ôta sa place de flûteur au palais.

IV.

Le père de Benvenuto, le destinant au métier d'orfévre, qui tenait à l'art de la sculpture par la ciselure, le plaça bientôt après chez un charbonnier, père du fameux statuaire Bandinello. Mécontent de cet hôte avare et commun, il l'en retire presque aussitôt, et le garde chez lui jusqu'à quinze ans, sans lui enseigner autre chose que la flûte.

Il entre alors chez un fameux orfévre du nom de Marioni, comme ouvrier sans gages. Son génie naturel ayant trouvé là sa vraie voie, il déborda spontanément de facilité, de grâce et de force. «Cependant, dit-il, je ne manquai pas de me rendre agréable à mon père, en jouant pour lui tantôt de la flûte, tantôt du cor, ce qui lui arrachait des soupirs et des larmes.»

Banni de Florence par un arrêt du conseil des *Huit*, pour six mois, pour avoir porté secours à un de ses frères qui servait dans l'armée, il alla chercher fortune à Sienne chez un ancien ami de son père, M. Custeri; le cardinal de *Médicis*, depuis Clément VII, le voit, le reconnaît et l'envoie à Bologne pour étudier la grande orfévrerie artistique chez l'un, la flûte chez un autre. Il y gagna quelque argent et apprit à dessiner chez le fameux peintre Scipion Cavaletti. Son bannissement expiré, il revint à Florence et chez son père, désolé de son abandon de la flûte. Il finit cependant par le fléchir, et put obtenir de son père qu'on le laisserait aller dessiner chez un fameux bijoutier Henri Pierino.—Et moi aussi, lui dit son vieux père en le conduisant chez Pierino;

«Moi aussi, me répondit mon père, j'ai été un bon dessinateur; mais pour l'amour de moi, qui suis ton père, qui t'ai mis au monde, qui t'ai nourri, élevé dans les arts et dans tous les principes de la vertu, ne voudras-tu pas, mon cher fils, prendre quelquefois ton cor et ta flûte, pour me récompenser de toutes mes peines, et charmer les derniers instants de ma vie? Très-volontiers, lui dis-je. Hé bien, voilà, reprit-il, mon cher fils, comme je veux que tu me venges de tous mes ennemis!»

V.

Son frère lui ayant dérobé ses habits pendant qu'il était absent, il s'indigna et partit sans dessein pour Pise. Il y arriva sans argent, mais déjà riche par le progrès qu'il avait fait à Florence dans l'orfévrerie et dans les lettres; il ne doutait de rien; la Providence servit le hasard.

«Je m'arrêtai, dit-il, près du pont du Milieu, vis-à-vis la boutique d'un orfévre, pour contempler son travail. Bientôt il me demanda qui j'étais, et quelle était ma profession. Je lui dis que j'étais garçon orfévre. Hé bien, me répondit-il, entrez dans ma boutique et travaillez avec moi; je vois à votre mine que vous êtes un honnête garçon. Il me mit aussitôt de l'or et de l'argent entre les mains, et, quand la journée fut finie, il me conduisit à sa maison, où il vivait honnêtement avec une femme fort belle et ses enfants. Songeant au chagrin que ma fuite pourrait causer à mon père, je lui écrivis que j'étais placé chez un homme de bien, qui s'appelait maître Olivier *della Chiostra*; que nous faisions de fort belles pièces d'orfévrerie; qu'il fût bien tranquille, parce que mes progrès dans mon état lui seraient un jour honorables et utiles. J'eus bientôt sa réponse: «Mon cher fils, me disait-il, l'amour que je te porte est si grand qu'il me semble avoir perdu la lumière depuis que je ne te vois plus, et que je ne puis te donner mes instructions ordinaires; mais mon honneur, qui est ce que j'ai de plus cher au monde, m'empêche de me rendre auprès de toi.» Sa lettre tomba entre les mains de mon maître, qui la lut secrètement, et qui me l'avoua ensuite, en me disant: «Mon cher Benvenuto, votre air ne m'a pas trompé, et j'en suis convaincu par la lettre de votre père, qui me paraît un bien honnête homme. Ainsi regardez-vous dans ma maison comme dans la sienne.»

Étant à Pise, j'allai visiter le *Campo Santo*[5]. J'y trouvai, ainsi qu'en d'autres endroits de la ville, des antiques que j'allais copier dans mes heures de loisir; et mon maître, qui venait souvent me visiter dans ma chambre, prenait tant de plaisir à voir que mon temps était bien employé, qu'il me regardait comme son propre fils.

Pendant l'année que je restai avec lui, mes progrès furent si rapides, et je fis de si beaux ouvrages, que je voulus me mettre en état d'en faire encore de plus beaux. Cependant mon père m'écrivait des lettres à me fendre le cœur; il me priait de retourner auprès de lui, et me recommandait surtout de ne pas négliger de jouer de la flûte, talent qu'il m'avait donné avec tant de peine. C'est là ce qui me faisait perdre l'envie de contenter ses désirs, tant j'avais en horreur ce *maudit flûter*. Je crus être en paradis cette année entière que je passai à Pise, où il ne me vint jamais en fantaisie d'en jouer une seule fois. À la fin de l'an, mon maître eut besoin d'aller à Florence, pour y vendre des balayures d'or et d'argent qu'il avait amassées; et, comme le mauvais air de Pise m'avait donné la fièvre, je l'y accompagnai. Mon père ne cessait de le prier de ne point me ramener à Pise. Je restai auprès de lui environ deux mois, malade, obligé de garder le lit. Il me prodigua de si tendres soins que je guéris enfin. Il me répétait sans cesse, en me tâtant le pouls, car il s'entendait un peu en médecine, qu'il lui semblait que je ne serais jamais en assez bonne santé pour m'entendre jouer de la flûte; et, quand mon pouls ne répondait pas à ses désirs, il me quittait en versant des larmes; si bien qu'un jour, désespéré de son chagrin, je priai une de mes sœurs de m'apporter ma flûte, persuadé que, le jeu de cet instrument étant peu fatigant, je n'en serais pas plus malade. J'en jouai si parfaitement que mon père, arrivant à l'improviste, me bénit mille fois, m'assurant que j'avais fait de grands progrès pendant mon absence, et me conjurant de continuer, de ne pas négliger un si beau talent. Quand je fus guéri, j'allai travailler chez mon ancien maître, l'orféfvre *Marcone*; il me donnait assez à gagner, et j'aidais toute ma famille.

Dans ce temps-là arriva à Florence un sculpteur appelé Pierre *Torrigiani*[6], venant d'Angleterre, où il était resté plusieurs années. Il était fort lié avec mon maître, et le visitait tous les jours. Lorsqu'il vit mes dessins et mes ouvrages: Étant venu à Florence, me dit-il, pour engager de jeunes artistes, et votre manière de travailler étant plus d'un sculpteur que d'un orféfvre, venez m'aider à faire de grands ouvrages de bronze, que le roi d'Angleterre m'a commandés, et votre fortune sera bientôt faite. Cet homme était de belle taille, fort avantageux; il avoit plus l'air d'un guerrier que d'un artiste. Sa voix était éclatante, ses gestes hardis; il fronçait les sourcils à faire peur, et il nous parlait tous les jours des manières libres avec lesquelles il traitait ces ignorants d'Anglais.

À ce propos, on vint à parler de Michel-Ange *Buonaroti*; et ce qui en fut le motif, ce fut un dessin que j'avais fait sur un carton de cet homme divin.

Ce carton fut le premier ouvrage où il fit voir son admirable talent. Le grand *Léonard de Vinci* en faisait un autre de son côté, et les deux compositions devaient orner le palais de la Seigneurie. Elles représentaient la ville de Pise assiégée par les Florentins: celui de Léonard offrait un combat de cavalerie, divinement travaillé, et celui de Michel-Ange un grand nombre de fantassins qui se baignaient dans l'Arno, et qui, au cri d'alerte, couraient aux armes, à demi nus, avec de si beaux gestes et de si belles postures, que ni les anciens, ni les modernes n'avaient jusque-là rien imaginé qui pût l'égaler. Ces deux cartons restèrent, l'un dans le palais Médicis, et l'autre dans la galerie du Pape. Tant qu'ils furent exposés, ils furent l'école de tous les artistes du monde. Cet ouvrage fut cause que le divin *Michel-Ange* fut chargé de faire la grande chapelle du pape Jules, dont il n'acheva que la moitié, son talent, depuis, ne pouvant répondre à celui de ses premières études.

Mais retournons à *Torrigiani*, qui, mon dessin à la main, parla de la sorte: Nous allions, Michel-Ange et moi, dessiner, encore enfants l'un et l'autre, à l'église *del Carmine* dans la chapelle de *Mazaccio*[7]. Il se plaisait à se moquer de tous ceux qui travaillaient avec lui. Un jour mon tour étant venu d'être le sujet de ses plaisanteries, je me mis si fort en colère, et je lui donnai un coup de poing si serré sur la figure, que je sentis l'os et les tendons de son nez fléchir sous ma main, comme un cornet, et qu'il en restera marqué toute sa vie[8]. Ces paroles me donnèrent tant d'aversion pour ce *Torrigiani*, à cause de l'admiration que j'avais pour Michel-Ange, que, bien loin d'avoir le désir de le suivre en Angleterre, je ne pouvais souffrir de le voir.

Je ne cessai, à Florence, de m'appliquer à la manière de ce grand maître, et je ne m'en suis jamais écarté. J'étais alors lié de la plus étroite amitié avec un jeune homme de mon âge, qui était garçon orfévre, et s'appelait François, fils de Philippe, *Fra Philippi*, très-excellent peintre. Nous ne nous quittions jamais ni nuit ni jour. Sa maison était remplie de belles études faites par son père, et de plusieurs livres de dessins d'après l'antique, que nous y copiions. Cette occupation dura deux ans. Dans ce temps-là, j'achevai un ouvrage d'argent en bas-relief, grand comme la main d'un enfant. Il servait à fermer la ceinture d'un homme, selon l'usage d'alors. J'y avais gravé des feuillages faits à l'antique, avec de petits amours et d'autres ornements. Cet ouvrage, que je fabriquai dans l'atelier d'un certain François *Salimberi*, me donna une grande réputation; et comme la fureur qu'avait mon père de me faire jouer de la flûte m'avait mis en colère contre lui, je dis un jour à un jeune homme de mes amis, nommé Jean-Baptiste dit *le Tasse*, graveur en bois: Tu as plus de langue que de cœur. Oui, me dit-il, je suis également fort en courroux contre ma mère; et si j'avais de l'argent, j'irais à Rome, et j'abandonnerais ma boutique. À cela ne tienne, lui répondis-je; j'ai assez d'argent pour toi et pour moi. Pendant cet entretien, nous nous trouvâmes tous les deux à la porte Saint-Pierre, sans nous en être aperçus. Tiens, dis-je au Tasse, c'est Dieu qui nous a conduits à cette porte qui mène à Rome! Il me semble que j'ai déjà fait la moitié du chemin. D'accord sur ce point, nous nous disions en marchant: Que vont dire, ce soir, nos vieux parents? Nous nous jurâmes alors de ne plus parler d'eux que nous ne fussions à Rome; et attachant nos tabliers derrière le dos, nous arrivâmes à Sienne sans ouvrir la bouche. Quand nous y fûmes, mon compagnon de voyage me dit qu'il s'était fait mal au pied, et me pria de lui prêter un peu d'argent pour retourner à Florence: il ne m'en reste pas assez, lui dis-je, pour continuer ma route, et je t'engage à me suivre. Si tu as mal au pied, nous trouverons un cheval, et alors tu n'auras plus d'excuse pour retourner à Florence.

Ayant donc loué un cheval, je repris mon chemin vers Rome. *Le Tasse*, me voyant résolu, ne cessait de murmurer, et me suivait en boitant et à pas fort lents. Enfin, lorsque je fus sorti de Sienne, j'eus pitié de lui; je l'attendis et je le mis en croupe sur mon cheval, en lui disant: Nos amis se seraient trop moqués de nous si, partis pour Rome, nous n'avions pu aller au-delà de Sienne. Tu dis la vérité, me répondit-il; et comme il était fort gai, il se mit à rire et à chanter; et en riant et en chantant, nous arrivâmes à Rome.

J'avais alors dix-neuf ans commencés avec le siècle. Je me mis aussitôt en boutique, chez un maître dont le nom était *le Firenzole de Lombardie*, orfévre fort habile. Lui ayant montré quelques modèles que j'avais faits à Florence, chez *Salimberi*, mon travail lui fut agréable, et il dit à un garçon qu'il avait avec lui, comme moi Florentin, appelé *Gianotto Gianotti*: Il est de ces Florentins qui savent, et toi de ceux qui ne savent pas! Alors je reconnus *Gianotto*, et je voulus l'embrasser, parce que nous avions longtemps vécu et travaillé ensemble à Florence; mais il fut si piqué des paroles de son maître, qu'il dit qu'il ne me connaissait pas.

—*Gianotto*, lui répondis-je, rempli d'indignation, peu m'importe que tu me reconnaisses ou non. J'espère que mon travail n'aura pas besoin de toi pour témoigner qui je suis. À ces paroles, le maître, qui était un homme franc et loyal, se tournant vers *Gianotto*: N'as-tu pas honte, lui dit-il, de renier ton camarade? Et me regardant ensuite: Entre dans ma boutique, ajouta-t-il, et fais-moi voir ce que tu dis être en état de faire; et en même temps il me chargea d'un bel ouvrage d'argent, commandé par un cardinal. C'était un petit coffre, d'après le dessin de celui de porphyre qui est devant la porte de la Rotonde: je l'enrichis de si belles figures que mon maître le vantait partout comme une pièce qui faisait beaucoup d'honneur à sa boutique. Il devait servir de socle à une salière pour la table du cardinal. Cet ouvrage fut le premier qui m'apporta quelque profit à Rome. Une partie de mon gain fut envoyée à mon père, et l'autre me servit à vivre libre, pour pouvoir dessiner des morceaux d'antiquité, jusqu'à ce que, ma bourse étant vide, je fus obligé de me remettre en boutique pour me procurer un nouveau gain.

Mon compagnon Baptiste retourna bientôt à Florence; et quand j'eus achevé des ouvrages qu'on m'avait donnés à faire, j'eus la fantaisie de changer de maître, et je m'engageai avec un certain Milanais appelé maître *Pagalo Arsago*. *Firenzola* eut à ce sujet une grande querelle avec lui, et lui tint, en ma présence, mille propos injurieux; mais je pris sa défense, en disant que j'étais né libre, que je voulais vivre de même, et travailler chez qui je voudrais, pourvu que je ne fisse tort à personne; que je m'étais d'ailleurs acquitté avec lui.

Arsago ajouta qu'il ne m'avait point appelé, et que je pouvais rester où il me plairait. Fort bien, dit *Firenzola*, je ne lui demande rien; mais que je ne le voie de ma vie. Alors je lui demandai de l'argent qu'il me devait: mais sa réponse fut de se moquer de moi. Hé bien, sachez, lui dis-je, que si j'ai su me servir de mes outils pour faire les ouvrages que vous m'avez commandés, je saurai me servir de mon épée pour me les faire payer. Ces paroles furent entendues par *Antoine de Saint-Marin*, le premier orfévre de Rome. Il écouta mes raisons, prit ma défense, et me fit payer. La querelle fut assez vive, car *Firenzola* était un ferrailleur; mais j'avais pour moi la justice, appuyée par mon courage. Nous fûmes amis depuis, et je fus parrain de l'un de ses enfants.

Je gagnai beaucoup d'argent avec *Arsago*, et j'en envoyais toujours une partie à mon père. Au bout de deux ans, je retournai à Florence à sa prière, et je me plaçai de nouveau chez *Salimberi*, auprès duquel je faisais bien mes affaires. Je repris mes liaisons avec François *di Philippo*; car ma maudite flûte me laissait toujours quelques moments de nuit et de jour pour dessiner. Je fis dans ce temps-là une boucle d'argent qui fermait une ceinture large de trois doigts, dont se paraient les nouvelles mariées. Elle était ornée de petites figures à demi-relief; et quoiqu'elle me fût mal payée, l'honneur que me fit cet ouvrage fut au-dessus du prix de sa façon.

VI.

Le dominicain *Savonarola*, ennemi des Médicis, et cherchant la faveur du peuple, le fit condamner et bannir de nouveau pour une rixe où il avait joué du poignard contre une bande de jeunes Florentins. Il partit pour Rome sans argent et sans recommandation, avec son courage, son talent déjà divin et sa verve d'artiste pour tout avenir. Arrivé à Rome au moment du conclave qui venait d'élever à la papauté Clément VII, il y entra comme apprenti dans la boutique du fameux orfévre nommé *Santi*. Santi venait de mourir, laissant son atelier à son fils; son premier ouvrier, nommé *Lucagnolo*, gouvernait la maison. Benvenuto commença par travailler pour un évêque espagnol, mais son ambition, qui grandissait avec son talent, continuait toujours au-delà de sa fortune. Il osa s'introduire dans la *Farnisina*, charmant palais de plaisance que les *Chigi*, fameux banquiers romains, faisaient construire et décorer par Raphaël.

J'y copiais, dit-il, pour me former la main et le goût, les chefs-d'œuvre de l'histoire de Galatée dont Raphaël embellissait les murailles. La femme de Sigismond *Chigi*, qui était fort belle et fort aimable, me voyant souvent dans sa maison, s'approcha un jour de moi, et, me regardant dessiner, me demanda si j'étais peintre ou sculpteur. Je suis orfévre, lui dis-je. Oh! c'est trop bien pour un orfévre, me répondit-elle; et, s'étant fait apporter par sa femme de chambre un lis composé de magnifiques diamants montés sur or, elle me le montra et voulut me le faire estimer. Je lui dis qu'il valait huit cents écus. Vous l'avez fort bien estimé, me dit-elle; auriez-vous le courage de me monter ces diamants d'une manière plus nouvelle? Volontiers, madame, lui répondis-je; et sur-le-champ je lui en fis un petit dessin, et je le fis d'autant mieux, que je prenais plaisir à m'entretenir avec une si belle et si aimable personne.

Comme je l'achevais, survint une belle Romaine, qui lui demanda ce qu'elle faisait. Je me plais, répondit Mme *Chigi*, à regarder dessiner ce jeune homme, qui est aussi bon qu'il est beau.

Ces paroles me firent un peu rougir, mais me donnèrent la hardiesse de dire que, quel que je fusse, je serais toujours prêt à la servir. Alors elle me donna son lis de diamants, avec deux écus d'or, en me recommandant de lui garder le vieux or sur lequel ils étaient montés. Si j'étais ce jeune homme, dit la dame romaine, je me sauverais avec ce trésor. Mais Mme *Chigi* lui répondit que rarement les vertus habitaient avec les vices, et que, si je faisais pareille chose, je démentirais le visage d'honnête homme que j'avais; ensuite, prenant sous le bras son amie: Adieu, me dit-elle avec un aimable sourire; adieu, Benvenuto!

Je restai encore quelques moments chez M. *Chigi*, pour terminer un dessin de la figure de *Jupiter* d'après Raphaël; ensuite je partis pour travailler à un petit modèle de cire, pour le lis de Mme Porcie, c'était son nom, que j'allai bientôt lui faire voir. La belle Romaine était avec elle; elles furent toutes deux parfaitement contentes de mon ouvrage, et je leur promis de faire encore mieux, tant leurs éloges flattèrent mon cœur; de sorte que le lis fut monté en douze jours, et, avec les ornements dont je l'entourai, les brillants parurent infiniment plus beaux.

Pendant que j'y travaillais, *Lucagnolo*, dont je viens de parler, se moquait de moi, et me disait que je gagnerais beaucoup plus à faire de beaux vases d'argent; je lui soutenais le contraire. Hé bien, tu verras, me dit-il: nous avons commencé en même temps; toi ton joyau, et moi mon vase d'argent; ils seront achevés à peu près au même moment, tu verras lequel nous donnera plus de profit. Je suis bien aise, lui dis-je, de faire cette épreuve avec un aussi habile homme que toi, et tu jugeras qui se trompe de nous deux. À ces mots nous nous mîmes au travail à l'envi l'un de l'autre.

Lucagnolo termina en même temps que moi son grand vase pour le pape, où il mettait, étant à table, le superflu de son assiette, meuble plus fait pour la magnificence que pour la nécessité. Le vase avait deux anses ornées de figures et de feuillages, parfaitement travaillés, et c'était le plus beau que j'eusse encore vu.

Hé bien, me dit alors *Lucagnolo*, conviens-tu que j'avais raison? Nous verrons bientôt qui aura le plus gagné; et il porta son vase au pape, qui lui fit payer le prix que méritent ces sortes d'ouvrages, dont *Lucagnolo* parut fort satisfait. Moi, je portai mon lis à l'aimable *Chigi*, qui en fut émerveillée, et me dit que j'avais surpassé tout ce que j'avais promis; en ajoutant que je pouvais demander tout ce que je voudrais; que, me donnât-elle un château, ce qui était au-dessus de son pouvoir, elle croirait ne pas assez payer mon travail. Tout ce que j'exige, lui répondis-je en riant, c'est que vous soyez contente de moi. Se tournant alors vers son amie: Vous voyez, dit-elle, que j'avais bien jugé ce jeune homme. Mon cher *Benvenuto*, ajouta-t-elle, avez-vous ouï dire que, lorsque le pauvre donne au riche, le diable rit? Hé bien, Madame, je veux voir comment il fait quand il rit. Non, non, dit-elle, je ne veux pas lui faire ce plaisir. Retourné à ma boutique, je vis *Lucagnolo* avec un gros sac d'argent que son vase avait produit: Nous verrons, me dit-il, en me le montrant, si ton joyau t'en produira autant.—Patience, lui répondis-je, donne-moi deux jours seulement.

Le lendemain, l'intendant de Mme *Chigi* m'apporta de sa part une bourse pleine d'or, en me disant, entre autres choses agréables, qu'elle ne voulait pas que le diable pût en rire; que ce qu'elle m'envoyait n'était pas l'entier payement de mon ouvrage. *Lucagnolo*, impatient de savoir ce que j'avais reçu, en présence de ses garçons et d'autres voisins qui étaient curieux de voir la fin de notre contestation, prit son sac avec un sourire moqueur, et le versant avec grand bruit sur l'atelier, nous fit voir vingt-cinq écus de monnaie: moi qui étais piqué des cris d'étonnement de la compagnie, et de ses mauvaises plaisanteries, j'entr'ouvris mon sac; et, voyant qu'il était rempli d'or, les yeux baissés, sans dire mot, je le soulevai en l'air avec deux mains; et le faisant bruire comme la trémie d'un moulin, j'en fis sortir en or la moitié plus d'argent que lui; de sorte que ceux qui d'avance se moquaient de moi se mirent à crier: *Lucagnolo*, la monnaie de *Benvenuto* est plus belle que la tienne! Je crus que celui-ci en mourrait de honte et de jalousie; et quoiqu'il lui revînt le tiers de cet argent, comme maître de la boutique, cette dernière passion fit plus d'effet sur lui que l'avarice. Hé bien, dit-il, puisque l'on gagne tant à faire de ces bêtises, je ne veux plus faire autre chose.—Il te sera plus difficile, lui répondis-je en colère, de faire de ces choses, qu'à moi des vases comme les tiens, et je te le ferai voir. Tous les témoins de cette scène lui donnèrent tort à haute voix, le regardant comme un grossier qu'il était, et faisant l'éloge de ma franchise.

VII.

Le lendemain, j'allai remercier Mme *Chigi*, et je lui dis que, loin de faire rire le diable, elle l'avait fait renier Dieu une seconde fois; ce qui fut entre nous un sujet de plaisanterie. Elle me donna ensuite d'autres ouvrages, et nous nous quittâmes fort contents l'un de l'autre.

Mécontent de *Lucagnolo*, il travailla chez un autre maître à son profit personnel. Son goût pour la flûte lui procura un apprenti et l'occasion d'un heureux mariage.

Quand j'étais occupé de mon vase, j'avais pris, malgré moi, un jeune apprenti pour faire plaisir à des amis. Il avait quatorze ans, et se nommait *Paulin.* Il était fils d'un Romain qui vivait de ses rentes. C'était le plus beau et le plus honnête enfant que l'on pût voir. Pour faire épanouir sa charmante figure un peu mélancolique, je jouais souvent de la flûte. Il y prenait tant de plaisir, et son visage alors s'embellissait de tant de charmes, qu'il surpassait tout ce que les Grecs racontent de leurs divinités. Il avait une sœur nommée *Faustine*, aussi belle que lui. Leur père, qui, je crois, aurait voulu me faire son gendre, me menait souvent avec eux à sa campagne, où, pour les amuser, je jouais de la flûte plus que je ne faisais auparavant.

Dans ce temps-là, un musicien de la chapelle du pape, *Jean Jacomo* de Césène, me fit prier par Laurent, trombone de Lucques, de vouloir l'aider à exécuter quelques morceaux choisis, le jour de la fête de Sa Sainteté. Quoique j'eusse le plus ardent désir de finir mon vase, je promis néanmoins de le contenter, tant pour mon propre plaisir que pour tenir parole à mon père. Nous nous y préparâmes huit jours à l'avance; et le 1er août, pendant que le pape dînait, nous exécutâmes ces morceaux de choix qui lui plurent tellement qu'il avoua n'avoir jamais entendu de si belle musique. Il demanda à J. Jacomo où il avait trouvé un si excellent joueur de flûte. Celui-ci lui dit mon nom: c'est donc le fils de maître Jean *Cellini*, répondit le pape? Et alors, sachant qui j'étais, il voulut m'avoir à son service. Je doute qu'il veuille y consentir, reprit *J. Jacomo*: il est orfévre, et il travaille admirablement dans son art; ce qui lui vaut mieux que d'être musicien. Je le veux encore davantage, dit le pape, puisqu'il a ce talent de plus. Je lui donnerai les mêmes gages qu'à vous, et je le ferai travailler pour moi de son autre métier. À ces mots, il tendit la main, et lui donna une bourse de cent écus d'or, en lui recommandant de m'en donner ma part.

Jacomo vint à nous, et nous répéta de point en point ce que le pape lui avait dit; ensuite il partagea, entre huit que nous étions, les cent écus d'or, en me disant qu'il allait m'inscrire dans leur compagnie. Laissez passer aujourd'hui, lui dis-je; demain vous aurez ma réponse.

Je réfléchissais sur cette proposition qui, étant acceptée, contrariait infiniment mon goût pour mon métier. La nuit suivante, mon père m'apparut en songe; il me disait avec des larmes pleines de tendresse: Au nom de Dieu, mon fils, entre dans la musique du pape! et il me semblait que je lui répondais: Mon cher père, cela m'est impossible. Alors il prit une figure terrible, en ajoutant: Choisis donc entre ma malédiction paternelle et ma bénédiction.

M'étant éveillé, je fus si effrayé que je courus me faire inscrire dans les musiciens de Sa Sainteté. Depuis, j'écrivis mon songe à mon père, qui faillit en mourir de joie, et qui, quelque temps après, me fit savoir qu'il avait fait un songe tout semblable. D'après cette satisfaction que je lui avais donnée, il me semblait que tout dût me réussir; et je m'occupai du vase que j'avais commencé pour l'évêque de Salamanque.

C'était un homme fort riche et fort magnifique, mais difficile à contenter. Il envoyait tous les jours savoir ce que je faisais; et lorsque celui qu'il envoyait ne me trouvait point à la maison, il venait lui-même fort en colère me menacer de m'ôter son vase et de le donner à un autre. C'était ma maudite flûte qui était la cause de ces retards; mais je travaillai nuit et jour, et je fus bientôt en état de le lui montrer; ce dont je me repentis ensuite, tant il avait la rage de le voir achevé. J'en vins à bout dans trois mois, et je l'ornai de figures et de feuillages si bien imités qu'il n'y avait qu'à admirer. Je l'envoyai à *Lucagnolo* pour le lui faire voir, par le jeune Paulin, qui lui dit avec beaucoup de grâce: M. Lucagnolo, Benvenuto vous envoie ce qu'il avait promis de faire, et il attend que vous lui montriez quelques-unes de ces *bêtises* que vous avez promis de faire de votre côté. *Lucagnolo* le prit par la main, le regarda beaucoup, et lui répondit: Mon bel enfant, dis à ton maître qu'il est un fort habile homme, et que je le prie de tout oublier, et de vouloir être mon ami!

Paulin s'acquitta parfaitement de son ambassade, et je fis porter le vase à l'évêque, qui voulut le faire estimer. *Lucagnolo*, qu'il consulta, surpassa les éloges que j'attendais de lui; et le prélat, en prenant le vase, dit à l'Espagnol: Je jure Dieu que je veux être autant de temps à le payer qu'il en a mis à le faire.

Je fus très-mécontent de ces paroles, et je maudis toute l'Espagne et tous ceux qui lui voulaient du bien. Parmi les ornements de ce vase, il y avait un couvercle subtilement travaillé, qui, par le moyen d'un ressort, se tenait debout sur son ouverture. Monseigneur le faisant voir un jour, par vanité, à ses Espagnols, l'un d'eux, en son absence, le mania si grossièrement qu'il cassa le ressort. Honteux de sa sottise, il pria le maître d'hôtel de me l'apporter pour le raccommoder sur-le-champ, de manière que l'évêque ne s'en aperçût pas; ce que je fis en quelques heures. Celui qui me l'avait apporté vint tout en sueur pour le reprendre, disant que son maître l'avait demandé pour le montrer à quelques personnes. Vite, vite, donnez-le-moi, me disait-il, en me laissant à peine le temps de parler. Moi qui voulais ne pas le rendre, je lui répondis que je n'étais point pressé. Ces mots le mirent tellement en fureur qu'il mit la main à son épée; je pris une arme de mon côté, en disant hardiment à cet homme que ce vase ne sortirait point de ma boutique qu'il ne fût payé, et qu'il allât le dire à son maître. Ne pouvant rien obtenir par la force, il eut recours aux supplications, en me certifiant qu'il m'en apporterait le prix le plus tôt possible; mais je fus inébranlable. À la fin, il me menaça de venir avec tant d'Espagnols qu'il aurait raison de moi, et me quitta en courant.

Moi qui craignais quelque mauvais coup de la part de ces gens-là, je résolus de me défendre, et je mis mon arquebuse en état; ils refusent, me disais-je, de me donner le prix de mon travail, et ils veulent encore ma vie!

Je vis bientôt venir plusieurs Espagnols avec cet homme à leur tête, fiers comme ils le sont tous, et qui leur criait d'entrer de force chez moi; mais je leur montrai la bouche de mon canon prêt à faire feu, en les traitant de voleurs et d'assassins, et en leur disant que le premier qui s'approcherait était mort: ce qui fit tellement peur à leur chef qu'il piqua de l'éperon un genêt d'Espagne sur lequel il était monté, et qu'il prit la fuite à toute bride.

Tous les voisins accoururent à ce tapage, et quelques gentilshommes romains qui passaient criaient: Tuez, tuez ces scélérats, et nous vous aiderons! Ces paroles effrayèrent tellement le reste de la troupe, qu'elle suivit l'exemple du majordome.

Ils racontèrent à Monseigneur tout ce qui s'était passé; et celui-ci leur répondit avec son arrogance ordinaire, qu'ils avaient mal fait de se porter à cet excès; mais que, puisqu'ils avaient commencé, ils auraient dû finir. Il me fit dire ensuite de lui porter son vase, et qu'il me le payerait bien, sinon qu'il me ferait donner sur les oreilles. Ses menaces ne m'épouvantèrent point, et ma réponse fut que j'allais en instruire le pape. Sa colère et mes craintes étant passées, je lui portai son vase, sur la parole de quelques gentilshommes, et avec la certitude qu'il me serait payé. Cependant je me munis d'un poignard et de ma cotte de mailles.

J'entrai chez Monseigneur, suivi du jeune Paulin qui portait le vase: il avait fait mettre tous ses gens en haie sur notre passage, et il nous fallut traverser cette espèce de zodiaque, où l'un représentait le Lion, l'autre le Scorpion, l'autre le Cancer, pour arriver jusqu'à lui. Comme Espagnol qu'il était, il me balbutia encore quelques paroles impertinentes; mais je le regardai en levant la tête, et sans lui répondre un mot, ce qui redoubla son courroux. Alors, m'ayant fait apporter du papier: Écrivez de votre main, me dit-il, que vous avez reçu le prix du vase, et que vous êtes content. Volontiers, lui répondis-je, quand je serai payé. À ces mots, sa fureur s'exhala encore en menaces, mais enfin il me satisfit; je lui donnai un billet signé de ma main, et je le quittai. Le pape Clément, qui avait vu mon vase, rit beaucoup de cette scène qui lui fut rapportée, et déclara hautement qu'il me voulait beaucoup de bien; ce qui rabattit beaucoup la fierté de mon Espagnol. Il voulut alors se réconcilier avec moi, en m'envoyant le peintre dont j'ai parlé, et me promettant d'autres ouvrages à lui faire; mais je lui dis que je travaillerais volontiers pour lui, à condition qu'il me payerait d'avance. Ces choses furent encore redites au pape, qui en étouffa de rire avec le cardinal *Cibo*, auquel il raconta notre querelle; et se tournant ensuite vers son ministre, il lui recommanda de me faire travailler pour le palais. Le cardinal voulut que je lui fisse un vase plus grand que celui de l'évêque. Les cardinaux *Cornaro*, *Ridolfi*, *Salviati* et plusieurs autres me donnèrent aussi leur pratique, et je gagnais tout ce que je voulais. Mme *Chigi* me conseilla dans ce temps-là d'avoir une boutique à moi seul. Cette aimable dame me faisait toujours faire quelque chose pour elle, et son amitié me donna quelque renom parmi le monde.

Chacune de ces pages de Cellini est attendrie par un de ces retours de cœur vers son vieux père, qui montrent en lui une tendresse égale à sa fougue.

La peste se déclare à Rome; il emploie ces jours de deuil et de loisir forcés à des fouilles et à des imitations de l'antique. Les grands artistes se réunissent pour fêter, dans une orgie peu décente, la fin de la maladie. Michel-Ange, que ses années devaient rendre plus sage, les convie à une véritable orgie, qui donne une idée des mœurs licencieuses de l'époque.

La peste avait cessé dans Rome, et tous ceux qu'elle avait épargnés se félicitaient, s'embrassaient; ce qui fut l'origine d'une société d'artistes les plus renommés de la ville, dont Michel-Ange fut le fondateur. Cet homme était le premier de son état; mais il aimait le plaisir et la joie: c'était le plus vieux par les années, et le plus jeune par la gaieté. Nous nous trouvions ensemble au moins deux fois la semaine. Le peintre Jules *Romain*, et Jean *Francisco*, disciple de Raphaël, étaient de nos amis. Un jour, nous trouvant assemblés, nous convînmes de nous réunir le dimanche suivant dans la maison de Michel-Ange, pour y célébrer un grand festin. Il fut dit que chacun y mènerait sa *corneille*[9], et que celui qui manquerait à cette obligation payerait un bon dîner; il fallait s'en pourvoir d'une, si l'on n'en avait point, pour ne pas payer cette amende. Je comptais y mener une certaine *Penthésilée*, fort belle fille, qui m'aimait beaucoup; mais je fus obligé de la céder à *Bacchiacca*, mon ami intime, qui était fort épris d'elle; ce qui m'attira de la part de cette fille, piquée de ce que je l'avais cédée avec tant de légèreté, une vengeance dont je parlerai en son lieu.

Cependant l'heure du repas approchait, chacun était pourvu de sa corneille, et je n'en avais point; ce qui me tenait à cœur, c'était de me faire accompagner dans cette brillante société par quelque *corneille* qui ne me déshonorât point à ses yeux. J'imaginai une plaisanterie qui devait augmenter la joie du festin, et je fis choix d'un jeune garçon de seize ans, fils d'un ouvrier en laiton, mon voisin, qui avait le teint le plus vermeil, et dont la figure surpassait celle d'Antinoüs, tellement qu'il m'avait souvent servi de modèle. Ce jeune homme n'était connu de personne, était ordinairement mal vêtu, et sortait peu de sa maison, s'appliquant continuellement à l'étude du latin.

Je le fis appeler et consentir à prendre des habits de femme, que j'avais fait préparer tout exprès, et qui lui allèrent à merveille. J'ornai son cou, ses oreilles et ses doigts des plus beaux joyaux que j'eusse dans mes armoires; et, le tirant par une oreille, je l'amenai devant un grand miroir. Diego, il se nommait ainsi, s'écria en se voyant si beau: Oh Dieu! est-ce bien moi que je vois? Toi-même, lui répondis-je. Je ne t'ai jamais demandé aucune complaisance; mais je veux du moins que tu m'accordes celle-ci, qui est que tu viennes avec moi dans une société honnête, dont je t'ai souvent parlé, habillé comme tu l'es maintenant. Ce jeune homme vertueux et sage baissa les yeux, et garda un moment le silence; puis il me dit avec assurance: Je le veux bien, marchons! Je le couvris d'un grand voile qui s'appelle à Rome un manteau d'été, et nous allâmes au rendez-vous. Dès qu'on nous aperçut, tout le monde nous vint au-devant; Michel-Ange était entre Jules et Jean *Francisco*. Quand j'eus soulevé le voile de *Diego*, Michel-Ange, qui était facétieux, mit ses mains, l'une sur celui-ci, et l'autre sur celui-là, leur fit courber la tête, et, se mettant à genoux lui-même: Miséricorde! s'écria-t-il, faites venir tout le monde; voilà, voilà un ange qui descend du paradis! quoiqu'on les fasse tous masculins, il est aussi, vous le voyez, des anges femelles. Belle Angeline! sauve-moi, bénis-moi! Quand il eut achevé ses folies, cette belle créature leva la main, et lui donna une bénédiction papale. Alors Michel-Ange s'étant redressé: On baise, dit-il, les pieds au pape; mais on baise les joues aux anges. Diego rougit beaucoup, et sa beauté s'accrut d'une façon merveilleuse. Étant entrés dans le salon, nous y trouvâmes plusieurs sonnets[10] que chacun de nous avait faits et envoyés à Michel-Ange; il les lut tous les uns après les autres, et sa manière de les lire les fit paraître plus beaux. Il se passa encore d'autres particularités sur lesquelles je ne m'étendrai point; je dirai seulement que l'admirable *Jules Romain*, en regardant l'un de nous qui était près de lui, plus occupé que les autres des beautés qu'il avait devant les yeux, se tourna vers Michel-Ange, et lui dit: Mon cher Michel-Ange, votre nom de corneille est bien appliqué à ces dames, quoiqu'elles soient moins belles que le beau paon qui se déploie devant elles. La table étant servie, Jules voulut nous assigner à chacun notre place, et me donner celle du milieu, parce que je la méritais.

Derrière les dames était un espalier de jasmins naturels, qui faisait tellement ressortir leur beauté, et surtout celle de Diego, qu'il m'est impossible de l'exprimer; c'est ainsi que nous fîmes la meilleure chère du monde. Après le repas, on fit un peu de musique dans laquelle mon charmant *Diego* demanda à faire sa partie, et il s'en acquitta si parfaitement que Jules et Michel-Ange ne riaient plus, mais en étaient dans une sorte d'extase. Après la musique, un certain *Aurelio d'Ascoli*, grand improvisateur, fit un magnifique éloge des femmes. Pendant qu'il chantait, deux d'entre elles, voisines de mon beau jeune homme, ne cessaient de babiller: l'une lui demandait depuis quand elle allait dans le monde? l'autre, depuis quand elle était à Rome, et avec moi? quelles étaient ses connaissances? et lui faisaient mille autres questions impertinentes. Elles soupçonnèrent alors qu'il était homme. Sur-le-champ tout le monde se mit à crier en éclatant de rire, et le fier Michel-Ange demanda la permission de me donner une pénitence; ce qui lui étant accordé, il dit à haute voix: Vive *Benvenuto*! vive *Benvenuto*! pour nous avoir agréablement trompés. Ainsi finit cette journée amusante.

Benvenuto trahi bientôt après par cette courtisane *Penthésilée* que *Pulci*, de Florence, lui avait enlevée, Benvenuto se bat contre *Pulci* et douze estafiers à cheval qui les accompagnaient. Jeune, fort, intrépide, il renverse une partie de cette escorte; Pulci, en caracolant devant la porte de *Penthésilée*, se casse la jambe, et meurt de sa blessure. Benvenuto est obligé de se cacher chez un seigneur napolitain, brave entre les braves.

VIII.

Cependant sa renommée de bravoure le fait rechercher par la grande famille des *Colonna*, amie des Médicis, à l'époque où le connétable de Bourbon vient assiéger Rome. Les *bravi*, espèce de héros volontaires, faisaient alors le nerf des guerres italiennes. Le pape menacé accepte le secours de Benvenuto et d'une compagnie de cinquante *bravi* enrégimentés et soldés par les Colonna. Instruit et exercé dans l'art, encore récent, de l'artillerie, Benvenuto s'enferme dans le château Saint-Ange, citadelle des papes attenante au Vatican.

Le connétable de Bourbon était déjà aux portes de la ville. Nous nous portons, dit Benvenuto, au *Campo Santo* (cimetière), et de là nous vîmes l'armée du connétable qui faisait ses efforts pour pénétrer dans la ville de ce côté-là. Il avait déjà perdu plusieurs de ses gens, et le combat y était terrible. Je me tournai alors vers Alexandre, c'était le nom de Delbène, et je lui dis: Allons-nous-en, car il n'y a pas de remède. Vous voyez que les uns montent d'un côté, et que ceux-ci fuient de l'autre. Alexandre, effrayé, me répondit: Plût à Dieu que nous ne fussions pas venus ici! Cependant, repris-je, puisque vous m'y avez amené, je veux faire un coup de ma façon: je tournai alors mon arquebuse vers l'endroit où le combat était le plus animé, et je visai un homme qui était plus élevé que les autres. J'ignore s'il était à pied ou à cheval, à cause de la fumée qui m'empêchait de distinguer les objets bien nettement. Je dis ensuite à Alexandre et aux deux autres d'apprêter leurs armes, et je les postai de manière qu'on ne pouvait les atteindre du dehors. Après que nous eûmes fait notre feu, je me haussai sur la muraille, et je vis parmi les ennemis un tumulte extraordinaire; c'est que le connétable était tombé sous nos coups, comme nous l'apprîmes dans la suite. Étant sortis de là, nous nous en allâmes à travers le *Campo Santo*, et l'église de Saint-Pierre; et, par le derrière de celle de Saint-Ange, nous arrivâmes, non sans beaucoup de peine, à la porte du château. Là, *Rienzo* de *Cerri* et Laurent *Baglioni* tuaient tous ceux qui fuyaient devant les ennemis qui étaient déjà entrés dans Rome. Le capitaine du château voulant faire tomber la Sarrasine, nous eûmes le temps de nous y glisser tous les quatre.

Sur-le-champ le capitaine *Pallone de Médicis* s'empara de moi, parce que j'étais de la maison du pape, et me força de quitter Delbène: ce que je fis malgré moi. J'étais déjà dans le fort, lorsque le pape y entrait par le corridor du château; car il n'avait pas voulu partir plus tôt du palais de Saint-Pierre, ne pouvant s'imaginer que les Impériaux osassent entrer dans Rome.

Bientôt je vis quelques pièces d'artillerie qui étaient sous la garde d'un bombardier de Florence, nommé *Juliano*. Il se désolait de voir, du haut des fortifications, sa pauvre maison saccagée, et sa femme et ses enfants au pouvoir des ennemis: de sorte qu'il n'osait faire son devoir, de peur de tirer sur eux. Il avait jeté sa mèche tout allumée par terre, et se déchirait la figure, en pleurant à chaudes larmes; ce que faisaient aussi les autres bombardiers. À l'aspect de ce désordre, j'appelai à mon aide quelques hommes moins alarmés que ceux-là: prenant ensuite une mèche à la main, je tournai la bouche de quelques pièces où il le fallait, et je mis à bas plusieurs soldats ennemis; sans cela, une partie de ceux qui étaient entrés dans la ville le matin se dirigeait vers le château, et il était possible qu'elle y eût pénétré. J'y faisais un feu continuel; ce qui m'attirait les bénédictions de plusieurs cardinaux et seigneurs qui me regardaient. Enfin, ce jour-là, je sauvai le château, et je vins à bout, par mon exemple, de remettre à l'ouvrage les bombardiers qui s'en éloignaient. Cet exercice m'occupa tout le jour. Le pape ayant nommé le seigneur *Santa-Croce* chef de son artillerie, il entra dans le fort sur le soir, au moment où l'armée entrait dans Rome par le quartier des Transtéverins. La première opération qu'il fit fut de venir à moi, de me faire beaucoup de caresses, et de me donner cinq bonnes pièces d'artillerie, qui furent placées sur le lieu le plus élevé qu'on appelle l'*Ange*. C'est une plate-forme qui fait le tour du château, d'où l'on voit Rome et les prés de revers. J'eus plusieurs bombardiers sous mes ordres: il m'assigna une paye et des vivres, et me recommanda de continuer comme j'avais commencé.

La nuit venue, et les ennemis entrés dans Rome, moi, qui ai toujours aimé les choses nouvelles, je me plaisais à considérer le désordre d'une ville prise d'assaut, ce que je voyais du point où j'étais, beaucoup mieux que ceux qui étaient dans le château. Je fis jouer mes pièces de canon sans relâche pendant un mois entier que nous fûmes assiégés, et il m'arriva des choses dignes d'être racontées; mais j'en laisserai une partie pour n'être pas long, et ne pas trop m'éloigner de mon sujet principal.

IX.

Le pape, ébloui de ses services, vint plusieurs fois le visiter à son poste. Il lui démontra une fois la portée de ses pièces en coupant en deux un colonel espagnol qu'il prit pour but à sa couleuvrine. Puis, se jetant à ses pieds, il lui demanda de lui accorder le pardon des homicides commis par lui pour le service de l'Église.

La paix de Rome avec l'Espagne fit licencier Benvenuto; il revint à Florence la bourse pleine, avec un bon cheval et un page. Son père faillit mourir de joie de le revoir sauvé, riche et puissant. Le père et deux de ses sœurs l'engageaient à aller à Mantoue pour éviter la peste qui commençait à consterner Florence; il remonte à cheval et leur obéit. Il y retrouve *Jules Romain*, l'élève bien-aimé de *Raphaël*, qui rend hommage à son prodigieux talent; mais le mauvais climat de Mantoue le dégoûta de ce séjour, il revint à Florence. Son père était mort de la peste; il ne retrouve que sa sœur *Reparata* mariée, et qui le reconnaît avec une tendresse qui fera l'occupation et le souci du reste de sa vie. Il repart pour Rome; il y retrouve ses amis les *bravi* et les artistes.

L'audience qu'il reçoit du pape le jeudi saint, pour être relevé de l'excommunication, est une des circonstances les plus pittoresques de ses Mémoires:

«Nous nous acheminâmes donc vers le palais, c'était un jeudi saint; et, comme il y était connu, et moi attendu, nous fûmes introduits dans la chambre du pape sans attendre l'audience. Il était un peu malade, et il avait à côté de lui M. *Salviati* et l'archevêque de Capoue. Ma présence parut le réjouir beaucoup: je m'approchai de lui avec respect, je lui baisai les pieds; et, voyant que j'avais à lui parler de choses importantes, il fit un signe de la main pour qu'on se retirât; et je lui parlai ainsi:

Très-Saint-Père, depuis le sac de Rome, je n'ai pu ni me confesser, ni recevoir la communion, parce qu'on n'a point voulu m'absoudre. La raison en est que, lorsque j'eus fondu l'or de vos joyaux et celui de votre tiare, le cavalier que vous aviez chargé de me récompenser de toutes mes peines me paya avec des sottises. Me voyant sans ressource pour retourner chez moi, j'eus recours aux cendres de cet or, d'où j'en tirai à peu près une livre et demie, avec intention de vous le rendre, quand je le pourrais. Je suis à présent aux pieds de Votre Sainteté, qui est le véritable confesseur, et je la supplie de me pardonner, et de me permettre de me confesser et de communier, pour que je puisse obtenir la grâce de Dieu. Le pape alors, en poussant des soupirs que lui causait peut-être le souvenir de ses malheurs passés, prononça ces paroles: *Benvenuto*, je crois ce que tu me dis, et t'absous de ce péché et de tous ceux que tu peux avoir commis, m'eusses-tu pris la valeur d'une de mes trois couronnes.—Très-Saint-Père, lui répondis-je, je n'ai pas pris autre chose, et cela ne vaut pas cent cinquante ducats, qui, joints à pareille somme que j'obtins de la monnaie de Pérouse, me servirent pour aller porter du secours à mon vieux et malheureux père.—Ton père était un fort honnête homme, reprit le pape, et tu lui ressembles! Je suis fâché de n'avoir pu mieux reconnaître tes services dans le temps, et j'aurais voulu que cet or fût d'un prix plus considérable: va donc te confesser, si tu n'as pas d'autres péchés qui me regardent; et, quand tu auras reçu la communion, viens me retrouver, parce que je te veux beaucoup de bien.

Quand j'eus fini avec le pape, M. *Salviati* et l'archevêque se rapprochèrent; il leur parla de moi en termes les plus obligeants, et recommanda à ce dernier de m'absoudre de tous mes péchés, et de me faire toutes les caresses possibles, ce qu'il avait déjà fait lui-même.

Quand je sortis du palais avec *Jacopin*, il témoigna beaucoup de curiosité pour savoir ce que j'avais dit à Sa Sainteté. Il me le demanda deux ou trois fois; mais je lui répondis que je ne voulais pas le dire, parce que cela ne le regardait point. J'allai ensuite m'acquitter de mes devoirs chrétiens, et, les fêtes passées, je retournai auprès du pape. Il me reçut aussi bien que la première fois, et me dit que, si j'étais arrivé plus tôt, il m'aurait fait refaire les couronnes que nous avions mises en pièces dans le château, mais qu'il me donnerait des ouvrages plus relevés, et dans lesquels je pourrais montrer tout mon talent; et c'est à l'agrafe de la chape pontificale que je veux te donner à travailler. Il faut qu'elle soit large d'environ huit pouces, et parfaitement ronde. Il y aura Dieu le Père en demi-relief: tu emploieras du mieux possible ce superbe diamant avec d'autres belles pierreries. *Caradosso* l'a commencée, et ne la finit point. Pour que j'en puisse jouir encore quelquefois, fais-m'en promptement le modèle; et à l'instant il me fit apporter toutes les richesses dont il voulait l'orner, et qu'il me fit emporter chez moi.»

Le pape le fait surintendant de sa monnaie. Il fait des modèles magnifiques; il perd son frère d'un coup de poignard dans une rencontre sur le pont Saint-Ange. Il jure de le venger et tue lui-même son meurtrier d'un autre coup de poignard; le pape lui pardonne et lui donne le conseil de prendre garde à ses ennemis.

«J'ouvris alors une boutique fort belle aux *Banchi*, vis-à-vis celle de Raphaël. Le pape m'y fit porter tous ses joyaux, au gros diamant près, qu'il avait mis en gage chez un banquier génois, dans un cas de nécessité. J'y tenais cinq compagnons excellents, et ma boutique était brillante d'or, d'argent et de riches pierreries: j'avais un superbe chien à poil long, que le duc Alexandre m'avait donné, et qui, outre qu'il était bon chasseur, était d'une garde sûre pour ma maison. J'avais de plus une belle fille, qui me servait de modèle quand j'en avais besoin, et surveillait toutes mes affaires. Une nuit que je dormais profondément, contre mon ordinaire, un homme qui, sous la qualité d'orfévre, était venu souvent dans ma boutique, et la trouvait richement garnie, vint pour me voler; mon chien se jetait sur lui; mais il se défendait avec son épée, de sorte que cet animal courait çà et là dans toute la maison, entrait dans les chambres de mes garçons, qui étaient ouvertes à cause de la grande chaleur; et, voyant que ses aboiements ne les réveillaient pas, il leur arrachait les couvertures de leur lit, leur tirait les bras aux uns et aux autres; et, par les cris épouvantables qu'il faisait, et marchant devant eux, il leur montrait ce qu'ils avaient à faire; mais ils ne voulaient pas le suivre, et, pour le faire taire, lui jetaient des bâtons dans les jambes; car ma boutique était toujours éclairée pendant la nuit. Enfin mon chien, perdant l'espoir d'être secondé, se mit seul à combattre le voleur. Il lui déchirait ses habits, le poursuivait dans la rue, et l'aurait, je crois, égorgé, si le voleur n'avait pas demandé du secours à des passants, en les priant de le défendre contre un chien qu'il disait enragé. Ces gens le crurent, et, après beaucoup d'efforts, firent rentrer cet animal dans la maison. Le jour venu, mes malheureux compagnons, étant descendus dans la boutique, la virent entièrement bouleversée, et trouvèrent les armoires ouvertes. Ils poussèrent des cris qui me réveillèrent, et m'avertirent de ce qui venait de se passer. J'en fus tellement épouvanté que je n'eus pas la force d'aller visiter la cassette où étaient renfermés les joyaux du pape. Je leur dis d'aller y voir eux-mêmes; ils étaient tous en chemise, parce que, s'étant déshabillés dans la boutique, à cause du chaud qu'il faisait, ils y avaient laissé leurs habits, que le voleur avait emportés.

Quand ils virent que la cassette n'avait pas été touchée, et que tous les trésors y étaient encore, ils poussèrent des cris de joie, ce qui me rendit toutes mes forces, et me fit remercier Dieu. Je leur dis ensuite d'aller acheter des habits, et que je les payerais. Quand je réfléchis sur cet événement, je fus effrayé de l'idée qu'on pouvait m'accuser moi-même de ce vol, et dire que je l'avais imaginé pour m'emparer des joyaux de Sa Sainteté. Elle l'apprit bientôt par la bouche d'un de ses serviteurs, et par d'autres, qui étaient François de *Nero*, *Zanna*, *Billioti*, son computiste, et l'évêque de Vaison[11]. Très-Saint-Père, lui dirent-ils, comment avez-vous pu confier tant de richesses à cet écervelé de jeune homme?—Avez-vous ouï dire, leur répondit le pape, qu'il avait volé quelqu'un?—C'est, répondit *Nero*, qu'il n'en a pas eu l'occasion.—Hé bien, riposta le pape, je le tiens encore pour un honnête homme.

Sans perdre un seul moment, je courus au palais avec ma cassette, pour la porter au pape, que *Nero*[12] avait depuis entièrement tourné contre moi, en lui mettant mille soupçons dans la tête. Que me veux-tu! me dit-il avec un regard terrible et une voix altérée.—Je vous apporte, lui dis-je, vos joyaux, où il ne manque rien. Alors le pape, tranquillisé, me répondit: En ce cas, tu es *bien-venu*. Tandis qu'il faisait le compte de ses joyaux, je lui racontais mon aventure malheureuse en présence de celui qui m'avait accusé. Ensuite le pape, après m'avoir regardé plusieurs fois attentivement, se mit à rire de tout ce que je lui avais dit, et me recommanda d'être toujours honnête homme, comme je l'avais été jusqu'alors.»

X.

Dans son retour à Rome, Benvenuto eut une aventure.

Il devint éperdument épris de la fille d'une courtisane sicilienne. En apprenant le départ de cette fille pour son pays, il s'échappa comme un insensé de Rome pour la poursuivre. Arrivé à quelque distance de Naples, il la retrouve dans une hôtellerie et la perd de nouveau. C'est tout à fait une aventure d'Arioste, et qui, comme celle de ce poëte, n'a pas de suite dans la vie de ce héros. Mais cet amour de rencontre est agréablement raconté.

«En quittant Naples, je cachai mon argent sur mon dos, à cause des voleurs, qui ne sont point rares dans ce pays. À la *Selciata*, je me défendis contre eux avec beaucoup de courage, et je m'en débarrassai. Quelques jours après, ayant laissé *Solosmeo* au *mont Cassin*, j'allai dîner à l'hôtellerie des *Adannani*. Près de là, je voulus tirer quelques oiseaux avec mon arquebuse; un petit fer qui s'y trouvait me déchira la main droite; et, sans ressentir beaucoup de mal, ma main versait beaucoup de sang.

Étant entré dans l'hôtellerie, je montai dans une chambre où se trouvaient à table plusieurs gentilshommes, et une dame de la plus rare beauté. Derrière moi était un jeune domestique que j'avais, qui me suivait avec une pertuisane au bras. Cette arme, le sang que je versais, et notre accoutrement, leur firent une peur effroyable, d'autant plus que ce lieu était un nid à voleurs. Ils se levèrent de table, et me prièrent de leur prêter secours; mais je leur dis en riant qu'ils n'avaient rien à craindre, et que j'étais homme à pouvoir les défendre; que je leur demandais seulement leurs bons offices pour bander ma blessure. Cette belle dame m'offrit aussitôt son mouchoir brodé d'or; et, comme je le refusais, elle le déchira par le milieu, et voulut elle-même m'en envelopper la main. Nous dînâmes ensuite fort tranquillement. Après le dîner, nous montâmes à cheval, et nous voyageâmes de compagnie. La peur n'était pas encore passée; et ces messieurs, qui restaient en arrière, me prièrent de marcher à côté de leur dame. Je fis signe alors à mon valet de s'éloigner un peu de nous, et nous eûmes le temps et la facilité de nous dire de ces douceurs qu'on ne trouve point chez le marchand. C'est ainsi que je fis le voyage le plus agréable de ma vie.»

Avant d'aller en prison, il eut un différend, pour une bagatelle, avec un gentilhomme du cardinal *Santa-Fiore*, et il voulut lui faire mettre les armes à la main. Celui-ci s'en plaignit au cardinal, qui lui répondit que, si *Benvenuto* le touchait, il lui ferait passer sa folie avec sa tête. Si l'on en croit le rapport que *Pier Luigi* fit au pape, *Benvenuto*, instruit de cette menace, tenait toujours son arquebuse prête pour tuer le cardinal, dont le palais était vis-à-vis de sa boutique. Un jour, le prélat étant à sa fenêtre, *Benvenuto* allait tirer sur lui, s'il ne s'était retiré; mais, ayant manqué son coup, il tira sur un pigeon qui couvait au haut du palais, et lui enleva la tête, chose difficile à croire; car il ne voyait que cela du corps de l'oiseau. «À présent, ajouta *Pier Luigi*, j'ai dit à Votre Sainteté ce que je voulais lui dire. Il pourrait bien, croyant avoir été injustement incarcéré, mettre aussi en danger les jours de Votre Sainteté. C'est un homme violent, emporté: lorsqu'il tua *Pompeio*, il lui porta deux coups de poignard, au milieu des dix soldats qui le gardaient, et se sauva, au grand mécontentement de tous les gens de bien.» Le gentilhomme appartenant au cardinal *Santa-Fiore* était présent quand *Pier Luigi* parla ainsi au pape, et lui confirma tout ce que son fils venait de lui dire. Le pape, gonflé de colère, ne prononça aucune parole.

«Il faut que je m'explique, dit *Benvenuto*, sur cette calomnie de M. *Pier Luigi*. Ce gentilhomme du cardinal *Santa Fiore* vint un jour à ma boutique, et m'apporta un petit anneau d'or couvert de vif-argent, en me disant de le lui nettoyer. Moi, qui avais des ouvrages plus importants, et qui me vis commander si grossièrement par un homme que je n'avais ni vu ni connu de ma vie, je lui répondis que je n'en avais pas le temps; qu'il s'adressât à un autre. Il me dit alors que j'étais un *âne*. Non, lui repartis-je, je ne suis pas un âne, et je vaux mieux que vous. Ne m'ennuyez pas davantage; car je vous donnerais des coups de pied plus forts que ceux d'un âne! Il alla rapporter au cardinal, en l'envenimant, ce que je lui avais dit. Deux jours après, je tirai, sur le haut du palais *Santa-Fiore*, un pigeon qui couvait dans un trou, et qui avait été manqué plusieurs fois par l'orfévre *Tacca*, qui était mon rival au tir de l'arquebuse. Quelques amis qui étaient dans ma boutique dirent: Voyez ce pauvre animal, il a peur, et à peine ose-t-il montrer sa tête!—Il a beau se cacher, répondis-je; si je prenais mon arquebuse, je ne le manquerais pas. Ils me défièrent. Je pariai une bouteille de vin grec de lui faire sauter la tête, qui était la seule chose que je visse de ce pauvre oiseau; et, le pari accepté, je pris mon merveilleux brocard (c'est ainsi que j'appelais mon arquebuse), et je gagnai la bouteille de vin grec, ne pensant ni à ce cardinal, ni à nul autre; car ce cardinal était un de mes protecteurs. Que l'on juge, d'après cela, des moyens que prend la fortune lorsqu'elle veut perdre un homme!

Le pape, de mauvaise humeur contre moi, pensait à ce que son fils lui avait dit. Deux jours après, le cardinal *Cornaro* vint lui demander un évêché pour un de ses affidés gentilshommes, appelé *Andrea Centano*, que le pape lui avait promis, lorsqu'il vaquerait. Le pape ne s'en défendit pas; mais il voulut que le cardinal lui livrât ma personne, en retour de cette grâce.—Mais si Votre Sainteté lui a pardonné, que dira-t-on d'elle et de moi dans le monde? lui répondit celui-ci.—On en dira ce qu'on voudra, dit le pape: si vous voulez l'évêché, il faut me donner *Benvenuto*. Alors le bon cardinal lui répondit: Donnez-moi l'évêché, et que Votre Sainteté fasse ce qu'elle croira convenable. Le pape, que cet odieux marché faisait rougir en lui-même, ajouta: J'enverrai, pour ma propre satisfaction, *Benvenuto* dans les chambres basses, où il pourra se faire guérir et recevoir tous ses amis; et, de plus, je payerai toute sa dépense. Le cardinal me fit redire toute cette conversation par M. *Andrea*, qui avait obtenu son évêché; mais je le suppliai de me laisser faire; que je m'envelopperais dans un matelas pour sortir de Rome; et que me donner au pape c'était me donner la mort. Le cardinal y consentit; mais M. *Andrea*, qui voulait son évêché, alla tout découvrir au pape, qui m'envoya saisir sur-le-champ, et me fit mettre dans une prison séparée. Le cardinal m'avertit de ne rien manger de ce que le pape m'enverrait; qu'il se chargeait lui-même de me nourrir; et il s'excusait envers moi sur ce qu'il avait été obligé de faire, mais qu'il allait tout employer pour me rendre la liberté.

Mes amis continuaient leurs visites et leurs offres de services. Parmi eux, il y avait un jeune Grec d'environ vingt-cinq ans, qui était une des meilleures épées de Rome; bon, fidèle dans son amitié, mais faible et crédule. Me défiant des intentions du pape, je dis un jour à cet ami: Ils veulent m'assassiner; il est temps de me prêter ton secours. Ces soins qu'ils prennent de pourvoir à toutes mes dépenses me confirment dans l'idée que j'ai qu'ils veulent me trahir.—Mon cher *Benvenuto*, me dit-il, on dit dans Rome que le pape te donne un emploi de cinq cents écus de rente; ainsi, je te prie de ne pas l'irriter par tes soupçons.—Je sais bien, lui répondis-je, qu'il pourrait me faire du bien, s'il le voulait; mais il croit son honneur intéressé à me perdre: c'est pourquoi je te supplie à mains jointes de me tirer d'ici; je te devrai la vie, et je te la sacrifierai, si tu en as besoin.

Le pauvre jeune homme me répondait tout en pleurs: Mon cher *Benvenuto*, tu veux courir à ta perte: mais, quoique je t'obéisse malgré moi, dis-moi ce que tu veux que je fasse. Alors je lui prescrivis la manière dont il devait s'y prendre, qui ne pouvait manquer de réussir; et au moment où je l'attendais il vint me dire que, pour mon avantage, il voulait me désobéir; qu'il savait de bonne part, et par des personnes qui étaient auprès du pape, qu'il n'avait que de bonnes intentions pour moi; ce qui m'affligea beaucoup. C'était le jour de la Fête-Dieu que cela se passait. Le cardinal *Cornaro* m'envoya une quantité de vivres, avec lesquels je me régalai avec mes amis; ensuite, la nuit étant venue, nous allâmes nous coucher. Deux de mes gens restaient dans mon antichambre, et mon chien sous mon lit; car il ne me quittait point. Je les appelai plusieurs fois pour le faire sortir, parce qu'il ronflait tellement qu'il interrompait mon sommeil; mais il se jetait sur eux pour les mordre, et les effrayait par ses hurlements. À quatre heures précises, le barrigel avec ses sbires entra dans ma chambre. Mon chien s'élança sur eux, leur déchira leurs habits, et leur fit tant de peur qu'ils le crurent enragé. Le barrigel, qui s'y entendait, dit alors: C'est la nature des bons chiens de deviner les malheurs de leur maître: prenez des bâtons pour l'écarter, et vous, attachez *Benvenuto* sur ce fauteuil, et portez-le où vous savez.

Ils obéirent, et me transportèrent ainsi à la tour de *Nona*, me couchèrent sur un mauvais matelas, et laissèrent un garde auprès de moi, qui me disait sans cesse: Hélas! pauvre *Benvenuto*, que leur avez-vous fait?

Le lieu où j'étais, et les paroles de cet homme, m'annonçaient assez ce qui devait m'arriver. Je réfléchis toute la nuit sur ce que je pouvais avoir fait qui m'attirât un si rude châtiment, et je n'en trouvai point le motif. Mon garde me consolait et cherchait à me donner du courage; mais je le priai de me laisser tranquille, parce que je savais mieux que lui ce que je devais faire. Alors je me remis tout entier entre les mains de Dieu, et je le priai de venir à mon secours. Je sais, disais-je, que j'ai commis des homicides; mais je ne l'ai fait que pour défendre cette vie que vous m'avez donnée en garde; et d'ailleurs ils m'ont été pardonnés: dans ce moment-ci, je suis innocent, selon toutes les lois humaines, et je suis comme un homme qui, passant dans la rue, reçoit une grosse pierre qui lui tombe sur la tête.

Je pensais ensuite à la puissance des étoiles, non qu'elles puissent nous faire du mal ni du bien par elles-mêmes, mais par le hasard de leurs conjonctions auxquelles nous sommes exposés. D'après ma foi et mon innocence, disais-je, les anges devraient me délivrer de cette prison; mais je ne suis pas digne d'un tel bienfait, et ils me laisseront soumis à toute la malignité de mon étoile.

C'était au milieu de ces tristes pensées que le sommeil vint un moment s'emparer de moi. Je fus réveillé par mon garde au point du jour. Malheureux brave homme! me dit-il, il n'est plus temps de dormir; on vient vous apporter une mauvaise nouvelle.—Le plus tôt sera le meilleur, lui répondis-je, persuadé que mon âme sera sauvée en faveur de mon innocence. Jésus-Christ n'abandonne jamais ceux qui le servent, et je lui en rends grâces. Pourquoi ne vient-on pas me lire ma sentence?—Celui qui en est chargé en est aussi affligé que vous, me répondit le garde. Alors je l'appelai par son nom, parce que je le connaissais. Venez, lui dis-je, monsieur *Benedetto de Cagli*, venez, je suis tout résolu: il vaut mieux mourir innocent que coupable. Envoyez-moi seulement un prêtre auquel je puisse me confesser, quoique je l'aie déjà fait devant Dieu, mais pour me soumettre aux lois de l'Église, à laquelle je pardonne, malgré tout le mal qu'elle me fait. Lisez-moi ma sentence, expédiez-moi promptement, de peur que mes saintes résolutions ne m'abandonnent. Cet honnête homme, à ces mots, ordonna que l'on refermât ma prison, parce que l'on ne pouvait rien faire sans lui; et il partit sur-le-champ pour aller chez la duchesse, femme de *Pier Luigi*, qui se trouvait en ce moment avec l'autre duchesse, femme d'Octavio, et lui parla ainsi: Madame, je vous prie, au nom de Dieu, de dire au pape d'envoyer un autre que moi lire à *Benvenuto* sa sentence, parce qu'il m'est impossible de le faire; et il la quitta aussitôt, le cœur rempli de douleur. L'autre duchesse s'écria à ces mots: C'est donc ainsi qu'on rend la justice à Rome, au nom du vicaire de Jésus-Christ! Mon premier mari, qui aimait beaucoup *Benvenuto*, à cause de ses talents et de ses bonnes qualités, avait raison de vouloir le retenir à Florence, et de l'empêcher de revenir à Rome; et elle s'en alla en murmurant des paroles fort aigres.

La femme de *Pier Luigi* alla soudain trouver le pape, et, se jetant à ses pieds en présence de plusieurs cardinaux, lui dit tant de choses qu'elle le fit rougir, et lui arracha ces paroles:—Je lui fais grâce pour l'amour de vous, et d'autant plus que je ne lui en veux point.

Il parla ainsi, parce qu'il était devant ces cardinaux qui avaient entendu les paroles hardies de cette dame généreuse. En attendant, j'étais dans des transes cruelles, qui étaient redoublées par la présence de ceux qui devaient m'exécuter; mais l'heure du dîner étant venue, et voyant les provisions qu'on m'envoyait, je m'écriai, plein de surprise: La vérité a donc vaincu ma mauvaise étoile! Je prie Dieu qu'il m'arrache bientôt de ce lieu-ci. Je commençai à manger d'assez bon appétit, car l'espérance fit cesser toutes mes craintes; et je restai dans cet état jusqu'à une heure de la nuit, que le barrigel revint avec ses gens, et, avec des paroles plus douces, me fit reporter avec beaucoup de ménagement, à cause de ma jambe, au lieu où ils m'avaient pris.

Le châtelain vint bientôt m'y trouver en s'y faisant porter, parce qu'il était malade. Voilà, dit-il, celui qui t'a repris!—Voilà, lui répondis-je, celui qui vous a échappé, et que vous n'auriez pas, s'il n'avait été vendu pour un évêché, au mépris des lois les plus sacrées! Mais, puisque c'est l'usage de cette cour, faites ce que vous voudrez, et pis encore, tout m'est indifférent dans ce monde. Ce pauvre homme, à ces paroles, s'écria: Hélas! il ne se soucie ni de vivre ni de mourir, et il est plus hardi que lorsqu'il n'était point malade. Qu'on le porte sous le jardin, et qu'on ne me parle plus de lui, car il serait cause de ma mort. On me transporta donc sous le jardin, dans une chambre très-obscure et très-humide, pleine de vermine et de tarentules. On me jeta une mauvaise paillasse, et je fus enfermé, sans souper, sous quatre guichets. À dix heures du matin seulement, on m'apporta quelque chose à manger. Je demandai quelques-uns de mes livres; on me donna la Bible vulgaire et la Chronique de *Villani*. J'eus beau en demander quelques autres, on me répondit que j'en avais trop de ceux-là.

C'est dans cette situation que je passais ma vie, couché sur une triste paillasse tout humide, sans pouvoir me remuer, à cause de ma jambe rompue, et obligé de ramper au milieu des ordures pour aller faire mes besoins au dehors, afin de ne pas augmenter l'air infect de ma chambre. Je ne pouvais lire qu'une heure et demie par jour, parce qu'il n'entrait qu'en ce seul moment dans cette caverne affreuse, et le reste du temps, je le donnais à Dieu et à mes réflexions sur les fragilités de cette vie, que j'espérais bientôt quitter. Cependant quelquefois je reprenais mon courage, et je me consolais en me voyant moins exposé dans cette prison que dans le monde, à me livrer à mon caractère emporté et au poignard de mes ennemis jaloux. Un sommeil plus doux s'emparait de moi, et peu à peu je sentis ma santé se rétablir, l'ayant accoutumée à ce purgatoire.

Je lisais tous les jours la Bible, et j'y prenais tant de plaisir, que je n'aurais fait autre chose, si je l'avais pu. J'étais si désespéré, lorsque l'obscurité venait interrompre mes lectures, que je me serais tué si j'avais eu des armes. Un jour, je me décidai à le faire, et je suspendis avec beaucoup d'efforts, au-dessus de ma tête, un énorme morceau de bois qui l'aurait écrasée; mais, comme je voulus le faire tomber avec la main, je fus arrêté, et jeté à quatre pas de là d'une manière invisible. J'en demeurai tout étourdi et à demi mort, jusqu'au moment où l'on vint m'apporter mon dîner. J'entendis le capitaine *Monaldi* qui disait: Malheureux homme! quelle fin ont eue ses talents admirables! Ces paroles me réveillèrent, et je le vis avec un prêtre à côté de lui, qui s'écria: Vous disiez qu'il était mort! Le geôlier répondit: Je l'ai dit, parce que je l'avais cru. Aussitôt ils me levèrent de dessus mon matelas tout trempé et pourri, qu'ils jetèrent dehors pour m'en donner un autre de la part du châtelain, auquel ils allèrent tout rapporter.

Je fis ensuite réflexion sur la cause qui m'avait empêché de me donner la mort, et je la jugeai toute divine. Pendant la nuit, m'apparut en songe un jeune homme d'une beauté merveilleuse, qui me dit, en ayant l'air de me gronder: Tu sais qui t'a donné la vie, et tu veux la quitter avant le temps. Il me semble que je lui répondis que je reconnaissais tous les bienfaits de Dieu. Pourquoi donc, reprit-il, veux-tu les détruire? Laisse-toi conduire, et ne perds pas l'espérance en sa divine bonté. Je vis alors que cet ange m'avait dit la vérité; et ayant jeté les yeux sur des morceaux de brique que j'aiguisai en les frottant l'un contre l'autre, et avec un peu de rouille que je tirai des ferrures de ma porte avec les dents, et dont je fis une espèce d'encre, j'écrivis sur le bord d'une des pages de ma Bible, au moment où la lumière m'apparut, le dialogue suivant entre mon corps et mon âme:

LE CORPS.

Pourquoi veux-tu te séparer de moi?
Ô mon âme! le ciel m'a-t-il joint avec toi
Pour me quitter, s'il t'en prenait l'envie?
Ne pars point, sa rigueur semble s'être adoucie!

L'ÂME.

Puisque le ciel m'en impose la loi,
Je serai ta compagne encore;
Oui, des jours plus heureux vont se lever, je croi,
Et déjà j'en ai vu l'aurore.

Ayant donc repris courage par mes propres forces, et continuant de lire la Bible, je m'étais tellement accoutumé à l'obscurité de ma prison, qu'au lieu d'une heure et demie, j'en pouvais employer trois à mes lectures. Je considérais avec étonnement quelle est la force de la puissance divine dans les âmes simples et croyantes avec ferveur, auxquelles Dieu accorde de faire tout ce qu'elles s'imaginent; et j'espérais la même grâce de Dieu, à cause de mon innocence. C'est ce qui faisait que je le priais, et que je m'entretenais sans cesse avec lui. J'y trouvais un si grand plaisir, que j'oubliais entièrement tout ce que j'avais souffert; et, tout le jour, je chantais des psaumes ou des cantiques à sa gloire.

Le seul malaise que j'éprouvasse venait de mes ongles, qui étaient devenus si longs que je ne pouvais ni me vêtir ni me toucher sans me blesser. Mes dents se gâtaient, ou se séparaient tellement de leurs alvéoles que je pouvais les en arracher sans douleur, comme si elles eussent été dans une gaîne. Cependant je m'étais accoutumé à ces nouvelles douleurs. Tantôt je chantais ou je priais, tantôt j'écrivais avec ma brique et l'encre dont j'ai parlé; et je commençai, sur ma captivité, des vers que l'on verra plus bas.

Le bon châtelain envoyait souvent en secret savoir ce que je faisais; et comme, le dernier du mois de juillet, me réjouissant en moi-même de cette grande fête qui se célèbre tous les ans à Rome, le premier d'août, je me disais: Jusqu'ici j'ai fait cette fête avec un esprit mondain; cette année, je la ferai avec un cœur tout en Dieu: combien j'y trouverai plus de plaisir! ceux qui m'écoutaient allèrent le redire au châtelain, qui s'écria avec douleur: Ô Dieu, il vit content au milieu des souffrances, et moi, je meurs à cause de lui, au milieu de toutes les commodités de la vie! Allez! et mettez-le dans cette caverne souterraine où l'on fit mourir de faim le prédicateur *Fojano*[13]; peut-être cette prison lui fera-t-elle sortir la joie du cœur!

Aussitôt le capitaine *Manaldi* vint avec vingt hommes armés, et me trouva à genoux devant Dieu le Père entouré de ses anges, et un crucifix ressuscitant victorieux, que j'avais figurés sur le mur, avec un peu de charbon que j'avais trouvé dans la terre.

Depuis quatre mois que j'étais couché sur le dos, à cause de ma jambe, j'avais rêvé tant de fois que les anges venaient eux-mêmes me la panser, que je m'en servais; et j'étais devenu aussi fort que si je n'y eusse jamais eu de mal. Ces hommes armés qui étaient venus me prendre me redoutaient comme si j'eusse été un vrai dragon. Le capitaine me dit: Nous venons ici beaucoup de gens armés, et avec grand bruit; et vous ne daignez pas nous regarder! Voyant bien, à ces paroles, qu'ils venaient pour accroître mes maux, mais préparé à tout souffrir, je lui répondis: J'ai tourné vers ce Dieu, roi des cieux, toutes les pensées de mon âme, de sorte qu'il ne reste rien pour vous. Tout ce qu'il y a de bon en moi n'est point de votre ressort; ainsi, faites ce que vous voudrez. Le poltron de capitaine, ne sachant ce que je voulais dire, ordonna à quatre de ses hommes les plus robustes de reculer leurs armes, de peur que je ne m'en emparasse, et leur cria ensuite: Vite! vite! sautez-lui sur le dos, et saisissez-le, serrez-le bien fort! J'aurais moins peur du diable que de lui! Prenez garde qu'il ne vous échappe! Moi, garrotté et maltraité par eux, m'attendant à de plus grands maux encore, je levais mes yeux vers le Christ, en disant: Dieu juste! vous avez payé toutes nos dettes sur votre croix; pourquoi faut-il que mon innocence paye celles de gens qui me sont inconnus? Mais que votre volonté soit faite!

Ils me transportèrent ensuite, avec un gros flambeau allumé devant eux; et je croyais qu'ils m'allaient jeter dans le trébuchet de *Sammalo*, lieu épouvantable qui en avait englouti plusieurs, et où l'on tombait tout en vie de haut en bas, jusqu'au fond des fondations du château. Mais cela n'arriva pas; et je crus m'en être tiré à bon marché. L'on se contenta de m'enfermer dans la caverne du *Prédicateur*. Dès que je fus seul, je chantai un *Miserere*, un *De profundis*, et le cantique *In te, Domine, speravi.* Je célébrai la fête du jour avec Dieu, et je remplissais mon cœur de foi et d'espérance. Le jour d'après, ils me tirèrent de cette caverne, et me remirent au lieu où ils m'avaient pris; et devant eux, en revoyant la figure de mon Dieu, je répandis des larmes de joie.

Le châtelain voulait toujours savoir ce que je faisais. Le pape, qui s'informait aussi de tout, et auquel les médecins avaient annoncé la mort prochaine du châtelain, dit qu'il voulait que celui-ci me fît mourir avant lui, de la manière qu'il le jugerait à propos, puisque j'étais la cause de sa mort. Le châtelain ayant su ces paroles du pape, par son fils *Pier Luigi*: Le pape veut donc, lui dit-il, que je me venge de *Benvenuto*, et le laisse à ma disposition? Hé bien, qu'il me laisse faire! Il devint alors plus cruel envers moi que le pape même. Le jeune invisible qui m'avait empêché de me tuer vint encore vers moi; et, d'une voix fort claire: Mon cher *Benvenuto*! me cria-t-il, allons! allons! fais ta prière à Dieu, et crie fort! Tout effrayé alors, je me jette à genoux, et je dis mes oraisons accoutumées; j'y ajoutai le psaume *Qui habitat in adjutorio*, et je m'entretins un moment avec Dieu; et la même voix me dit: Va te reposer à présent, et sois sans crainte. Dans le même instant, le châtelain, ayant donné l'ordre de me faire mourir, changea soudain de sentiment, en disant: N'est-ce pas le même *Benvenuto* que j'ai tant défendu, et dont je connais toute l'innocence? Comment Dieu me pardonnera-t-il, si je ne pardonne moi-même? Allez lui dire qu'au lieu de la mort, je lui donne la liberté. Je veux de plus, par mon testament, l'acquitter de toutes les dépenses qu'il m'a faites. Le pape, qui en fut informé, s'en mit fort en colère.

Cependant je priais toujours, et je composais mon chapitre sur ma prison. La nuit je faisais les songes les plus agréables; et il me semblait être toujours avec cet esprit invisible qui me donnait de si salutaires avertissements.»

Le pape Clément VII, protecteur de *Benvenuto*, meurt en admirant ses chefs-d'œuvre. *Benvenuto* crie quelquefois après *Pompeio*, un officier milanais de Sa Sainteté, qui s'était de tout temps déclaré son ennemi. Il se retire chez son ami *Delbène*, où tout Rome vient le féliciter de son assassinat.

Le cardinal *Farnèse*, nommé pape quelques jours après, envoie lui demander son travail et l'assurer de sa protection. Le fils du pape *Pier Luigi*, assassiné depuis par ses ordres, pour le punir de son ingratitude envers son père et son bienfaiteur, se déclara contre Benvenuto et l'obligea à chercher sa sûreté à Florence.

Il y fut bien accueilli par le duc Alexandre de Médicis, qui lui donna une forte somme d'argent pour aller à Venise, et revenir ensuite travailler à son service. Mécontent du sculpteur *Sansovino*, qui, plein de son mérite, se préférait à Michel-Ange, il repart pour Florence avec son ami Tribolo.

Les persécutions du pape devinrent une vengeance privée.

XI.

Quelques jours après, nous repartîmes, dit-il, pour Florence. Nous logeâmes en route dans une hôtellerie près de *la Chioggia*, où l'hôte nous invita à le payer, et à aller nous coucher ensuite. Je trouvai ce procédé si nouveau, que je lui dis qu'on ne payait, selon l'usage, qu'en partant. Mon usage est de faire payer ainsi, me dit-il. Hé bien, lui répondis-je, faites un monde à votre mode! Payez, reprit-il, et ne me rompez pas la tête de vos discours! *Tribolo*, toujours peureux, me retenait, de crainte que l'hôte ne m'en dît encore davantage; et nous le payâmes, comme il le voulait, avant de nous coucher. Les lits étaient neufs, et tout était fort propre dans la chambre qu'il nous donna. Cependant toute la nuit je songeai à me venger de son impertinence. Tantôt j'avais envie de mettre le feu à sa maison, tantôt de lui estropier quatre bons chevaux qu'il avait dans son écurie; mais je craignais que *Tribolo* ne pût se sauver avec moi. Je fis donc porter mes effets dans la barque; j'y fis entrer *Tribolo*, et je lui recommandai de ne point partir que je ne fusse revenu de l'auberge où j'avais oublié mes pantoufles. J'y fis appeler l'hôte qui m'envoya au diable. Il y avait dans la maison un jeune garçon d'écurie à moitié endormi, qui me dit que l'hôte ne se dérangerait pas pour le pape, et me demanda la bonne main; je lui ordonnai d'aller causer avec celui qui tenait la corde du bateau, en attendant que j'eusse trouvé mes pantoufles, et que je fusse de retour. Je pris ensuite un petit couteau, et j'allai mettre en pièces les lits tout neufs de mon hôte; de manière que je lui fis au moins pour cinquante écus de dommage; et, emportant quelques morceaux des couvertures dans mes poches, je dis au batelier de nous faire partir. *Tribolo*, qui avait véritablement oublié les courroies de sa valise, voulait aussi retourner à l'auberge, et je ne pus l'en empêcher que lorsque je lui racontai le mal que j'y avais fait, en lui montrant des morceaux de couvertures. La peur s'empara de lui de plus belle, il ne cessait de crier au batelier de démarrer; et ce ne fut qu'arrivé à Florence qu'il se crut en sûreté, et qu'il cessa de trembler. Il me dit alors: Pour l'amour de Dieu, liez votre épée, et n'en faites plus rien; car il me semblait à toute heure voir mes entrailles percées.—Compère, lui répondis-je, vous n'aurez pas la peine de lier la vôtre, puisque vous ne l'avez point tirée. En effet, je n'en ai jamais vu de plus poltron que lui. À ces mots, regardant son épée: Vous dites la vérité, répondit-il; elle est telle qu'elle était lorsque je me suis mis en route. Il trouvait que j'étais mauvais compagnon de voyage, attendu que j'avais su me défendre; et moi je le lui rendais, parce qu'il ne me fut d'aucun secours. On en jugera par ce que j'en ai raconté.

XII.

Le duc Alexandre de Médicis le reçut bien, il lui confia les dessins de ses monnaies et lui fit faire son portrait. Dans l'intimité de ses rapports il vit plusieurs fois le duc Alexandre de Médicis dormant seul dans sa chambre en compagnie de son cousin *Laurenzino* de Médicis, qui rêvait déjà l'assassinat du grand-duc. *Laurenzino* favorisait les vices d'Alexandre. Il se faisait, comme *Brutus*, passer pour idiot et pour lâche, mais, sous prétexte d'un rendez-vous secret donné par une belle dame de Florence, dont il savait Alexandre épris, il l'entraîna seul la nuit dans le piége, le poignarda et s'enfuit à Ferrare. Alexandre, dans un de ses entretiens avec *Benvenuto*, pria *Laurenzino* de se joindre à lui pour l'engager à ne pas retourner à Rome. *Laurenzino*, dit Benvenuto, s'y employa très-froidement, en regardant le duc de mauvais œil.

Lorsque j'eus fini mon modèle, je l'enfermai dans une petite boîte, et je dis au duc: Que Votre Excellence soit tranquille, je lui ferai une médaille plus belle que celle du pape Clément, parce que la sienne était la première que j'eusse faite; et Mgr Laurent, qui a de l'esprit et de la science, me donnera l'idée d'un revers qui soit digne de vous. Le duc sourit, et ayant regardé Laurent: Vous lui donnerez un revers, lui dit-il, et il ne partira point. Celui ci répondit sur-le-champ: Je vous en donnerai un[14] qui surprendra tout le monde. Le duc, qui le tenait tantôt pour un fou et tantôt pour un poltron, se mit à rire, et s'enfonça dans son lit. Ayant ensuite appris que j'étais parti malgré lui, il m'envoya cinquante ducats d'or à Sienne, où m'atteignit un de ses serviteurs, qui me dit, de la part de Laurent, qu'il me préparait un *beau revers* pour mon retour.

Quelques jours après son retour à Rome, arriva la nouvelle de l'assassinat mystérieux du duc *Alexandre* par *Laurenzino*. Benvenuto fut consterné et comprit alors le sens du mot infâme des REVERS de la médaille. Les fugitifs de Florence, ennemis des Médicis, le raillèrent sur son amour pour eux et crurent au retour de la république. Mais le courrier suivant leur apprit la nomination de Jean de Médicis à la place de son frère. Il triompha et se réjouit d'avoir mieux connu la versatilité des Toscans.

XIII.

Le pape Farnèse, qui voulait plier à lui *Charles-Quint*, fit venir *Benvenuto*, et lui commanda pour ce prince, qu'il attendait à Rome, une reliure en or massif entourée de diamants d'un prix énorme.

«Je mis aussitôt la main à l'ouvrage, et peu de temps après je le portai au pape. Il fut si émerveillé de sa perfection qu'il me combla d'éloges, et défendit à ce sot de *Juvénal*, son ministre, de se mêler de mes affaires.»

Ce livre précieux était presque achevé lorsque l'empereur arriva à Rome, au milieu des arcs de triomphe et des fêtes que d'autres sauront décrire mieux que moi. À leur première entrevue, ce prince fit présent au pape d'un beau diamant qui avait coûté douze mille écus, et que je devais monter sur un anneau à la mesure de son doigt; mais Sa Sainteté voulut auparavant que je lui portasse le livre, quoique imparfait encore. Me consultant sur les excuses que nous pourrions donner à l'empereur, sur cette imperfection, je lui dis que l'excuse serait ma maladie, à laquelle Sa Majesté croirait facilement en me voyant si maigre et si défait. C'est à merveille, me dit le pape; mais il faut que tu le lui offres toi-même de ma part. Il m'ajouta ce que je devais faire et dire en cette circonstance; ce que je répétai devant lui. C'est fort bien, me répondit le pape, si la présence d'un empereur ne te trouble pas. Que Votre Sainteté ne craigne rien, lui dis-je, je ferai et je parlerai encore mieux! L'empereur est vêtu et fait comme un autre homme, et je ne me trouble point devant Votre Sainteté, malgré son auguste dignité, ses ornements pontificaux et sa vieillesse. Ce prince lui fit compter cinq cents écus.—Juvénal, ministre et confident du pape Farnèse, le calomnia auprès de lui. On ne le reçut plus comme autrefois.

Lamartine.

(*La suite au prochain entretien.*)

C^e ENTRETIEN.

BENVENUTO CELLINI.

(SECONDE PARTIE.)

I.

Ce mécontentement et sa renommée croissante commencèrent à tourner ses yeux vers la France. Mais, avant de le suivre à la cour de *François Ier*, ce prince que la triple passion de la guerre, des arts et de l'amour égalait à Henri IV, à Louis XIV et aux Valois, racontons par sa bouche une anecdote qui semble donner la clef de quelques-uns de ses goûts secrets, très-communs en ce temps-là dans cette corruption de la Grèce et de l'Italie.

Je voulais voyager seul; mais je ne le pus, à cause d'un jeune homme que j'avais, nommé *Ascanio*, qui était le meilleur serviteur du monde. Je l'avais eu d'un orfévre espagnol, qui me le céda volontairement. Nous l'appelions *Petit Vieux*, parce qu'il était fort maigre, et que sa raison paraissait au-dessus de son âge, de treize ans; mais en peu de mois il se rétablit si bien, et devint d'un si bel embonpoint, qu'il passait pour le plus beau garçon qu'il y eut à Rome. Il apprenait facilement tout ce que je lui enseignais, et je le traitais comme mon fils. C'était pour lui une bonne fortune d'être tombé entre mes mains: aussi allait-il souvent en rendre grâces à son ancien maître, qui avait une jeune femme fort belle. *Ascanio*, lui disait-elle, qu'as-tu donc fait pour devenir si beau garçon? C'est mon maître *Benvenuto*, répondit-il, par ses bons traitements. Cette femme, assez maligne, était piquée de ces réponses; et, comme elle passait pour très-galante, je crois qu'elle lui fit quelques avances peu honnêtes, car il allait la voir plus souvent que de coutume.

Un jour que j'étais absent de la maison, ce jeune homme s'avisa de dire des sottises à l'un de mes garçons de boutique, qui, à mon retour, s'en plaignit à moi. Je défendis à *Ascanio* de prendre à l'avenir de telles licences; mais, m'ayant répondu impertinemment, je lui tombai dessus à coups de pied et à coups de poing, et il ne put sortir de mes mains que sans son bonnet et sans son manteau; je fus deux jours à savoir ce qu'il était devenu; un gentilhomme espagnol, nommé don *Diego*, homme excellent, pour lequel j'avais travaillé, et qui était mon ami, me dit qu'il était retourné chez son ancien maître, et qu'il me priait de lui rendre son bonnet et son manteau. Je répondis à don *Diego* que cet homme était un mal élevé d'avoir repris *Ascanio* sans m'en prévenir; que je n'en avais point agi ainsi avec lui, et que j'exigeais qu'il chassât ce petit insolent, qui s'était mal conduit avec moi. Don *Diego* s'acquitta de ma commission, dont l'autre se moqua. Le jour suivant, je vis, en passant devant sa boutique, *Ascanio* qui travaillait à côté de lui. Celui-ci me salua, et son maître eut l'air de rire, et me renvoya le gentilhomme espagnol pour me demander les hardes que j'avais données à *Ascanio*, auxquelles d'ailleurs il ne tenait pas, parce que ce jeune homme n'en manquerait jamais. Seigneur don Diego, lui répondis-je, je vous ai connu en tout comme un fort honnête homme; mais ce *Francesco* (cet orfévre se nommait ainsi) est tout le contraire de vous. C'est un homme de mauvaise foi. Vous pouvez lui dire de ma part que, s'il ne me ramène pas *Ascanio* d'ici à ce soir, il aura affaire à moi, et que je traiterai de même le garçon, s'il ne sort pas de sa boutique. Don *Diego*, sans me répondre, alla rapporter mes paroles à *Francesco*, qui en eut tant de peine qu'il ne savait que devenir. Pendant ces entrefaites, *Ascanio* alla chercher son père, qui était ce jour-là venu à Rome, de *Taglia Cozzo*, d'où il était, et qui conseilla à *Francesco* de me rendre et de me ramener son fils. Ramenez-le-lui vous-même, lui disait-il; don *Diego*, d'un autre côté, disait à *Francesco*: Il arrivera quelque malheur; vous savez quel est *Benvenuto*: allons, venez, je vous accompagnerai chez lui. Moi, en les attendant, je me promenais impatiemment dans ma boutique, disposé à faire une des plus épouvantables scènes que j'eusse faites de ma vie, lorsque je les vis arriver tous les trois, avec le père que je ne connaissais pas. Je les regardai d'un œil courroucé lorsqu'ils entrèrent. *Francesco*, pâle et tremblant, me dit: Voici *Ascanio* que je vous ramène, et que j'avais repris, ne croyant pas vous offenser. Celui-ci ajouta respectueusement: Mon maître, pardonnez-moi, je ferai tout ce que vous me commanderez. Je répondis alors: Viens-tu ici pour achever ton temps, comme tu l'avais promis? Pour toujours, si vous le voulez, me dit-il. Qu'on lui apporte ses habits et ses hardes, répondis-je, et qu'il s'en aille où il voudra. Don *Diego* resta surpris de ma conduite; lui, *Ascanio* et son père me prièrent de le reprendre. Ayant demandé quel était celui-ci, et ayant appris que c'était son père: Pour l'amour de vous, je le reprends, lui dis-je. Ainsi se termina cette querelle.

II.

Benvenuto confia son atelier à Rome à un de ses meilleurs élèves, *Filici*. Il prit avec lui *Ascanio* et un jeune homme de Pérouse, et partit de Rome à cheval et armé avec eux. Le cardinal *Bembo* les reçut à Padoue, lui fit faire son portrait, et lui donna trois chevaux turcs pour continuer son voyage. Ses aventures, en traversant les Alpes de Padoue à Lyon, sont écrites à la façon de *Gil Blas*. Nous y arrivâmes, dit-il, toujours en riant et en chantant. Ainsi de Lyon à Paris.

François Ier, quoique menacé d'une guerre dispendieuse, le reçut à *Fontainebleau*, Vatican des Valois. Le roi, qui partait pour l'Italie, l'engagea à le suivre pour causer des ouvrages qu'il se proposait de lui commander. Benvenuto remonta à cheval avec sa suite, franchit le Simplon et arriva au bord d'une rivière des États vénitiens. Il y eut une nouvelle rixe.

La rivière, dit-il, était fort large et très-profonde, et on la traversait sur un pont long et étroit qui n'avait pas de garde-fou. Arrivé le premier, et jugeant ce passage dangereux, je recommandai à mes jeunes gens de descendre de cheval, et de les mener par la bride: ce qui nous le fit franchir sans danger. Les deux Français avec qui je voyageais étaient, l'un gentilhomme, et l'autre un notaire qui se moquait de ce que nous étions descendus de cheval pour si peu de chose. Je lui disais, pour répondre à ses railleries, d'aller doucement, parce qu'il y avait du danger; mais il ne tint compte de mes avis, et il me répondit en français que j'étais un peureux, avec ce ton avantageux qu'ils ont tous; et sur-le-champ, piquant son cheval qui glissa, il alla tomber avec lui, bête sur bête, sur une grosse pierre, et de là dans la rivière. Mais, comme Dieu a pitié des fous, je courus aussitôt, je sautai sur la pierre, et, m'y attachant d'une main, de l'autre je le saisis par son manteau, au moment où il allait disparaître dans l'eau, et je lui sauvai la vie. Mais, comme je m'en félicitais, il me dit presque en colère et en murmurant, que je n'avais rien fait, si je ne sauvais aussi ses écritures, qui étaient de la plus haute importance. Alors j'invitai un de nos guides à l'aider, en lui promettant une récompense; ce qui fut heureusement exécuté, car il n'y eut rien de perdu. Arrivés à *Isdevedra*, nous fîmes une bourse commune pour la dépense du voyage, dont je fus chargé. Après dîner, je donnai quelque argent de cette bourse au guide qui avait sauvé les papiers du notaire; mais celui-ci me dit que j'avais promis de donner du mien, et que celui de la bourse commune ne m'appartenait pas; ce qui me mit si en colère que je lui dis les sottises qu'il méritait. En ce moment, l'autre guide, qui n'avait rien fait, voulut aussi être payé pour avoir aidé, disait-il, à sauver les écritures; mais lui ayant répondu que celui qui avait porté la croix en méritait seul la récompense: Je vous en donnerai une, me dit-il, près de laquelle vous pleurerez.—Et moi, lui répondis-je, j'y attacherai un cierge près duquel tu pleureras avant moi. Comme nous étions là sur les confins de l'État vénitien et de l'Allemagne, il alla chercher du monde avec lequel il vint sur moi, une lance à la main; mais, comme j'avais un bon cheval, je préparai mon arquebuse, et je dis à mes gens: Je tuerai celui-ci, défendez-vous contre les autres; ce sont des voleurs de grand chemin qui ont pris cette occasion pour nous assassiner. L'aubergiste chez lequel nous avions dîné appela un vieux caporal pour mettre l'ordre, en lui disant que j'étais un jeune homme très-courageux; que si l'on me tuait, j'en aurais auparavant tué bien d'autres. Allez en paix, me dit le caporal; quand vous auriez été cent, vous ne vous seriez pas tirés d'ici. Moi qui voyais qu'il disait la vérité, et qui avais déjà fait le sacrifice de ma vie, je secouai ma tête, en lui disant que je me serais défendu jusqu'à la mort. Nous étant remis en route, à la première auberge, nous fîmes le compte de la bourse: je me séparai de ce sot de notaire, et, emportant l'amitié du gentilhomme, j'arrivai à Ferrare avec mes deux garçons seulement.

J'allai sur-le-champ présenter mes respects au duc, afin de pouvoir partir le lendemain pour Lorette. Après deux heures d'attente, j'eus l'honneur de le voir et de lui baiser les mains. Il voulut me faire mettre à table avec lui, mais je le priai de m'excuser, attendu que, vivant de peu depuis ma maladie, je craignais d'abuser, pour ma santé, de l'excellence de ses mets; que j'aurais plus de temps, en ne mangeant pas, pour répondre à ses questions. Je restai quelques heures avec lui; et lui ayant demandé congé, je trouvai à mon auberge ma table couverte de quelques plats délicats, qu'il avait eu la bonté de m'y envoyer, avec d'excellent vin. Comme l'heure de mon repas était passée, j'en eus beaucoup plus d'appétit, et ce fut, depuis quatre mois, le jour où je pus manger avec plaisir.

Le lendemain je partis pour Lorette, où je fis mes prières à la sainte Vierge.

III.

Rentré à Rome, Benvenuto est poursuivi par le pape Farnèse et par son bâtard *Pier Luigi*, sous prétexte de lui faire restituer des richesses qu'il avait dérobées à Clément VII pendant le siége du château Saint-Ange. Il se justifie, mais n'en est pas moins retenu captif au château. François Ier le fait réclamer par son ambassadeur Monluc. Le Pape, inflexible, continue à le retenir prisonnier. Il se décide enfin à s'évader: il tresse en cordes les draps de son lit, il accomplit son dessein et parvint à franchir la dernière enceinte, mais avec la hanche cassée. Un pauvre *aniero* le conduit sur son âne jusque sur les marches de Saint-Pierre de Rome. Le cardinal *Cornaro* le recueillit, le fit guérir et le garda dans une chambre secrète du palais. Cornaro alla demander sa grâce au pape Farnèse. Le pape l'accorda avec bonté; il avoua que lui-même, dans sa jeunesse, il en avait fait autant. Farnèse disait vrai; il avait été autrefois incarcéré dans le château pour avoir falsifié des brefs lorsqu'il en était secrétaire. Le pape Alexandre avait décidé de le faire décapiter, mais *Farnèse*, qui le sut, fit dire en secret à *Pietro Careluzzi* de venir avec plusieurs chevaux, corrompit ses gardes à force d'argent, et, tandis que le pape était à la procession le jour de la fête, on le fit descendre dans une corbeille, et on le sauva ainsi; car, dans ce temps-là, on n'avait pas encore entouré la tour des murailles dont j'ai parlé. Le pape, en racontant cela au gouverneur de Rome, voulait passer à ses yeux pour un brave; mais il ne voyait pas qu'il se faisait aussi passer pour un coupable. Il dit ensuite au gouverneur: «Allez lui demander qui l'a aidé dans sa fuite, et dites-lui que je fais grâce à tous.»

IV.

Quelques jours après, le gouverneur du château Saint-Ange mourut, persuadé que j'étais tout à fait libre. Sa place fut donnée à M. Antonio *Ugolini*, son frère. Le pape avait chargé celui-ci de me laisser où j'étais alors, jusqu'à ce qu'il en ordonnât autrement.

Ce M. *Durante* de Bresce, dont j'ai déjà parlé, était convenu avec un soldat, pharmacien de Prato, de mêler à mes vivres quelque liqueur mortelle qui pût me faire périr dans quatre ou cinq mois: on imagina du diamant pilé, qui n'est pas un poison par lui-même, mais qui est le seul, parmi toutes les pierres, qui conserve des coins aigus, lesquels, introduits dans l'estomac ou dans les entrailles, les déchirent insensiblement, et vous donnent enfin la mort. On fournit à cet homme un diamant de peu de valeur, et l'on m'a dit qu'un certain orféyre, Léon *Aretino*, l'un de mes plus grands ennemis, fut chargé de le mettre en poudre; mais comme il était fort pauvre, et que ce diamant valait pourtant quelques dizaines d'écus, il le garda pour lui, et donna au soldat la poudre d'une autre pierre à sa place. On la mêla avec tous les mets que l'on me servait. C'était un jour de fête, j'avais grand appétit, parce que j'avais jeûné la veille; je sentis en effet craquer quelque chose sous mes dents, mais j'étais loin de penser à une telle scélératesse. Cependant je vis luire quelque chose sur mon assiette, parmi un reste de salade, et, l'ayant regardé de plus près, je crus que c'était réellement du diamant pilé. Cela me rappela le craquement que j'avais éprouvé dans ma bouche, et je me jugeai mort.

Sur-le-champ j'eus recours à mes prières ordinaires, et je remerciai Dieu de mourir d'une mort si douce et bien différente de celle dont j'avais été tant de fois menacé. Mais, comme l'espérance ne nous quitte jamais, je pris un couteau, je broyai sur des morceaux de fer quelques grains de cette poudre, et je m'assurai enfin que ce n'était pas du diamant, mais de la pierre molle, qui ne pouvait me faire aucun mal. J'en bénis Dieu; et, quelque temps après, je bénis aussi la pauvreté qui m'avait sauvé la vie, tandis qu'elle tue tant de malheureux.

Dans ce temps-là, M. *Rossi*, frère du comte de *Sansecondo*, et évêque de Pavie, était aussi prisonnier dans le château; je l'appelai à haute voix, pour lui dire et lui faire voir que ces scélérats m'avaient empoisonné avec du diamant en poudre; mais je lui cachai que ce n'était que de la pierre pilée; je le priai, pour le temps que j'avais encore à vivre, de me donner de son pain, parce que je ne voulais rien manger de ce qui viendrait de leur part. Comme c'était mon ami, il me promit de partager ses vivres avec moi.

Quand le nouveau châtelain fut instruit de cela, il fit beaucoup de bruit, et voulut voir cette poudre; mais il se tut ensuite, se doutant qu'elle m'était donnée par l'ordre du pape. Il me faisait toujours apporter mes repas par le même soldat qui avait voulu m'empoisonner; mais je lui signifiai que je ne mangerais rien de ce qu'il m'apportait, sans qu'il en eût mangé avant moi. Il me répondit qu'on ne faisait l'essai que pour le pape. Hé bien, si ce sont des gentilshommes, lui répartis-je, qui font l'épreuve pour le pape, un vilain tel que tu es peut bien le faire pour un homme comme moi! Honteux de ce qui s'était passé, le châtelain ordonna de m'obéir dans la suite, à un autre de ses gens qu'il m'envoya, et cet homme ne s'y refusa pas. Comme celui-ci était du nombre de ceux qui me plaignaient, il me disait que le pape était souvent sollicité par M. de Montluc, de la part du roi de France, de me donner la liberté, et que le cardinal *Farnèse*, autrefois mon patron et mon ami, avait dit que je ne l'aurais point de longtemps encore. À quoi je répondais toujours que je l'obtiendrais malgré eux. Mais il me priait de ne pas tenir de pareils discours, parce qu'ils pourraient me nuire, et d'attendre tranquillement ce que le ciel voudrait faire en ma faveur. Ma réponse continuelle était que Dieu était au-dessus de la méchanceté des hommes.

C'était ainsi que se passait ma vie, lorsque le cardinal de Ferrare parut à Rome. Il alla sur-le-champ offrir ses respects au pape, qui l'entretint jusqu'au moment de son dîner. Ils parlèrent beaucoup de la France et de la générosité de son grand monarque; et le cardinal lui dit, à ce sujet, des choses qui lui firent tant de plaisir qu'il fut de la meilleure humeur du monde, parce que c'était son jour de *débauche* qu'il faisait une fois la semaine. Le cardinal, le voyant en bonne disposition, lui demanda ma liberté avec instance, en lui disant que le roi avait la plus grande envie de m'avoir. Alors le pape, sentant venir le besoin qu'il avait de vomir, que lui donnait l'excès qu'il avait fait à son repas, dit en riant au cardinal: «Allons! allons! je veux que vous le meniez chez vous tout de suite,» et il en donna l'ordre en se levant de table. Sur-le-champ le cardinal envoya cet ordre avant que *Pier Luigi* le sût, car il s'y serait opposé; et deux de ses principaux gentilshommes me tirèrent de ma prison, à quatre heures de la nuit, et me conduisirent dans son palais, où je fus accueilli avec toute la bonté possible.

Le nouveau châtelain, oubliant que son frère en mourant m'avait fait présent de toutes ses dépenses pour moi, voulut en agir comme un vrai barrigel et ses semblables, et me força de les lui rembourser; ce qui me coûta beaucoup d'argent.

Cependant le cardinal me recommanda de veiller sur moi, et d'être bien sur mes gardes, si je voulais jouir de ma liberté, car le pape se repentait déjà de me l'avoir donnée. Pour abréger, je ne parlerai pas d'une banqueroute que j'éprouvai de plusieurs centaines d'écus que j'avais déposés chez un caissier de M. *Altoviti*, auquel je fus obligé d'en faire un pur don, parce qu'il était totalement ruiné. Je passerai légèrement sur un songe que j'avais eu en prison, où je vis un homme qui m'écrivit sur le front des paroles importantes, et me recommanda, pendant trois fois, de ne les faire voir à personne; tellement qu'en m'éveillant je me trouvai le front tout noirci. Je ne dirai pas non plus comment il se faisait que j'étais toujours invisiblement averti de tout ce que *Pier Luigi* faisait contre moi; mais je ne puis passer sous silence une chose plus extraordinaire, dont j'ai voulu que quelques personnes seulement fussent certaines, et qui était un témoignage de la faveur du ciel envers moi. Il m'était resté sur la tête une certaine splendeur qui s'y voyait surtout le matin, au lever du soleil, ou à son coucher, et encore mieux lorsque la terre était couverte de rosée. Je m'en aperçus en France, où l'air est plus dégagé de brouillards qu'en Italie. Quelques personnes qui l'ont vue ne peuvent douter de ce miracle.

Voici des vers que je composai en prison, et que j'adressai à M. *Luna Martini*; ils sont faits à la louange de la prison, et j'y rappelle beaucoup de choses que j'ai déjà dites parmi d'autres, que l'on ne sait pas. (Il ne fait que répéter dans ces vers tout ce qui lui était arrivé dans sa prison.)

Étant au palais du cardinal de Ferrare, j'étais parfaitement traité, et j'y recevais beaucoup de visites: tout le monde voulait voir un homme qui avait échappé à tant de dangers. Pour rétablir mes forces, j'allais prendre l'air sur les chevaux du cardinal, accompagné de deux jeunes gens, dont l'un était mon élève, et l'autre mon ami. Je me transportai un jour à *Taglia Cozzo* pour y voir *Ascanio*, et j'y fus accueilli avec joie par toute sa famille. Je le ramenai à Rome avec moi. Nous parlâmes beaucoup en route de notre métier, et j'étais impatient de m'y remettre. Je commençai par le bassin d'argent que j'avais promis en France au cardinal, et que je retrouvai ébauché; car l'aiguière m'avait été volée, avec quantité d'autres objets précieux. Je faisais travailler un de mes garçons, *Pagolo*, au bassin, et je recommençai l'aiguière, qui était enrichie de tant de figures et d'ornements en bas-relief que tout le monde l'admirait. Le cardinal venait me voir au moins deux fois par jour, avec MM. *Alamanni* et *Cesano*, hommes de lettres et savants de ce siècle; et, malgré mes travaux pressants, je causais souvent des heures entières fort gaiement avec eux; l'ouvrage me venait de tous les côtés. Le cardinal voulut que je lui fisse son sceau pontifical, auquel je réussis si bien qu'on le mettait au-dessus de ceux du célèbre *Lantizio*, dont j'ai déjà parlé. Le cardinal se plaisait à le comparer avec ceux des autres cardinaux, qui étaient presque tous de la main de ce grand maître. Il voulut en même temps que je lui composasse un modèle de salière qui n'eût rien de commun avec la mode d'alors. M. *Alamanni* dit à ce sujet de fort belles choses; M. *Cesano* y en ajouta d'autres. Mgr le cardinal, auditeur bénévole, fort content de tout ce qu'ils avaient proposé, me dit ensuite: «*Benvenuto*, les propositions de ces messieurs me plaisent l'une et l'autre, et je ne sais pour laquelle me décider; je t'en laisse le choix.» Messieurs, leur dis-je alors, les fils des empereurs et des rois ont en eux quelque chose de majestueux et de divin; cependant, si vous demandez à un humble paysan lesquels il aime davantage des fils des rois ou des siens, il dira que ce sont les siens. J'ai, comme lui, beaucoup d'amour pour mes enfants, qui sont les ouvrages que je produis; c'est pourquoi le modèle que je vous montrerai, Monseigneur, sera de mon invention. Ce qui est beau à dire n'est souvent pas beau à exécuter; et, me tournant vers ces messieurs: Vous avez dit, et moi je ferai. M. *Alamanni* me dit alors, en riant, des choses gracieuses qui furent embellies par son éloquence et ses belles manières; et M. *Cesano*, qui était fort laid, me parla selon sa figure. M. *Alamanni* voulait que je fisse une *Vénus* avec un *Cupidon*, et des ornements analogues; et M. *Cesano*, une *Amphitrite* entourée de tritons et des dieux de la mer; et moi, je composai une ovale d'environ quinze pouces de hauteur; elle était ornée de deux figures qui s'entrelaçaient, comme la mer entrelace la terre; et par dessus, un vaisseau qui renfermait le sel.

L'une était Neptune, le trident à la main, traîné par quatre chevaux marins; l'autre, la Terre, sous la figure d'une belle femme, appuyée d'un bras sur un temple qui renfermait le poivre, et de l'autre portant une corne d'abondance. Sous la figure de la Terre, j'avais mis toutes sortes d'animaux qu'elle enfante; sous celle de la Mer, les poissons qu'elle nourrit.

Ensuite, ayant attendu la visite du cardinal et de ces deux messieurs, je leur montrai mon modèle en cire. M. *Cesano* s'écria: «Mais c'est un ouvrage à ne jamais finir, eût-on la vie de dix hommes; et vous, Monseigneur, qui voulez en jouir, vous ne l'aurez jamais que pour vos héritiers! *Benvenuto* a voulu vous montrer un de ses enfants, mais non vous le donner comme nous, qui nous vous proposions des choses faisables, et lui, des choses qui ne se font pas.» M. *Alamanni* plaida ma cause, et le cardinal dit que cette entreprise était trop considérable; alors je pris la parole, et je dis:

Je suis sûr d'achever cet ouvrage *pour celui qui doit l'avoir*; et je le ferai plus beau encore que le modèle; j'espère vivre assez pour en exécuter de plus importants. Le cardinal, un peu fâché, me répondit: «Tu les feras alors pour le roi vers lequel je te conduirai, et non pour d'autres.» Et il me montra des lettres de François Ier, qui l'engageait à retourner au plus tôt en France, et d'y amener *Benvenuto*. Oh! quand viendra cet heureux moment! m'écriai-je en levant les mains au ciel.

Le cardinal ne me donna que dix jours pour arranger mes affaires dans Rome, et m'y préparer. Le jour du départ, il me fit présent d'un beau cheval appelé *Tournon*, parce que le cardinal de ce nom le lui avait donné. *Pagolo* et *Ascanio* eurent chacun le leur.

Le cardinal, qui avait une maison considérable, la divisa en deux parties. La plus noble le suivit par la Romagne, à Lorette et à Ferrare, chef-lieu de sa maison; l'autre, où se trouvait beaucoup plus de monde et une belle cavalerie, passa par Florence. Le cardinal voulait que je ne me séparasse point de lui, à cause des dangers que je pouvais courir; mais je le suppliai de me laisser aller par Florence, où je voulais embrasser ma sœur, qui avait tant souffert de mes malheurs, et deux cousines, religieuses à Viterbe, où elles gouvernaient un riche monastère, et qui avaient tant fait de prières et récité d'oraisons pour obtenir la grâce de Dieu en ma faveur.

Une tragique aventure l'attendait à Sienne.

«Je sortis du couvent de *Viterbe* avec mes compagnons de voyage, marchant tantôt devant, et tantôt derrière le train du cardinal; de manière que nous arrivâmes le jeudi saint, vers le soir, à une poste en avant de Sienne. Je trouvai là des chevaux de retour qu'on ne demandait pas mieux que de fournir, pour peu de chose, au premier venu. Je descendis de mon cheval *Tournon*, et je mis sur un de ceux-là ma selle et mes étriers; je laissai l'autre à conduire à mes jeunes gens, parce que je voulais arriver de bonne heure à Sienne, pour y voir un de mes amis. Le postillon qui me conduisait m'enseigna une bonne auberge, et je lui rendis son cheval, en oubliant de reprendre ma selle et mes étriers. Nous passâmes fort gaiement le reste de la journée; et, le lendemain, je m'aperçus que j'avais laissé ma selle et mes étriers sur la jument que j'avais montée. Je les envoyai demander plusieurs fois au maître de la poste, sans qu'il voulût me les rendre, en disant que j'avais éreinté son cheval.

L'hôte chez lequel je logeais me dit: Vous serez heureux, s'il ne vous arrive rien que de perdre votre selle. C'est l'homme le plus brutal qui soit ici, et il a deux fils soldats qui le sont encore plus que lui; c'est pourquoi je vous conseille d'en acheter une autre, et de ne rien dire.

Cependant je crus que le maître de la poste me rendrait ma selle à force de douces paroles, et je ne craignais rien avec mon excellente arquebuse et ma cotte de mailles, monté sur mon bon cheval, que je savais assez bien manier. J'avais accoutumé mes deux jeunes gens à porter aussi une cotte de mailles, et je me fiais sur *Pagolo*, qui, à Rome, ne la quittait jamais. C'était d'ailleurs le vendredi saint, jour où les fous doivent donner quelque relâche à leur folie.

Arrivés devant la porte, je reconnus mon homme, parce qu'on m'avait dit qu'il était borgne; m'étant avancé seul pour lui parler: Mon maître, lui dis-je, je vous prie de me rendre ma selle et mes étriers, parce que je n'ai fait aucun mal à votre jument. Il me fit une réponse si brutale que je lui dis: Vous n'êtes donc point chrétien, puisque vous voulez me faire tort, même le vendredi saint?—Que ce soit le vendredi saint, ou le vendredi du diable, peu m'importe! Si vous ne vous en allez, vous voyez cette pique et cette arquebuse, vous êtes mort!

Ces paroles firent approcher un vieux gentilhomme qui venait de faire ses dévotions, et qui, approuvant mes raisons, lui fit des reproches sur sa conduite vis-à-vis d'un étranger et sur ses blasphèmes. Ses deux fils alors rentrèrent dans sa maison, sans dire mot; mais leur père, furieux des reproches du gentilhomme, baissa sa pique, en jurant qu'il voulait me tuer. Voyant sa résolution, je me mis un peu à l'écart, en lui montrant le bout de mon arquebuse, pour le tenir en respect. Il se jeta alors sur moi, plus furieux encore; mais cette arme, que je tenais assez haut, partit d'elle-même, et la balle, ayant frappé l'arc de la porte, rebondit sur sa tête, et l'étendit par terre.

À ce bruit ses fils accoururent, l'un avec une fourche, et l'autre avec la pique de son père; ils se jetèrent, celui-ci sur *Pagolo*, l'autre sur le Milanais qui nous accompagnait, et qui se défendait en s'écriant qu'il n'avait que faire dans cette querelle, ce qui ne l'empêcha pas de recevoir un coup qui lui fendit la bouche. Quant à l'horloger *Cherubino*, qui était vêtu en prêtre, parce qu'il avait de bons bénéfices que le pape lui avait donnés, on n'osa l'attaquer. J'avais donné de l'éperon à mon cheval, pour revenir au combat, après avoir rechargé mon arquebuse, résolu de me faire tuer pour venger mes compagnons, que je croyais morts; mais je les vis revenir, et *Ascanio*, qui était en avant, me dit que *Pagolo* était mortellement blessé. Hélas! lui dis-je, il n'avait donc pas sa cotte de mailles? Il l'avait laissée dans sa valise, me répondit-il. Malheureux *Pagolo!* m'écriai-je alors, tu ne la portais donc que pour faire le beau garçon dans Rome, et tu la quittais lorsqu'elle t'était le plus nécessaire! je vais donc mourir pour ta sottise! Mais bientôt je sus, par M. *Cherubino* et le Milanais blessé, que le coup porté à *Pagolo* n'avait fait que lui écorcher la peau; que le maître de poste était mort, et que ses fils se préparaient à le venger; ils me suppliaient de ne pas recommencer la querelle, dans laquelle je ne manquerais pas de succomber. Puisque vous êtes contents, leur répondis-je, je le suis aussi; allons, piquons nos chevaux, et arrivons à Staggia, où nous serons en sûreté! Le Milanais nous dit alors: Je suis puni par où j'ai péché! Hier, n'ayant rien autre chose à manger, j'ai fais gras à mon dîner. Ces paroles inattendues nous firent beaucoup rire, quoique nous n'en eussions point envie. Nous forçâmes le pas de nos chevaux, laissant loin de nous *Cherubino*, qui voulait marcher à son aise.

Les fils du mort, pendant ces entrefaites, allèrent porter leurs plaintes au duc de *Melfi*, qui, ayant appris que nous appartenions au cardinal de Ferrare, ne voulut pas donner de suite à cette affaire. Arrivés à Staggia, nous envoyâmes chercher un chirurgien pour visiter la blessure de *Pagolo*, qu'il trouva fort légère, et nous fîmes préparer le dîner. Alors arrivèrent aussi *Cherubino* et le Milanais, qui répétait sans cesse: Je suis puni par où j'ai péché, et je serai excommunié, parce que je n'ai pas fait ma prière du matin! Comme il était fort laid, que sa bouche, déjà fort grande, s'était élargie de la moitié, et qu'il parlait son baragouin milanais d'une manière fort ridicule, nous ne pouvions nous empêcher de rire, mais surtout lorsqu'il dit au chirurgien qui lui recousait sa bouche, de lui en laisser au moins pour passer sa cuiller.

C'est en riant encore que nous arrivâmes à Florence, où nous descendîmes chez ma sœur, que ma présence remplit de bonheur et de joie.»

V.

Arrivé à Fontainebleau, le cardinal de Ferrare le présenta une seconde fois à François Ier.

Voyons dans quel état il trouvait la cour. L'amour pour la duchesse d'Étampes, régnait sur le roi.

Anne de Pisseleu, duchesse d'Étampes, dite d'abord Mlle d'Heilly, maîtresse de François Ier, née vers 1508, était fille d'honneur de Louise de

Savoie, duchesse d'Angoulême, mère de François Ier, et avait dix-huit ans lorsque ce prince en devint éperdument amoureux. Il la maria à un certain Jean de Brosse et lui donna le comté d'Étampes, qu'il érigea pour elle en duché.

La duchesse gouverna François Ier pendant vingt-deux ans; elle troubla la cour et porta la désunion dans la famille royale, par sa haine contre Diane de Poitiers, maîtresse du Dauphin; trahissant son roi, elle favorisa, en livrant des secrets d'État, les succès de Charles-Quint et de Henri VIII, dans l'intention de rabaisser le Dauphin, qui était chargé de les combattre, et fit signer à François Ier le honteux traité de Crespy.

Elle aimait les arts et les artistes autant que son royal amant les favorisait.

Voici le récit de la première audience accordée à *Benvenuto* par François Ier:

«Le cardinal informa bientôt le roi de mon arrivée; et ce prince voulut me voir sur-le-champ. Je me présentai devant Sa Majesté avec l'aiguière et le bassin d'argent, et je lui baisai les genoux. J'en fus accueilli avec beaucoup de bonté; je le remerciai de m'avoir fait sortir de prison, en lui disant qu'il était digne d'un grand monarque comme lui de protéger l'innocence, et que ses bienfaits étaient écrits au ciel et dans le cœur de tous les gens de bien.

Ce bon prince m'écouta avec beaucoup d'attention, et me répondit par des paroles bienveillantes et dignes de lui. Il prit ensuite les deux vases, en déclarant qu'il ne croyait pas que les anciens eussent jamais rien fait de si beau, et qu'ils surpassaient tout ce qu'il avait vu de plus rare en Italie. Il parlait français au cardinal, et, se tournant vers moi, il me dit en italien: «Reposez-vous, *Benvenuto*, et amusez-vous pendant quelques jours. Je vais songer à vous occuper.»

Quelques jours après, sur les instances du cardinal, le roi offrit à Benvenuto le modique traitement de 300 écus par an. Indigné de cette modicité, Benvenuto fit ses préparatifs secrets de départ. Le cardinal le sut, le fit appeler et lui offrit de sa part du roi le même traitement qu'il avait assigné à *Léonard de Vinci*, cent écus d'or par an, et en plus le prix de tous les ouvrages qui lui seraient commandés par la cour. Le lendemain François Ier le fit venir et lui commanda pour sa table douze chandeliers en argent, représentant six dieux et six déesses. Il lui donna pour son laboratoire le petit *hôtel de Nesle*, terrain qui fut occupé plus tard par le palais du cardinal Mazarin, aujourd'hui l'Académie française. M. de Villebon, qui occupait cet hôtel, déclara qu'il s'y opposerait. Benvenuto alla se plaindre au roi. Ce prince avait oublié son visage: Qui êtes-vous? lui dit-il. *Benvenuto*, lui répondis-je. Si vous êtes ce *Benvenuto* dont j'ai appris tant de choses, ajouta-t-il, faites selon votre coutume, je vous en donne pleine licence.—Il me suffit de conserver les bonnes grâces de Votre Majesté, lui répartis-je; je ne crains rien pour le reste.—Hé bien, allez, me répondit ce prince en souriant, elles ne vous manqueront jamais.

Il ordonna aussitôt à l'un de ses secrétaires, appelé M. de Villeroy[15], de faire pourvoir à tous mes besoins. Ce secrétaire était grand ami du prévôt, à qui appartenait le Petit-Nesle. Cette maison était une espèce de château antique qui touchait aux murs de Paris, assez grand, et de forme triangulaire. Il n'y avait aucun soldat pour le garder. M. de Villeroy me conseillait de chercher un autre établissement, parce que le prévôt était un homme puissant qui me ferait tuer quelque jour. Je suis venu d'Italie en France, lui répondis-je, pour servir votre grand prince, et je n'ai pas peur de mourir, parce que tôt ou tard il faut le faire.

Ce M. de Villeroy était un homme de beaucoup d'esprit, fort riche, admirable en toutes choses, mais mon secret ennemi. Il mit après moi un certain M. de Marmagne, trésorier de la province de Languedoc. La première chose que fit celui-ci fut de chercher dans cette maison l'appartement le plus commode, et de s'en saisir. J'eus beau lui représenter que le roi m'avait donné ce logement pour moi et mes gens, et que je ne voulais y souffrir personne autre; cet homme était fier, audacieux et violent; il me répondit qu'il voulait faire ce qui lui plairait, et que c'était donner de la tête contre une muraille, que de s'opposer à lui et à M. de Villeroy. Je lui répartis que le roi était plus puissant que M. de Villeroy, et que c'était lui-même qui m'avait donné cette maison.

Alors, furieux, il me dit beaucoup d'injures en français, auxquelles je répondis en italien; et, voyant qu'il mettait la main à sa dague, qui était fort courte, je mis la main à la mienne, qui était plus longue, et qui ne me quittait jamais; je lui dis qu'il était mort s'il faisait le moindre signe. Marmagne avait deux valets avec lui, et moi mes deux jeunes gens.

Jetez-vous, leur dis-je, sur ces deux marauds-là; tuez-les, si vous pouvez, et, quand j'aurai tué leur maître, nous partirons. Celui-ci, voyant ma contenance assurée, se crut heureux de sortir la vie sauve. J'écrivis sur-le-champ au cardinal ce qui venait de se passer; il l'alla raconter au roi, qui en fut affligé, et me recommanda au comte d'Orbec, qui eut toute sorte de soins pour moi.

Telle était alors l'anarchie féodale qui régnait dans l'administration.

Les faveurs du roi me faisaient considérer de tout le monde. Je reçus l'argent qu'il me fallait pour mes statues, et je commençai par celle de Jupiter, qui était déjà assez avancée lorsque le roi revint à Paris. Aussitôt qu'il me vit, il me demanda si je pouvais lui montrer quelque chose de mon atelier, parce qu'il avait envie d'y aller. L'ayant assuré que je le pouvais, le jour même, après son dîner, Sa Majesté y vint, accompagnée de Mme d'Étampes, du roi et de la reine de Navarre, sa sœur; de Mgr le Dauphin, de Mme la Dauphine, du cardinal de Lorraine, enfin de tout ce qu'il y avait de plus grand à sa cour. J'étais à travailler lorsque le roi parut. Je donnai l'ordre à tout mon monde de rester à sa place. Il me trouva ayant une grande plaque d'argent à la main, pour le corps de mon Jupiter; un autre faisait une jambe, un autre la tête; de sorte que c'était un bruit épouvantable dans mon atelier. Je venais de donner en ce moment un coup de pied à un petit garçon français, qui m'avait fait une sottise, et qui alla se cacher dans les jambes du roi; ce qui le fit beaucoup rire. Sa Majesté me demanda ce que je faisais, et m'ordonna de ne pas me déranger. Elle me dit alors de prendre les choses à mon aise, et de soigner ma santé, parce qu'elle voulait me faire travailler longtemps. Je lui répondis que je serais malade si je ne travaillais pas, surtout à ce que je désirais faire pour elle. Le roi crut que je ne voulais lui adresser qu'un compliment, et recommanda au cardinal de Lorraine de me répéter ce qu'il m'avait dit; mais je lui donnai de si bonnes raisons, qui furent rapportées, qu'on me laissa toute liberté.

Le roi, en s'en allant, me laissa si rempli de ses bontés, que j'aurais peine à l'exprimer. Il me fit appeler quelques jours après, en présence du cardinal de Ferrare, qui dînait avec lui; il était au second service lorsque je parus. M'étant approché de lui, il causa beaucoup avec moi, et me dit qu'il aurait envie d'une belle salière, cassette qui contenait le sel et les serviettes destinées au roi, pour accompagner les vases que M. le cardinal lui avait donnés, et que j'en fisse le dessin le plus tôt possible. Votre Majesté l'aura sur-le-champ, si elle veut m'accorder un quart d'heure. (J'en avais fait le dessin depuis longtemps, dans l'espérance de l'exécuter un jour pour le cardinal.) Le roi, étonné, se tourne vers le roi de Navarre et les cardinaux de Lorraine et de Ferrare, et leur dit: *Benvenuto* est vraiment un homme admirable et digne de se faire aimer et désirer de tous ceux qui le connaissent! Ensuite il me dit qu'il verrait volontiers ce dessin. À ces mots je partis, et j'allai le chercher; j'y joignis son modèle en cire. En les voyant, le roi s'écria: C'est un ouvrage plus que divin! Cet homme ne s'est donc jamais reposé! Et, me regardant d'un œil satisfait, il m'invita à lui faire cette salière.

Le cardinal de Ferrare, qui était présent, jeta sur moi les yeux pour me faire entendre qu'il connaissait ce modèle, parce que j'avais ajouté au roi que je le ferais pour celui qui devait l'avoir, comme pour me venger de ses vaines promesses; et il dit au roi, comme pour se venger aussi: Sire, c'est une grande entreprise que celle dont vous chargez *Benvenuto*, et il ne viendra jamais à bout de la finir. Ces grands hommes de l'art se promettent plus qu'ils ne peuvent faire. Le roi lui répondit que si l'on pensait toujours à la fin d'un ouvrage, on ne l'entreprendrait jamais. Vous avez raison, Sire, osai-je lui dire, les princes qui, comme Votre Majesté, savent encourager ceux qui les servent, ne trouvent jamais en eux rien d'impossible; et, puisque Dieu m'a donné un si bon maître que vous, j'espère achever tout ce que vous m'avez commandé. Je le crois aussi, dit le roi en se levant de table. Il m'emmena ensuite dans sa chambre, et me demanda quelle quantité d'or il me faudrait pour cette salière. Mille écus, lui répondis-je. Il fit venir sur-le-champ son trésorier, M. d'Orbec, et lui ordonna de me les donner vieux et de bon poids.

Ayant pris congé du roi, je repassai la Seine; je pris chez moi, au lieu d'un sac, une bourse qu'une religieuse de mes parents m'avait donnée à Florence; et, comme il était encore de bonne heure, je me rendis seul, sans domestique, chez le trésorier qui devait me compter les mille écus d'or. Je le trouvai occupé à les choisir, et il le faisait si lentement, qu'il me fallut attendre nuit close avant qu'ils me fussent livrés. Soupçonnant là-dessous quelque trahison, j'eus la prudence de faire dire à quelques-uns de mes garçons de venir au-devant de moi. Ne les voyant point, je demandai si on les avait avertis; un coquin de valet m'assura qu'il avait fait ma commission, et qu'ils n'avaient point voulu venir, mais qu'il me porterait cette somme si je voulais. Non, lui dis-je, je la porterai moi-même.

Quand j'en eus donné le reçu en bonne forme, je partis avec ma bourse bien attachée à mon bras gauche. J'étais armé, et j'avais ma cotte de mailles. Je m'étais aperçu que quelques valets parlaient bas entre eux, et étaient sortis avec moi, en prenant une rue opposée. C'est pourquoi je traversai à grands pas le pont au Change, et je suivis les bords de la Seine qui me conduisaient à mon logis. Quand je fus devant les Augustins[16], lieu très-dangereux, j'en étais encore trop éloigné pour qu'on pût m'entendre et venir à mon secours. C'est là précisément que je me vis attaqué par quatre hommes, l'épée à la main. J'enveloppai aussitôt de mon manteau le bras auquel ma bourse était attachée, et je mis la main à mon épée. «Avec un soldat, leur dis-je, lorsqu'ils me serraient de près, on ne gagne que la cape et l'épée, et je vous les vendrai cher.» Mais je m'aperçus bien qu'ils étaient endoctrinés par les valets qui m'avaient vu compter mon argent. Comme je me défendais vivement, peu à peu ils se retirèrent en disant en français: «C'est un brave Italien, et ce n'est pas celui que nous cherchions; car il ne porte rien avec lui.» Enfin, comme ils crurent qu'il n'y avait que de bons coups d'épée à gagner, et que je ne les ménageais pas, ils ne marchèrent plus que lentement après moi. Alors, précipitant mes pas, parce que je craignais quelque embuscade encore, et me voyant à portée de mon logement, je me mis à crier: Aux armes! aux armes! on veut m'assassiner. Quatre de mes gens accoururent avec des piques, et voulurent poursuivre ces coupe-jarrets; mais je les arrêtai, en leur disant: Laissez-moi déposer cet argent qui m'arrache le bras, et nous donnerons ensuite sur ces quatre poltrons qui n'ont pu me voler. Quand je fus entré, tout mon monde se mit après moi, en me faisant des reproches sur ce que je me fiais trop sur moi-même, et en me disant que quelque jour je me ferais tuer. Enfin, après bien des paroles et des plaisanteries, nous soupâmes aussi gaiement que s'il nous fût arrivé quelque chose d'heureux. Il est vrai que le proverbe dit qu'à force d'aller on rencontre le mauvais pas, mais les malheurs n'arrivent jamais de la même manière.

VI.

Benvenuto se livra alors tout entier à son génie et à sa verve. Il finit sa statue de Jupiter de grandeur naturelle, celle de Mars et une multitude de chefs-d'œuvre pour la duchesse d'Étampes et pour ses amis d'Italie. Sa situation était triomphante; le roi le chérissait et croyait avoir enlevé son lustre à l'Italie, avec *Léonard de Vinci* et *Benvenuto*, pour les attacher à son règne en France. À son retour de sa campagne il lui envoya des lettres de naturalisation. Il vint à Paris le visiter dans l'hôtel de Nesle. Il ne pouvait comprendre comment il avait fini ou ébauché tant de magnifiques ouvrages en si peu de mois. Pendant la conversation on parla de *Fontainebleau*. La duchesse d'Étampes dit au roi que Sa Majesté devrait me commander quelque chose de beau pour ce magnifique palais. Vous avez raison, dit le roi; et il me consulta sur-le-champ sur ce que nous pourrions imaginer pour cette belle fontaine. Je lui fis part de mes avis; il y ajouta les siens, il me dit ensuite qu'il allait passer quinze ou vingt jours à Saint-Germain; que je lui fisse, pendant ce temps-là, un dessin, le plus beau que je pourrais imaginer, pour orner ce château, qui était ce qui lui plaisait le plus dans son royaume; qu'il me *priait* d'y employer toute mon imagination et mon talent. Se tournant ensuite vers Mme d'Étampes: Je n'ai jamais vu d'homme qui me soit plus agréable, et qui mérite plus d'être récompensé! Quoique je le voie souvent, jamais il ne me demande rien; il ne pense qu'à son travail: c'est pourquoi je veux le fixer à Paris à force de récompenses. Mme d'Étampes lui répondit qu'elle aurait soin d'en faire souvenir Sa Majesté; et ils me quittèrent.

VII.

L'ouvrier était devenu artiste suprême. Il était évident que son génie aspirait à s'égaler à la fortune de son protecteur, et que les lauriers grandioses de Michel-Ange l'empêchaient de dormir. C'est alors qu'il conçut le monument colossal de la statue du dieu Mars, représentant François Ier. Le roi fut ravi; la duchesse d'Étampes, jalouse de la préférence accordée au roi, l'irrita contre Benvenuto. «Cet homme, lui dit le roi, est vraiment selon mon cœur! Mon ami, dit-il à Cellini en lui frappant sur l'épaule, je ne sais qui est le plus heureux, ou du prince qui trouve un homme, ou de l'homme qui trouve un prince!»

Cependant, à la requête de la duchesse d'Étampes, le roi fit venir de Bologne à *Fontainebleau*, son séjour habituel, le célèbre peintre *Primatice*, pour lui confier la galerie du palais. Benvenuto s'indigna d'une préférence qu'il désirait accaparer pour ses ouvrages. Un procès scandaleux qu'on lui intenta par vengeance, sous prétexte des infâmes amours dont on l'avait accusé en

Italie, souleva tellement sa colère, que, l'ayant gagné, il se vengea à coups de dague de ses accusateurs, et les fit repentir cruellement de leur accusation vraie ou fausse.

«À peine fus-je descendu de cheval qu'une de ces bonnes personnes qui veulent toujours mettre le feu aux étoupes vint me dire que *Miceri* avait loué un appartement pour Catherine et sa mère, et qu'il ne les quittait point; qu'en parlant de moi il s'égayait en disant: *Benvenuto* a mis de la graine devant les oiseaux, et il a cru qu'ils n'y toucheraient pas. Je ne crains point son épée, j'en ai une aussi bonne que la sienne; je suis Florentin comme lui, et ma famille vaut mieux que celle dont il sort. À peine eus-je entendu ces malignes paroles, que la fièvre s'empara de moi; je dis la fièvre, parce que je crois que j'en serais mort, si je n'avais pris ce parti: j'ordonnai à un de mes garçons, qui était Ferrarois, de me suivre, et à un domestique de faire marcher un cheval derrière moi, et je courus au logis de ce misérable *Miceri*. Je trouvai la porte entr'ouverte; je le vis avec une épée et un poignard à son côté, assis auprès de sa belle et de sa mère, et j'entendis qu'ils parlaient de moi. Soudain je pousse la porte, je lui mets la pointe de mon épée sur la poitrine, sans lui donner le temps de tirer la sienne, et je lui dis: Vil poltron, recommande ton âme à Dieu, car tu vas mourir! *Miceri*, épouvanté, s'écria trois fois: Maman, à mon secours! J'avais chargé le Ferrarois de ne laisser sortir personne, car mon intention était de les tuer tous les trois; mais la voix tremblante de *Miceri* me fit passer la moitié de ma colère; et, en lui tenant toujours le fer appuyé fortement sur l'estomac, et voyant qu'il ne faisait pas de résistance, je changeai de résolution, et il me prit sur-le-champ envie de le marier à Catherine, et de me venger d'une autre manière. Tire, lui dis-je, l'anneau que tu as au doigt, et mets-le au doigt de cette fille. Je retirai un peu mon épée pour lui donner la facilité de le faire. Il m'obéit en me disant qu'il ferait tout ce que je voudrais, pourvu que je ne le tuasse point. Cela ne suffit pas, repris-je; qu'on aille chercher un notaire et des témoins; je veux que le mariage soit en règle. Si quelqu'un de vous ici parle de ce qui vient de se passer, leur dis-je en bon français, il peut être certain de sa mort. Et toi, *Miceri*, repris-je en italien, si tu ajoutes une parole, tu es mort!»

Le *Jupiter* étant terminé, le roi voulut le voir. Benvenuto le fit porter à Fontainebleau. François Ier et toute la cour en furent stupéfaits d'admiration. Mme d'Étampes chercha en vain à le rabaisser.—«Qu'est-ce, dit-elle, que ces bêtises, Madame, en comparaison de ces chefs-d'œuvre de l'antiquité que vous ne regardez pas? Ah! si on la voyait de jour, cette statue, elle ne serait pas si belle, et on lui a mis un voile pour cacher ses défauts.» Je lui avais en effet mis un voile très-léger, pour lui donner plus de majesté, et pour qu'elle parût plus décemment devant les dames de la cour; mais moi, par dépit, je le déchirai, et je fis voir mon Jupiter dans toute sa belle nudité. Mme d'Étampes s'imagina que je l'avais fait par mépris pour elle, et, la colère lui montant au visage, et moi ne pouvant plus me retenir, je voulus parler; mais le roi, qui s'en aperçut, me coupa la parole, en me disant: Taisez-vous; vous aurez plus de bien que vous n'en voudrez. Forcé au silence, je me tordais les mains; Mme d'Étampes en était d'autant plus furieuse. Ce qui fit que le roi partit plus tôt qu'il n'aurait voulu, en disant à haute voix: J'ai dérobé à l'Italie l'homme le plus habile qui fût jamais.

Je laissai mon Jupiter à sa place, et je partis pour Paris, après avoir reçu mille écus d'or, partie pour mon traitement et partie pour les avances que j'avais faites. J'étais si content, qu'après mon dîner je fis présent de tous mes vêtements, qui étaient de fourrures fines et d'étoffes fort belles, à mes compagnons de travail: chacun d'eux eut sa part, selon son mérite; mes domestiques, mes valets d'écurie, ne furent pas même oubliés. Je voulais leur donner du zèle, pour être bien servi de toutes les manières. Ayant repris courage, je m'attachai à mon colosse qui était ma statue de Mars, dont la carcasse était formée de morceaux de bois artistement entrelacés et revêtus de plâtre; et je raconterai une anecdote plaisante à laquelle cette statue donna lieu. J'avais défendu à mes gens de faire entrer des filles dans ma maison; mais cet ordre était mal exécuté. Ascagne était amoureux d'une jeune fille fort jolie, qui le payait de retour; elle se sauva une nuit de chez ses parents, pour venir le trouver, et ne voulut plus y retourner. Ascagne, ne sachant qu'en faire, la cacha dans la statue, lui arrangea un lit dans la tête avec beaucoup d'art, et il venait l'en faire sortir pendant la nuit. Comme cette tête était fort avancée, je l'avais découverte par un peu de vanité, pour la laisser voir au public. Les plus voisins montaient jusque sur leurs toits pour la regarder. Comme le bruit courait depuis longtemps que ce vieux château était habité par un esprit, que je n'avais cependant jamais vu ni entendu, et que cette fille qui était couchée dans cette tête la faisait remuer de temps en temps, le sot peuple disait que l'esprit s'était déjà emparé de cette grande figure, et qu'il lui faisait mouvoir les yeux et la bouche, comme si elle voulait parler; les uns en étaient effrayés, et les autres plus malins s'efforçaient de le leur faire croire, quoiqu'ils ne sussent pas qu'il y avait dans cette tête un véritable esprit.

VIII.

Le roi cependant, à la sollicitation de Mme d'Étampes, lui reprocha de perdre son temps et son talent à faire pour d'autres des vases, des salières, des têtes, des portes, et de négliger les grands ouvrages qu'il lui avait commandés. Mme d'Étampes conseilla en riant au roi de le faire pendre, car, disait-elle, il l'avait bien mérité.

IX.

Benvenuto, mobile et mécontent, laissa à Paris son hôtel et ses ateliers à *Ascagne*, et partit pour l'Italie, en passant par Plaisance; il fut reconnu par le bâtard du pape Farnèse, *Pier Luigi*, et, faisant contre mauvaise fortune bon cœur, il alla le voir. Je le trouvai à table, dit-il, avec les *Landi*, qui le tuèrent depuis. *Pier Luigi* lui demanda pardon des persécutions qu'il lui avait fait subir à Rome sous le pape son père, et lui proposa de le garder à Ferrare pour travailler à l'embellissement de cette ville.

Or admirons, dit Cellini, la justice de Dieu, qui ne laisse rien d'impuni sur la terre. Cet homme sembla me demander pardon devant ceux qui peu de temps après me vengèrent, moi et tant d'autres qui avaient été assassinés par lui. Qu'aucun mortel, quelque grand qu'il soit, ne compte donc sur l'impunité de ses crimes. Je dirai dans son lieu que justice sera faite aussi de plusieurs de mes persécuteurs. Ce n'est point la vanité qui m'arrache ces tristes réflexions; je les fais pour rendre grâce à Dieu, dont la puissante protection ne m'a jamais manqué, parce que je l'ai toujours imploré au milieu de mes angoisses.

Ce mélange de scélératesse et de dévotion sincère donne à ce temps un caractère de pittoresque moral qui n'éclate jamais mieux que dans ce naïf scélérat.

X.

En quittant Ferrare, Benvenuto se rendit à Florence. Le duc, qui était alors *comte de Médicis*, le reçut à Poggio, villa magnifique, à quelques milles de sa capitale. Il lui commanda une œuvre de sculpture dont il décorait en ce moment la *Logia de Lanzi*, espèce d'amphithéâtre couvert, mais en plein air, où l'on exposait à perpétuité les œuvres immortelles des artistes toscans à l'admiration et à la gloire du peuple sur la place du Gouvernement.

Ce fut le chef-d'œuvre de *Benvenuto*. La femme de Cosme lui donna mille distractions et mille déplaisirs pour un diamant qu'elle désirait faire acheter à son mari, et que Benvenuto dépréciait; à la fin il alla, pour se distraire, faire un voyage d'artiste à *Venise*. Son objet principal était de revoir le *Titien* et le fameux *Sanzovino*, sculpteur florentin au service de Venise; il fut reçu d'eux en compatriote et en ami. Ayant rencontré *Laurenzio*, le ministre du duc Alexandre, en compagnie de quelques républicains proscrits, ils lui conseillent de retourner en France, au lieu d'honorer de ses chefs-d'œuvre le tyran de sa patrie. Il les quitta sans leur répondre. Il n'assassinait que dans sa propre cause. Les ennemis politiques n'étaient à ses yeux que de féroces dupeurs. Il revint à Florence achever son *Persée*, œuvre désormais de sa vie. Il avait pris pour type de son héros mythologique l'instant où *Persée* élève dans sa main la tête de Méduse qu'il vient de couper, et où il foule du pied droit le tronc sanglant qui palpite encore.

Nous citons ici, comme nous l'avons cité dans notre entretien sur Bernard de Palissy, le travail et l'anxiété de Benvenuto dans la fonte de cette œuvre divine en bronze. Combien de fois, avant de connaître la vie et les procédés de Benvenuto Cellini, ne nous sommes-nous pas arrêté à Florence devant la

Logia dei Servi pour contempler ce miracle du génie humain! C'est la beauté, la colère et la victoire vengeresse fondues dans une même expression; Cosme en fut ravi, et le peuple toscan le rangea dès le premier jour au rang de ces œuvres qui n'ont pas de secondes.

Voici comment il rend compte des efforts fiévreux que lui coûta la fonte de *Persée*; on croit assister à l'enfantement de la vie.

XI.

Le succès que j'avais obtenu dans la fonte de ma *Méduse* devait me faire croire que je réussirais aussi dans mon *Persée*, dont le modèle était achevé et enduit de cire; mais le duc, après l'avoir admiré, soit qu'il eût été prévenu par mes ennemis, soit qu'il se le fût imaginé lui-même, me dit un jour: *Benvenuto*, je ne crois pas que votre *Persée* puisse venir en bronze; l'art ne vous le permet pas. Ces paroles me piquèrent, et je lui répondis: Je vois, Monseigneur, que vous avez peu de confiance en moi, et que vous croyez trop ce qu'on vous dit, parce que vous ne vous y entendez pas.—Je fais profession de m'y entendre, me dit-il sur-le-champ, et je m'y entends fort bien.—Oui, comme prince, lui dis-je, mais non comme artiste; car vous devriez avoir confiance en moi, d'après la tête de bronze que j'ai faite, d'après le *Ganymède* que j'ai restauré, et qui m'a donné plus de peine que si je l'avais fait à neuf, et d'après cette statue de *Méduse*, qui est devant vos yeux, et qui est un ouvrage sans exemple. Sachez, Monseigneur, que tous les beaux ouvrages que j'ai faits pour le grand roi François ont parfaitement réussi; mais ce prince m'encourageait par les moyens qu'il me procurait, par la quantité d'ouvriers qu'il me mettait à même de salarier. Que Votre Excellence fasse comme lui, et me procure des secours, je serai certain alors de lui offrir un ouvrage digne d'elle; mais elle ne me donne, pour que j'en vienne à bout, ni argent ni courage. Le duc, pendant que je parlais, se tournait tantôt d'un côté, tantôt de l'autre, et semblait m'écouter avec peine; et moi, je m'affligeais en pensant à l'état magnifique que j'avais laissé en France. Comment se peut-il, *Benvenuto*, me dit enfin le duc, que cette belle tête de *Méduse*, qui est là haut dans la main de *Persée*, puisse bien venir?—Vous voyez bien, lui répondis-je sur-le-champ, que vous n'y comprenez rien. Si Votre Excellence avait quelque connaissance de l'art, elle ne craindrait rien pour cette tête, mais pour le pied droit du *Persée*, qui est si éloigné de l'autre, et vers lequel la matière aura plus de peine à parvenir. Le duc, à ces mots, se tourna un peu en colère vers les messieurs qui étaient présents, en leur disant: Je crois que ce *Benvenuto* a pris à tâche de me contrarier en tout. Je veux savoir quelles raisons il peut me donner pour me convaincre, et avoir la patience de l'écouter.—Voici mes raisons, dis-je alors, et Votre Excellence les comprendra facilement. Je les lui expliquai le plus clairement qu'il me fut possible, et je les passerai ici sous silence, pour n'être pas trop long. Après m'avoir entendu, il me quitta en branlant la tête.

Cependant je secouais mes chagrins, et je me donnais du courage, malgré tous mes regrets, qui me reportaient vers la France, où je trouvais plus de secours que dans Florence, ma patrie, et que je n'avais quittée, dans le fond, que pour faire du bien à ma pauvre famille. J'espérais que, si je venais à bout de mon *Persée*, toutes mes peines se changeraient en gloire et en plaisirs. Je fis des amas de bois de pin, je revêtis de terre convenable la carcasse de ma statue, et je l'armai de bons ferrements; enfin, je préparai tout pour me mettre en état de la jeter en fonte. Je fis ensuite creuser une fosse, dans laquelle je la fis transporter avec toutes les précautions possibles, et selon toutes les règles de l'art, ou celles que me dicta mon expérience ou mon imagination; et, lorsque j'eus donné toutes mes instructions à mes travailleurs et à mes ouvriers, je me tournai du côté de mon fourneau, que j'avais fait remplir de cuivre et d'étain, selon les proportions. J'y fis mettre le feu, que je dirigeai moi-même avec beaucoup de fatigues, étant contrarié, tantôt par la flamme, qui menaçait d'incendier mon atelier, et tantôt par le vent et la pluie qui venaient du côté du jardin, et qui refroidissaient mon fourneau. Obligé de combattre contre tant d'accidents imprévus, mes forces ne purent plus y résister, et je fus saisi d'une grosse fièvre qui m'obligea d'aller, tout désespéré, me jeter sur mon lit, après avoir renouvelé mes avertissements à mes gens, qui étaient au nombre de dix, et surtout à *Bernardino*, mon premier garçon, auquel je dis: Observe bien tout ce que j'ai ordonné de faire; car je sens le plus grand mal que j'aie jamais éprouvé; il me semble que je vais mourir. En attendant, mangez et buvez, et préparez-vous à ce grand ouvrage. Quelque temps après, un homme tout tortu, pâle et tremblant comme s'il allait à la mort, vint me dire: Ô malheureux *Benvenuto*! tout est perdu, et il n'y a pas de remède! À ces mots, je fis un grand cri, je sautai à bas de mon lit, et je m'habillai. Je jurais après tous ceux qui s'approchaient de moi, je les frappais des pieds et des mains, et je me désolais en disant: J'éprouve quelque trahison, mais je la découvrirai; et, avant de mourir, je saurai m'en venger. Je courus ensuite à mon atelier, où je vis tout mon monde bouleversé. Écoutez-moi, leur dis-je; et, puisque vous n'avez pas voulu suivre mes conseils, obéissez-moi sans dire mot, à présent que je suis avec vous! À ces mots, un maître fondeur, nommé Alexandre *Lastricati*, me répondit que je voulais faire une chose impossible. Cette réponse me mit tellement en fureur que je leur fis peur à tous, et qu'ils me dirent: Commandez, nous vous obéirons en toutes choses. Ils me parlèrent ainsi parce qu'ils me croyaient à moitié mort. J'allai voir aussitôt mon fourneau, où le métal avait formé une espèce de pâté; mais j'envoyai chercher du bois de chêne, qui fait un feu plus vif que les autres; j'en remplis la fournaise, et bientôt je vis ce pâté s'amollir. À cet aspect, tous mes travailleurs reprirent courage, et m'obéirent avec une nouvelle ardeur. Je fis jeter dans le fourneau environ soixante livres d'étain de plus, qui, à force de feu et de remuement, rendirent bientôt toute cette masse plus liquide. Ce succès me ressuscita. Je ne pensai plus ni à ma fièvre, ni à ma peur de mourir, quand tout à coup il se fit une explosion qui nous effraya tous, et moi plus que les autres. La matière se soulevait et se répandait. Aussitôt je fis ouvrir les canaux qui devaient la conduire dans le moule; et, voyant qu'elle coulait avec trop de lenteur, j'envoyai chercher tous mes plats, mes assiettes, mes pots et mes écuelles, qui étaient d'étain, au nombre de deux cents environ, et je les jetais au fur et à mesure dans le fourneau. Quand mes ouvriers virent le bronze se vider avec aisance, ils furent remplis de joie, et ils m'obéissaient avec plus d'ardeur; et moi, me mettant à genoux: Grand Dieu! m'écriai-je, qui êtes ressuscité et monté au ciel, faites que mon moule se remplisse bien vite! Ce qui arriva et me fit rendre à Dieu mille actions de grâces. Ensuite je me tournai vers un grand plat qu'on m'avait servi sur un mauvais banc, je mangeai avec appétit, et je bus avec toute ma brigade; et, comme il était déjà tard, j'allai me remettre au lit gai et content, sans me soucier de ma fièvre[17].

J'avais alors une excellente servante[18] qui, sans m'en avertir, m'avait acheté un chapon gras. Le matin, quand je me levai, à l'heure du dîner: Oh! oh! dit-elle, voilà cet homme qui comptait mourir hier! Je crois que les coups de pied et de poing qu'il nous a donnés cette nuit ont fait tant de peur à la fièvre, qu'elle n'a plus osé reparaître. Je me mis à table avec ma bonne famille, dont la joie était revenue avec la mienne, et qui avait remplacé par de la poterie de terre tous les plats d'étain que j'avais jetés dans le feu. Après mon dîner, je reçus la visite de tous mes ouvriers, qui m'avouèrent que je leur avais fait voir des choses qu'ils n'auraient jamais crues possibles, ce qui ne laissait pas que d'enfler un peu ma vanité. Ensuite, ayant mis la main à ma bourse, je les payai bien, et je les renvoyai tous contents.

Le majordome *Riccio*, mon ennemi, était impatient de savoir comment les choses s'étaient passées. Les deux hommes que je soupçonnais de m'avoir mal servi lui dirent que j'étais plus qu'un diable; car un simple diable n'aurait pu venir à bout de ce que j'avais fait. Il l'écrivit aussitôt au duc, qui était à Pise, et il en mit dans sa lettre plus encore qu'on ne lui en avait raconté.

Deux jours après, lorsque mon ouvrage fut bien refroidi, je commençai à le découvrir peu à peu. Je vis d'abord la tête de *Méduse*, parfaitement coulée, ce qui fut favorisé par les ventouses dont j'avais parlé au duc. La tête de *Persée* n'avait pas moins bien réussi, et j'en fus surpris davantage; car la matière avait servi tout juste pour la remplir entièrement, et je regardai cela comme un coup du ciel. À mesure que j'allais plus avant, j'étais de plus en plus satisfait. Finalement, j'arrivai au pied de la jambe droite, et je trouvai le talon rempli, ce qui, me faisant plaisir d'un côté, me fâchait de l'autre, parce que j'avais prédit au duc qu'il n'arriverait pas à bien; mais il manquait quelque chose aux doigts, et j'en fus bien aise, afin de lui faire voir que je savais ce que je disais; car la matière ne serait jamais parvenue jusqu'à ce pied, et il aurait totalement été manqué, si je n'avais jeté dans le fourneau toute ma vaisselle d'étain, ce que personne n'avait imaginé avant moi.

Glorieux de ma réussite, j'allai trouver le duc à Pise, pour lui en faire part. Lui et la duchesse me firent l'accueil le plus gracieux; et, quoique le majordome lui eût écrit tout ce qui s'était passé, ils en voulurent apprendre tous les détails de ma propre bouche. Mais ce qui étonna davantage le duc, ce fut de voir accomplie la prédiction sur le pied de la statue. Les voyant si bien disposés en ma faveur l'un et l'autre, je leur demandai la permission d'aller faire un tour à Rome. Elle me fut accordée; mais le duc me fit promettre de revenir bien vite pour mettre la dernière main à mon *Persée*, et me donna en même temps des lettres de recommandation pour son ambassadeur auprès du pape, qui était alors Jules III.

Après avoir donné mes ordres aux personnes qui composaient mon atelier, je partis pour Rome; j'y allais pour voir *Antonio Altoviti*, auquel j'avais fait son buste en bronze pour orner son cabinet. Je dois dire, en passant, qu'il le montra à *Michel-Ange*, et que celui-ci, en le voyant, lui demanda quel était l'auteur d'un si bel ouvrage. Sachez, ajouta-t-il, que cette tête est faite selon la manière antique, qui est la bonne, et que, si elle était mieux placée, elle ferait un plus bel effet. Ayant ensuite appris que c'était de mes mains qu'elle était sortie, il m'écrivit cette lettre: «Mon cher *Benvenuto*, je vous ai longtemps connu comme le plus grand orfévre que nous eussions, et je vous reconnais aujourd'hui pour le premier sculpteur. M. *Altoviti* m'a fait voir son portrait en bronze, et m'a dit qu'il était de vous: il m'a fait le plus grand plaisir; mais il l'a placé dans un faux jour, ce qui l'empêche de produire le merveilleux effet dont il est susceptible.»

Cette lettre était accompagnée des paroles les plus aimables pour moi, et je l'avais montrée au duc, avant de partir, lequel, à ce propos, me chargea de lui dire, dans ma réponse à sa lettre, de revenir à Florence, qu'il le nommerait l'un des quarante-huit membres du conseil, et qu'il ferait plus encore; mais *Michel-Ange* ne répondit point à ma lettre que j'avais montrée à Son Excellence avant de la cacheter; ce qui la mit de mauvaise humeur contre lui. Étant donc à Rome, j'allai voir *Altoviti*, qui me répéta les paroles de *Michel-Ange*, et chez lequel j'avais placé quelque argent, dont il me devait l'intérêt, ainsi que le prix de son buste; mais, quand nous fûmes sur cet article, il parut si refroidi envers moi, et il me donna de si mauvaises raisons, que je fus obligé de lui laisser mon argent en rente viagère à quinze pour cent, et que je perdis le prix du buste que je lui avais fait. J'allai ensuite baiser les pieds du pape, dont j'espérais obtenir quelque travail; mais il avait été prévenu par notre ambassadeur. De là je me rendis chez *Michel-Ange*; je lui répétai les offres du duc, que j'avais insérées dans ma lettre. Il me répondit qu'il était employé à Rome, à la fabrique de Saint-Pierre; et, comme je le pressais de se rendre aux désirs du duc et à l'amour qu'on doit à sa patrie: Avez-vous été bien content de lui? me dit-il. Très-content, lui répondis-je. Mais il savait tout ce que j'avais souffert, et il refusa absolument de se remettre à son service.

Ayant éprouvé la mauvaise foi des marchands, dans mes rapports d'intérêt avec *Altoviti*, je retournai très-mécontent à Florence, où ma première visite fut pour le duc, qui était à son château au-dessus du pont des Rifredi. J'y rencontrai son majordome *Riccio*, et, comme j'allais le saluer: Oh! vous voilà retourné, me dit-il en battant des mains, et il me tourna le dos. Je ne pus comprendre ce que voulait dire ce sot homme, avec de telles manières; mais je le laissai, et j'allai chez le duc, qui était dans son jardin. Surpris de me voir, l'accueil qu'il me fit fut de me faire signe de m'en aller. J'en demandai la raison à M. *Sforza*, qui était un de ses intimes, et qui ne me répondit que ces mots en souriant: *Benvenuto*, comportez-vous bien, et moquez-vous du reste. Cependant quelques jours après il m'obtint une audience. Le duc me reçut assez froidement, et me demanda ce que j'avais fait à Rome. Je lui parlai de mon affaire *Altoviti*, et ensuite de *Michel-Ange*, sur lequel je lui racontai une anecdote que j'avais passée sous silence. Monseigneur, lui dis-je, quand j'ai proposé à *Michel-Ange* de venir à Florence, je l'avais engagé à se reposer sur *Urbin*, l'un de ses ouvriers, de ses travaux à finir; mais celui-ci se mit à crier avec une voix de paysan: *Je ne veux point quitter mon maître, jusqu'à ce qu'il m'ait écorché, ou que je l'aie écorché moi-même.* Et le duc se mit à rire en disant: Puisque *Michel-Ange* ne veut pas venir, tant pis pour lui! Après ces paroles, je pris congé de Son Excellence.

XII.

Le duc, après ce merveilleux triomphe de Benvenuto, prévoyant la guerre avec *Pise*, voulut utiliser à la défense de la capitale les souverains artistes qui avaient contribué à sa décoration. Il choisit Benvenuto pour fortifier les portes principales de Florence. Son bouillant caractère faillit encore lui coûter la vie.

À la garde de la porte de *Prato* était un capitaine lombard, qui avait les formes aussi robustes que grossières, et qui était aussi présomptueux qu'ignorant. Il me demanda ce que je prétendais faire; je lui montrai fort poliment mon plan. Pendant ce temps-là, il secouait la tête, il se tournait tantôt d'un côté et tantôt de l'autre, remuait ses jambes, tordait ses moustaches qui étaient très-longues, en me disant: Que le diable m'emporte, si j'entends quelque chose à cela!—Si vous n'y entendez rien, lui répondis-je enfin en lui tournant les épaules, laissez-moi donc faire.—Holà, maître! me répondit-il, est-ce que vous avez envie de vous tirer du sang avec moi?—Il me serait plus facile, lui répartis-je en colère, de vous en tirer que de fortifier cette porte; et, en même temps, nous mîmes l'épée à la main: mais une foule de nos honnêtes Florentins accourut pour nous séparer, en lui donnant tort, parce que j'agissais par ordre de Son Excellence, et depuis il me laissa en repos. Quand j'eus achevé mon bastion à la porte de *Prato*, j'allai à celle de *l'Arno*, où commandait un officier de Césène, extrêmement poli; il avait l'air d'une jolie femme, et c'était l'homme le plus brave du monde. Nous nous accordâmes si bien que mon travail fut beaucoup mieux fait à cette porte qu'à l'autre. Bientôt après, les gens de *Pierre Strozzi* ayant fait une incursion dans le comté de *Prato*, l'alarme y fut si grande que tous les habitants chargeaient leurs charrettes de leurs effets, et les portaient dans la ville. Il y en avait une si grande quantité qu'elles se touchaient toutes. Voyant ce désordre, j'avertis les gardes de la porte d'avoir soin qu'il n'arrivât pas comme à Turin, où un pareil embarras avait empêché d'abaisser la sarrasine qui resta suspendue sur les charrettes, et fit prendre la ville. Mes avertissements déplurent au capitaine lombard, qui voulut sottement recommencer notre querelle; mais nous fûmes encore séparés, et, mon bastion achevé, je le quittai, et j'allai recevoir assez d'argent, auquel je ne m'attendais pas, ce qui me mit en état de finir mon *Persée*.

XIII.

Il fut récompensé de son chef-d'œuvre en honneur plus qu'en argent.

«Je commençai donc, dit-il, à mettre ma statue en état d'être montrée; et, comme il me manquait un peu d'or et certaines choses pour la perfectionner, je murmurais, je me plaignais, je maudissais le jour où j'avais quitté la France et son grand roi; et je ne prévoyais pas encore tout ce qui me devait arriver avec un prince qui me laissait travailler pour lui, aux dépens de ma propre bourse. Cependant, lorsque j'eus permis au public de voir ma statue, il s'éleva, grâces à Dieu, un cri si universel d'approbation, qu'il ne laissa pas que de me consoler. Le même jour, plus de vingt sonnets[19] furent attachés autour de mon *Persée*; et, les jours suivants, il y en eut une grande quantité de faits en grec et en latin, par les professeurs et les écoliers de l'université de Pise, qui étaient venus en vacances. Mais les éloges qui me flattèrent le plus furent ceux des maîtres de l'art, des peintres *Jacobo de Puntormo*, de l'habile *Bronzino*, qui ne se contenta pas de compliments, et qui y joignit de beaux vers. J'ôtai ma statue des yeux du public, pour y mettre ensuite la dernière main.

Quoique le duc eût été témoin de l'approbation de notre excellente école, cela ne l'empêcha pas de dire qu'il était bien aise que j'eusse obtenu cette petite satisfaction, parce qu'elle m'exciterait à l'achever; mais que ma statue étant tout à fait découverte et vue de tous les côtés, on y trouverait des défauts qu'on n'avait point aperçus, et que je devais m'armer de patience. Il parlait d'après *Bandinello*, qui lui cita pour exemple le *Christ* et le *saint Thomas* de bronze d'André *Verrochio*; le beau *David* du divin *Michel-Ange*, qui n'était parfait que par devant. *Bandinello* jugeait mal du goût public par tout ce qu'on avait dit de son *Hercule*. Un jour même que le duc causait avec lui sur mon ouvrage, *Bernardone*, venant à l'appui de cet envieux, lui dit qu'autre chose était de faire de grandes figures ou d'en faire de petites; et, avec des paroles pleines de fiel et de mensonges, il tâchait de me nuire et de se venger.

Cependant, grâces à Dieu, mon *Persée* fut achevé, et je le découvris tout à fait au public un jeudi matin. Une grande quantité de monde se rassembla pour le voir, même avant le jour, et tous le louaient à l'envi les uns des autres. Le duc restait caché près d'une fenêtre, pour écouter ce qu'on en disait, et son contentement fut si grand qu'il m'envoya M. *Sforza* pour m'en faire part, ce qui, ajouté aux louanges que je recevais de côté et d'autre, fut d'autant plus glorieux pour moi qu'on me montrait au doigt comme une chose merveilleuse.

Parmi ceux qui me félicitèrent le plus, se trouvaient deux gentilshommes qui avaient été envoyés auprès du duc, de la part du vice-roi de Naples, pour des affaires d'État. Je leur fus désigné comme je passais sur la place; et ils m'approchèrent avec précipitation, le chapeau à la main; ils me haranguèrent comme si j'eusse été un pape. J'avais beau m'humilier, leurs compliments ne finissaient pas; et, comme il s'assemblait une grande quantité de gens autour de nous, j'en étais si confus que je les priai de faire trêve à tant de cérémonies, et de nous éloigner. Ils m'engagèrent ensuite à aller dans leur pays, où l'on me donnerait le traitement que je souhaiterais, en me disant que *Giovanangelo de Servi* leur avait fait une fontaine ornée de plusieurs figures, qui étaient loin de la beauté des miennes, et qu'on l'avait comblé de biens. Quand ils eurent fini leurs longs discours, je leur répondis que j'étais au service d'un prince plus amateur des talents que tout autre, et dans le sein de ma patrie, qui était celle des beaux-arts; que si l'intérêt me faisait agir, je n'avais qu'à rester auprès du grand roi *François*, qui me donnait un traitement de mille écus d'or, sans compter la facture de mes ouvrages; de sorte que, tous les ans, il m'en revenait plus de quatre mille; que cependant j'avais renoncé à cet état magnifique, et laissé en France le fruit de quatre ans de travail. Avec ces paroles, je coupai court à leurs cérémonies, et je les remerciai de leurs éloges, qui étaient le prix le plus digne des beaux ouvrages, et qui m'encourageraient à en composer de plus beaux encore. Ces deux gentilshommes voulaient reprendre le cours de leurs compliments; mais je les saluai avec beaucoup de respect, et je m'éloignai d'eux.

Deux jours après, voyant que les éloges allaient toujours en croissant, je me disposai à aller voir le duc, qui m'adressa ces gracieuses paroles: Mon cher *Benvenuto*, vous avez satisfait moi et tout le public; je vous promets de vous rendre content à votre tour, d'une manière qui vous étonnera, avant que deux jours soient passés. Ces belles promesses firent tourner vers Dieu toutes les facultés de mon âme, et je baisai le pan de l'habit de Son Excellence, les larmes aux yeux. Je lui dis ensuite: Mon glorieux maître, vrai rémunérateur des talents et de ceux qui les professent, je vous demande un congé de huit jours, pour un pèlerinage que je veux faire, afin de remercier Dieu, qui m'a prêté son secours, et m'a donné assez de force pour venir à bout de ma statue. Le duc me demanda où je voulais aller. Aux Camaldules de *Vallombreuse*, lui répondis-je, et de là aux bains de *Sainte-Marie*, et peut-être jusqu'à *Sertila*, où je crois que l'on peut trouver de belles antiques; ensuite je retournerai par *Saint-François de la Vernia*, toujours remerciant Dieu sur mon chemin. Eh bien, partez, j'y consens, me dit le duc; laissez-moi seulement un souvenir en deux vers. J'en fis, un moment après, quatre, que je priai M. *Sforza* de lui remettre, et auquel il dit, en les recevant: Mettez-les-moi tous les jours sous les yeux, afin que je fasse ce que je lui ai promis, car il me tuerait, si je l'oubliais. M. *Sforza* me répéta ces propres paroles, en portant presque envie à la faveur dont je jouissais auprès du duc.

Je sortis de Florence, et je fis mon pèlerinage, ne cessant de chanter des psaumes et des oraisons en la gloire de Dieu; ce qui me délectait d'autant plus que la saison était belle, et le pays que je parcourais extrêmement agréable. J'avais pour guide un de mes garçons, qui était de ce pays-là. Arrivé aux bains, je fus parfaitement bien accueilli dans sa maison, par son père et un vieil oncle qu'il avait, qui était médecin-chirurgien, et se mêlait un peu d'alchimie. Celui-ci me fit voir que les bains avaient des mines d'or et d'argent, et beaucoup d'autres choses fort curieuses, et, lorsqu'il se fut familiarisé avec moi, il me dit un jour: Si notre duc voulait m'entendre, je lui ferais connaître un projet fort avantageux. Près des Camaldules, il y a un tel passage que, si des vaisseaux voulaient le traverser malgré nous, ils ne le feraient pas sans danger. Et ce bon vieillard me mit sous les yeux un plan du pays, fait de sa main, où il me fit voir la vérité de ce qu'il me disait. Je pris le plan, et je retournai à Florence le plus vite possible; et, sans m'arrêter, je courus au palais. Je rencontrai en chemin le duc, qui me dit: Je ne vous attendais pas si tôt!— Monseigneur, lui répondis-je, je suis venu pour le service de Votre Excellence; car j'aurais demeuré volontiers encore quelque temps dans ce beau pays. Il me conduisit dans un cabinet secret, et alors je lui montrai le plan du vieillard. Il l'approuva beaucoup, et me dit qu'il s'en occuperait; et, après un peu de réflexion: Au reste, ajouta-t-il, nous nous sommes accordés, le duc d'Urbin et moi, et c'est à lui à s'en charger; mais gardez-en le secret; je vous remercie de votre zèle.

Le lendemain, le duc, après quelques propos joyeux, me dit: Demain, sans faute, j'expédierai votre affaire. Soyez tranquille là-dessus. Le moment arrivé, je courus au palais; mais, comme les mauvaises nouvelles viennent plus vite que les bonnes, M. *Jacobo Guidi*, secrétaire de Son Excellence, m'appela avec sa bouche de travers, et d'une voix assez haute, se tenant droit comme un pieu, me dit: Le duc veut savoir ce que vous demandez pour votre *Persée*. À ces mots je restai stupéfait, et je lui répondis que je ne mettais pas de prix à mes travaux vis-à-vis de Son Excellence, et que ce n'était pas ce qu'elle m'avait promis il y avait deux jours. Cet homme, plus roide encore et d'une voix plus haute: Je vous demande de sa part ce que vous en voulez, et je vous ordonne de me le dire, sous peine de sa disgrâce. Moi, qui croyais avoir non-seulement gagné, mais mérité toute la faveur du duc par mes travaux désintéressés, j'entrai, aux paroles insolentes de ce vilain homme, dans une si grande colère, que je lui dis que, quand le duc me donnerait dix mille écus, il ne me payerait pas trop, et que je ne me serais pas arrêté à Florence, si je ne m'étais attendu qu'à ce prix. Le *Guidi* me répondit par des paroles plus sottes encore, que je repoussai outrageusement, et, le lendemain, m'étant présenté devant le duc: Savez-vous, me dit-il en colère, que les villes et les palais se font pour dix mille écus?—Vous trouverez beaucoup d'hommes, lui répondis-je en baissant la tête, qui vous en feront; mais pour des *Persées*, non; et je m'en allai. Quelques jours après, la duchesse m'envoya chercher, et me dit qu'elle voulait m'accorder avec le duc, et que je m'en reposasse sur elle. Je répondis à ces paroles obligeantes que je n'avais jamais demandé, pour prix de mes peines, que les bonnes grâces de Son Excellence; qu'elle me les avait promises, qu'il n'était pas nécessaire qu'elle s'interposât pour m'obtenir une récompense que je ne demandais pas, puisque je me contentais de la moindre, si le duc me continuait ses bontés.

Benvenuto, me dit-elle, en souriant et en me tournant le dos, vous feriez mieux de vous en rapporter à moi.

Je croyais avoir bien fait de parler ainsi; mais il en résulta le contraire de ce que j'attendais, parce que la duchesse, quoiqu'un peu fâchée contre moi, avait un excellent esprit et un bon cœur. J'étais lié, dans ce temps-là, avec Jérôme *Albizzi*, commissaire de l'infanterie, qui me dit qu'il voulait m'accorder avec le duc, et que je ne devrais point pousser les choses au point de l'irriter contre moi. Comme j'avais appris que l'on avait dit au duc que, pour un quatrain[20], je mettrais en pièces mon *Persée*, et qu'ainsi tout serait fini, je m'en rapportai à Jérôme *Albizzi*, qui m'assura que je serais content, et que je resterais dans les bonnes grâces de Son Excellence. Cet homme, qui s'entendait mieux en soldats qu'aux choses de l'art, alla parler au duc, qui, de son côté, s'en remit à son jugement. Il pensa donc que trois mille cinq cents écus suffiraient pour me dédommager de mes travaux, et que je serais bien récompensé. Il m'écrivit là-dessus une lettre que le duc souscrivit. Que l'on juge du plaisir que j'eus à la recevoir! La duchesse, l'ayant su, ne put s'empêcher de dire que, si je m'en étais rapporté à elle, j'aurais eu cinq mille écus d'or. M. *Alamanni Salviati*, qui était présent, me répéta ces paroles, et se moqua de moi en disant que je n'avais que ce que je méritais.

Le duc me faisait payer cent écus d'or par mois. *Antonio* de *Nobili*, qui avait cette commission, m'en donna d'abord cinquante, ensuite vingt-cinq, et souvent rien du tout. Voyant ainsi mon payement se prolonger, je m'en plaignis, mais il m'allégua la pénurie d'argent qui était au palais et me promit de m'en donner à mesure qu'il en arriverait; de sorte que j'en vins avec lui aux grosses paroles; mais bientôt il mourut, et il m'est redû cinq cents écus d'or, au moment où je parle. Il m'était redû aussi quelque argent sur mon traitement; mais le duc, tourmenté pendant quarante heures d'une rétention d'urine, sur laquelle la médecine ne pouvait rien, eut recours à Dieu; et il fit payer l'arriéré de tout le monde. Mon *Persée* seul fut oublié.

J'avais résolu de ne plus en parler; mais je suis forcé d'y revenir, et de laisser le fil de mon discours pour retourner un peu en arrière. Je comptais donc bien faire en refusant l'intercession de la duchesse, et en lui disant que je me contenterais de tout ce que le duc voudrait me donner, parce que je savais qu'il était irrité contre moi, et que je voulais l'apaiser par mes soumissions; car, m'étant plaint à lui de quelques injustices que j'avais éprouvées, il m'avait répondu: Il en est de ceci comme de votre *Persée*, dont vous me demandez dix mille écus. Vous êtes trop intéressé; je le ferai estimer, et je le payerai en conséquence. À cela j'avais répondu d'une manière trop hardie envers un prince comme lui, en lui disant: Comment ferez-vous estimer ma *statue*, puisqu'il n'y a personne à Florence qui soit capable de la faire?—Je trouverai quelqu'un, me dit-il en colère. Il entendait par là se servir de *Bandinello*. Je lui répondis alors: Monseigneur, vous m'avez commandé un ouvrage d'une extrême difficulté, que j'ai achevé, et qui a mérité les éloges de cette divine école; je ne dis pas que le célèbre *Bronzino*, qui l'a loué en prose et en vers, n'en pût faire autant, s'il était sculpteur; je ne dis pas que le divin *Michel-Ange*, mon maître, n'en fût venu à bout dans le temps de sa jeune vigueur; mais je ne connais que ces deux-là dans notre école. Vous-même, Monseigneur, vous m'en avez témoigné un grand contentement; j'ai reçu de vous les plus magnifiques éloges. Quelle plus belle récompense pouvez-vous m'accorder? elle me suffit, et j'en rends grâces de tout mon cœur à Votre Excellence.—Vous croyez donc, me repartit le duc, que je ne puis la payer? Je la payerai plus qu'elle ne vaut.—Je ne m'étais attendu, pour le prix de mes peines, lui dis-je alors, qu'à l'approbation de cette école. Reprenez la maison que vous m'avez donnée; car je ne veux plus y rentrer, ni rester à Florence. À ces paroles pleines de courroux, il me dit avec plus de colère encore: Gardez-vous bien de partir! m'entendez-vous? De manière que de peur je le suivis au palais; car nous nous trouvions alors près de *Sainte-Félicité*. Quand nous y fûmes, il chargea l'archevêque de Pise et M. *de la Stacca* de dire à *Bandinello* d'estimer *Persée*. Il refusa d'abord cette commission, parce que nous étions mal ensemble; mais sur un ordre réitéré, après l'avoir bien examiné pendant deux jours, il prononça que ma statue valait dix-huit mille écus. Le duc devint furieux de cette estimation; et, lorsque j'en eus connaissance, je dis que je ne voulais rien de ce qui venait de *Bandinello*. C'est alors que la duchesse me dit de m'en rapporter à elle; ce que je refusai pour mon malheur.»

Cette série de vicissitudes était couronnée par le bonheur de famille que la Providence avait réservé pour les jours avancés de Benvenuto, en récompense des soins si tendres qu'il avait lui-même témoignés à son vieux père, et de la vive affection qu'il avait nourrie pour ses sœurs. La plus jeune d'entre elles, mariée et mère de famille à Florence, le logeait, le nourrissait, l'aimait et lui faisait goûter l'affection de ses nièces. Un autre eût été aussi heureux que la destinée le comporte. Cependant il pensait à retourner en France au service de François Ier. Il en fit parler au duc de Florence. Le duc rejeta bien loin cette requête, et continua ses commandes et ses bienfaits dans certaines limites, et Benvenuto devint, après *Michel-Ange*, le plus grand sculpteur d'Italie.

Il perdit son principal protecteur à la cour dans le cardinal Hippolyte de Médicis, qui prit la fièvre et la mort des *maremmes* de Toscane, dans un voyage où il accompagna le grand-duc son frère quelque temps après.

Benvenuto lui survécut peu; il mourut lui-même, riche et honoré, le 1er février 1570, et ses obsèques furent dignes de Florence et de lui. La croix monumentale qu'il avait conçue et exécutée vingt ans avant s'éleva dans l'église de la *Nunziata* sur sa tombe; on l'y admire encore. Semblable à ces grands musiciens qui écrivent en notes leurs plus magnifiques accents funèbres pour être chantés à leur propre convoi, il dormit sous le marbre qu'il s'était lui-même préparé. Cette croix, le *Persée*, et ses *Mémoires* furent ses éternels monuments, mais le plus impérissable furent ses *Mémoires*.

XIV.

Les principaux caractères de sa vie, écrits par lui-même tels que nous venons de vous les raconter, furent la naïveté souvent un peu féroce de ses sentiments et de ses actes. Ils peignent avec exactitude l'enthousiasme pour tous les arts de la main qui renaissaient sous Léon X, le culte du génie, la liberté des passions individuelles, à qui les crimes même étaient pardonnés en faveur d'un chef-d'œuvre de peinture et de sculpture, et enfin ce mélange bizarre de dévotion sincère et d'attentats atroces que l'absolution du pontife effaçait de la main même de l'assassin. La fausse modestie n'existait pas. On se vantait du mal comme du bien. Le génie était la vertu, la bravoure était la gloire. On jetait sa vie ou son immortalité à *croix ou pile*, pourvu qu'un pape eût le temps de vous pardonner et de vous renvoyer du gibet au ciel. Une sainte jactance affichait même plus de forfaits qu'on n'en avait commis. Ce temps explique *Machiavel* en politique, *Benvenuto* Cellini en art et en littérature. Les Médicis vinrent et changèrent ces mœurs en les polissant. Le commerce fit de l'Italie ce que la guerre et la religion en avaient fait sous les Romains et sous le christianisme naissant, ce modèle de l'Europe! Machiavel et Benvenuto Cellini furent les créatures de l'ère, de la politique et des arts, les héros forts et demi-barbares qui précédèrent dans l'antiquité fabuleuse les grandes civilisations.

Lamartine.

FIN.

CI^e ENTRETIEN.

LETTRE À M. SAINTE-BEUVE.

(PREMIÈRE PARTIE.)

I.

Mon cher Sainte-Beuve,

Je reçois et je relis, avec un plaisir égal à celui de ma jeunesse, ces deux charmants volumes que vous avez pensé à m'adresser à Saint-Point.

La vieillesse réconcilie l'homme avec sa jeunesse. Tout ce qu'il y a eu entre ces deux âges de la vie disparaît; il ne reste que l'intrinsèque des hommes. Nous nous sommes beaucoup plu et beaucoup aimé quand en 1827 nous nous connûmes; je connaissais déjà vos premiers vers, et je les avais mis à part dans mon souvenir et dans ma bibliothèque dépareillée de ce pauvre Saint-Point. Ils y sont encore souvent lus, souvent feuilletés par moi et par mes amis. *Saint-Point* était alors un port tranquille où je laissais en partant ce que j'espérais retrouver intact dans mes jours de repos. Maintenant Saint-Point est une barque flottante à tous les vents, engagée à mes créanciers, qui peuvent m'y chercher tous les mois, et je la radoube grâce à mes amis, tous les jours, pour gagner un port aventuré. Sans le dévouement d'une nièce chérie j'y serais seul; ma mère, ma femme, mes deux enfants, m'attendent au bout du jardin dans le cimetière de la paroisse. Je me sens plus léger depuis que je porte, isolé, le poids de l'existence. La mort n'est que le sentiment de ce qui se quitte. J'ai, comme un voyageur attardé, envoyé mes trésors avant moi; qu'ai-je à quitter? une âme, une âme seule qui jettera un peu de sable humide de ses larmes sur ma poussière, et qui mettra en ordre ce que je laisserai ici-bas pour que nul ne dise: «Il m'a emporté en mourant quelque chose de ce qui était à moi;» mais plutôt: «Il est mort pauvre, mais il n'a appauvri personne.»

Quant à l'éternelle réunion de ces âmes chéries dans le sein du maître doux, clément et miséricordieux, je ne m'en inquiète pas, je m'y fie comme l'enfant se fie à sa mère, et ma confiance même est ma preuve d'immortalité. Dieu ne voudrait pas permettre, pour son honneur, à sa créature d'imaginer une Providence éternelle plus belle que la sienne; nous serons bien étonnés là-haut de trouver un monde de morts plus beau cent fois que nous n'avons rêvé! que d'êtres adorés nous y retrouverons!

Laissez donc ces nouveaux prêcheurs du néant croire à la stérilité de la mort, plus qu'à la divinité de la vie! Cela n'est pas poétique, encore moins philosophique, indigne de nous!

II.

Entre nos jeunesses et vieillesses nous fûmes, à mon grand regret, souvent séparés. Les événements nous ballottèrent d'un bord à l'autre. Vous aimiez la révolution de 1830, bien que vous ne l'eussiez pas préparée; je ne l'aimais pas, elle ne me semblait pas loyale et pas complète. J'aurais voulu que Louis-Philippe acceptât le rôle réparateur de lieutenant général de Charles X, avec la tutelle de son petit-neveu Henri V. Sa situation était honorable et logique, deux mandats, l'un du peuple vainqueur, l'autre du roi vaincu, lui donnant une base inébranlable. Il aurait laissé quelques jours peut-être sa belle villa de Neuilly, mais au bout de peu de semaines, l'armée, toujours fidèle au bon sens, serait revenue à lui, et la doctrine toujours fidèle au vent qui se lève, lui aurait restitué le trône. Alors la France était effectivement sauvée, et Louis-Philippe très-fort, de son désintéressement, l'aurait reçue en dépôt. C'est 1830 qui a engendré 1848. On me dit: Pourquoi, vous-même en 1848, n'avez-vous pas pratiqué contre la république ce que vous conseilliez en 1830 au roi Louis-Philippe? Je réponds: «Parce que Mme la duchesse d'Orléans n'était que la belle-fille de ce roi de l'illégitimité, parce que le comte de Paris n'était que le petit-fils de l'usurpation, parce que le mot de république ne préjugeait rien et apaisait tout jusqu'à l'Assemblée constituante nommée au suffrage universel pour déclarer la volonté du pays! Sans cela j'aurais certainement ramené la duchesse d'Orléans et son fils aux Tuileries; je n'avais qu'à les indiquer, au peuple indécis! Mais il m'était évident aussi que la ramener aux Tuileries, c'était la *ramener au Capitole déjà conquis*, et au bas duquel était la roche Tarpéienne pour elle, l'anarchie pour nous!—Voilà pourquoi!»

III.

Vous-même, peu de temps après 1830, vous combattîtes Louis-Philippe dans le *National*, cette *Satire Menippée* du temps; je ne vous suivis pas. Une république de fantaisie me paraissait coupable; j'attendis l'heure d'une république de nécessité. Je m'y jetai alors, et la république sauva tout, tant qu'elle ne se transforma pas en *Montagne* et ne menaça pas la France de spoliation et d'échafaud. Moi-même elle m'avait répudié comme un homme d'ordre, et mes dix nominations de 1848 m'avaient remplacé par dix montagnards!

L'armée alors joua le tout pour le tout, et accomplit son mouvement d'où sortit un homme. Comme républicain fidèle et sensé, je m'affligeai mais je ne m'étonnai pas: entre une épée et un échafaud, la France n'hésitera jamais!

Je me retirai pour toujours alors; ma page était écrite; l'honneur me condamnait à un éternel ostracisme.

Vous n'aviez, vous, ni les mêmes devoirs, ni les mêmes antécédents, ni les mêmes points d'honneur; vous pouviez transiger et choisir; vous parûtes vous rallier à un second *dix-huit brumaire*, bien supérieur, selon moi, au premier. Je ne peux pas et je ne veux pas le juger ici.

. . . .
. . . . . .
. . . .
. . . . . .

L'histoire jugera dans quelques années; je n'ai pas d'humeur contre l'histoire. La France peut se ranger d'un autre parti que moi. *La France, c'est la France!* nous ne sommes que des Français; elle a toujours raison de se sauver quand il lui est démontré qu'elle se sauve!—Passons!—

IV.

Depuis cet exil volontaire à l'intérieur, je me suis retourné tout entier vers le passé; je ne me suis plus occupé de la politique de l'avenir, pas même par la pensée. Il ne faut pas regarder ce qu'on ne veut pas toucher. J'ai envisagé courageusement mon passé, et j'ai été effrayé un moment de l'abîme de mes affaires personnelles. Une dette énorme pesait sur moi; elle ne m'était point personnelle: quand on se dévoue corps et bien pour son pays, on brûle ses vaisseaux, on prend de l'argent partout où les braves gens vous en offrent. J'ai trouvé beaucoup de braves gens qui ne comptaient pas plus avec moi que moi avec eux. En 1850, ma dette passait deux millions. J'ai travaillé, j'ai vendu, j'ai engagé des terres, berceau, tombeau, tout, pour gagner du temps; bref, en y comprenant les fonds nécessaires à mes publications, mes dettes totales ont bientôt atteint cinq millions. Je suis parvenu à en payer jusqu'à *quatre* aujourd'hui; il m'en reste un et demi à faire, et, si j'y parviens avant de mourir, je mourrai en paix, sauf Milly, mon cher berceau, que j'ai été obligé de jeter au naufrage! (Sacrifice que je ne pardonnerai jamais à mes compatriotes de m'avoir imposé.)

Trois fois le chef du gouvernement, de qui je n'ai personnellement pas à me plaindre, m'a envoyé offrir les *deux millions* nécessaires à ma libération. J'ai cru devoir le remercier. J'ai désiré seulement que l'administration ne s'interposât pas entre moi et le public pauvre, mais empressé de m'offrir son obole, pour m'aider, par sa subvention volontaire, à me libérer d'une dette qui n'était pas toute à moi. C'est ainsi qu'en continuant encore deux ans à recevoir pour d'autres cette subvention individuelle, et grâce au travail, j'espère mourir pauvre, mais probe. N'en parlons plus! J'ai donc eu recours à tout, même au hasard. Espérons! Le hasard est Dieu!

V.

Pendant ce temps-là, bien que vous m'eussiez vu à l'œuvre, et, entre autres jours, le 16 avril 1848, le plus beau jour, le jour du salut, le jour encore mystérieux de ma vie publique, le jour que des calomnies qui seront confondues à leur heure ont cherché à tourner contre moi et dont ils ont voulu me dérober l'honneur et la résolution, bien que ces calomniateurs n'en sachent pas même encore la cause et le secret; bien que, reconnu par vous au moment où, déguisé, j'échappais à mon triomphe, vous m'ayez dit à l'oreille, enlevé par l'enthousiasme de la bienveillance, un de ces mots que je n'ai jamais oubliés, jamais cités, et qui prouvaient plus que de la justice pour moi dans votre cœur, que faisiez-vous?

Vous ne demandiez ni asile, ni pardon, ni emploi à la république sauvée et fondée le 16 avril 1848; mais vous préfériez aller fonder dans une université de Belgique un enseignement littéraire indépendant, malgré mes instances pour vous retenir. Vous portiez un talent grandi par la liberté et qui grandissait encore. Dès votre retour de Belgique, quelque temps après, vous allâtes achever de grandir en Suisse, dans cette ville de Lausanne que Voltaire avait choisie pour en faire la colonie de la liberté entre la persécution et les cours. Vous y trouviez, comme Voltaire lui-même, un beau ciel, un beau lac, de l'étude et des amitiés.

VI.

Rappelé en France par des temps plus tranquilles, vous y parûtes un homme nouveau, retrempé et renouvelé par l'exil volontaire et par des études impartiales. La France littéraire, pervertie par l'esprit de parti et distraite par ses orages, avait besoin de vous. Mme Récamier, M. de Chateaubriand, vos deux amis du passé, étant morts, vous ne deviez rien à personne; il nous fallait un grand critique, plus qu'un critique, un *moraliste littéraire* qui ne se bornât pas à la langue, mais qui étudiât l'homme et l'humanité dans l'écrivain, un *Laharpe d'après*, mais très-supérieur à Laharpe d'avant, homme de collége, qui n'apprit que les mots, quand *Sainte-Beuve* apprécie les choses. Les *Soirées du lundi*, plus approfondies que *Laharpe*, plus littéraires que *Grimm*, devinrent la correspondance, non plus avec tel ou tel prince d'Allemagne, mais avec la postérité. Votre style, souvent embarrassé de l'abondance de vues et de l'excès d'esprit de l'auteur, ressemblait dans le commencement à un fil d'or mal dévidé, qui se noue dans sa trame et qu'on regrette de ne pas trouver toujours sous la main. La richesse est souvent un embarras pour l'écrivain, une énigme pour le lecteur; on s'y retrouvait, mais il fallait chercher son chemin. Votre route avait trop de sentiers! on lisait avec charme pourtant. Maintenant l'excès s'est dépouillé, il n'y a plus que le charme. L'éblouissement des rayons trop nombreux sur lesquels le jour éclaboussait s'est changé en lumière unie, franche et vraie, qui attire les yeux, qui les fixe et qui les repose! C'est parfait.

Je lis assidûment les admirables articles qui font du *Constitutionnel du lundi* le premier des livres littéraires de haute critique de la France. On n'a pas besoin d'attendre le retour d'Allemagne, et l'impression en recueil de ces correspondances avec des impératrices de Russie, des rois de Prusse, des électeurs de Hesse ou de Bade, qui portaient le génie de la France au dix-huitième siècle partout. On ouvre le *Constitutionnel du lundi*; l'on sait ce qu'a pensé l'Europe, ce qu'elle pense et ce qu'elle pensera dans ce siècle.—L'esprit de parti ne jette plus ni ombre, ni tache, ni prévention sur la page. L'esprit de parti n'est que le *lieu commun* des sots qui se font passer un certain temps pour des hommes d'esprit; l'immortalité ne les connaît pas. Aussi voyez combien d'hommes soi-disant supérieurs, mais en réalité très-médiocres, de 1789 à 1863, ont occupé l'attention trompée de leur siècle, et disparu tout entiers sous la poussière de la *vogue* qui les avait soulevés,—depuis M. Necker jusqu'à messieurs tels ou tels que je ne veux pas nommer pour ne pas faire rougir leurs partisans devant la taille vraie de leurs idoles successives! Voltaire,—Mirabeau—Danton; le premier des Bonaparte, comme homme de guerre; Louis XVIII, quoique détestable écrivain; Rossini, quoique exclusivement dieu de la musique; Thiers, quoique plus orateur et historien qu'homme d'État; le second des Bonaparte, quoiqu'il soit l'homme où l'esprit de parti aveugle ait eu la main heureuse en le choisissant pour dictateur;—ces hommes, nés d'eux-mêmes, et vraiment remarquables, rapetissent tout ce qui est faussement grand autour d'eux. On n'a qu'à fermer les yeux pendant une ou deux générations, et, en regardant après devant soi, on n'aperçoit plus qu'une ou deux grandes figures debout de toute leur hauteur. Le reste a disparu.

VII.

Quoi qu'il en soit, continuez; vous élevez un monument aux autres et à vous-même. Déblayez courageusement les routes du temple! Vous étiez fait pour mieux; vous êtes comme moi, né pour le grand, condamné au moindre. La nature nous avait bien doués, les événements nous ont mal servis: tant pis pour eux.

Je ne sais plus en quelle année exacte de ce siècle, autour de 1820, je crois, il parut un petit livre de poésie extrêmement original, intitulé: les *Poésies de Joseph Delorme*. Joseph Delorme était un pseudonyme, un jeune poëte imaginaire dessiné sur le type de Werther. On lui arracha le masque bientôt, et sous ce masque maladif on reconnut un autre jeune homme blond, frais, fin et profond de physionomie, Allemand plus que Français d'apparence.

Le peu de personnes qui prétendaient vous connaître disaient que vous sortiez d'une de nos villes maritimes du Nord, où vous aviez marqué dans votre éducation très-distinguée. On n'en savait pas davantage. Une mère que je connus plus tard vous était le monde tout entier. Cette mère n'avait que vous pour passé, pour présent, pour avenir; j'aime à me la retracer dans ce petit jardinet de la rue *Notre-Dame des Champs*, où je causais souvent avec elle en attendant que vous fussiez rentré quand j'allais vous voir; sa modestie, sa grâce naturelle, sa bonté maternelle, son sourire fin et attendri, le timbre enchanteur de sa voix émue en causant de vous, me rappelaient cette *Monique*, mère d'Augustin, si bien peinte par *Scheffer*, quand, dans son geste double, elle presse ici-bas des deux mains les mains de son fils, tandis que ses deux beaux yeux levés au ciel et tournés à Dieu ont déjà oublié la terre et enlèvent l'âme de son enfant dans un regard. Une maternité si complète éclate dans cette ravissante figure qu'on ne sait pas où est le père et qu'on ne s'en inquiète pas.

VIII.

Voici comment vous peigniez vous-même Joseph Delorme, cet autre vous-même sous le nom duquel vous vouliez entrer alors dans notre monde:

«Joseph était poëte, parce qu'il était amoureux.—Mais, dans la crainte de s'emprisonner dans une affection trop étroite, il avait cessé de rendre visite à une jeune personne pour laquelle il éprouvait trop d'inclination.

«Son premier amour pour la poésie se convertit alors en une aversion profonde; il se sevrait rigoureusement de toute lecture trop enivrante, pour être certain de tuer en lui son inclination rebelle. Il en voulait misérablement aux Byron, aux Lamartine, comme Pascal à Montaigne, comme Malebranche à l'imagination, parce que ces grands poëtes l'attaquaient par son côté faible.

«Un jour, c'était un dimanche, le soleil luisait avec cet éclat et cette chaleur de printemps qui épanouissent la nature et toutes les âmes vivantes. Au réveil, Joseph sentit pénétrer jusqu'à lui un rayon de l'allégresse universelle, et naître en son cœur comme une envie d'être heureux ce jour-là. Il s'habilla promptement, et sortit seul pour aller s'ébattre et rêver sous les ombrages de Meudon. Mais, au détour de la première rue, il rencontra deux amants du voisinage qui sortaient également pour jouir de la campagne, et qui, tout en regardant le ciel, se souriaient l'un à l'autre avec bonheur. Cette vue navra Joseph. Il n'avait personne, lui, à qui il pût dire que le printemps était beau, et que la promenade, en avril, était délicieuse. Vainement il essaya de secouer cette idée, et de continuer quelque temps sa marche: le charme avait disparu; il revint à la hâte sur ses pas, et se renferma tout le jour.

«Les seules distractions de Joseph, à cette époque, étaient quelques promenades, à la nuit tombante, sur un boulevard extérieur près duquel il demeurait. Ces longs murs noirs, ennuyeux à l'œil, ceinture sinistre du vaste cimetière qu'on appelle une grande ville; ces haies mal closes laissant voir, par des trouées, l'ignoble verdure des jardins potagers; ces tristes allées monotones, ces ormes gris de poussière, et, au-dessous, quelque vieille accroupie avec des enfants au bord d'un fossé; quelque invalide attardé regagnant d'un pied chancelant la caserne; parfois, de l'autre côté du chemin, les éclats joyeux d'une noce d'artisans, cela suffisait, durant la semaine, aux consolations chétives de notre ami; depuis, il nous a peint lui-même ses soirées du dimanche dans la pièce des *Rayons jaunes*. Sur ce boulevard, pendant des heures entières, il cheminait à pas lents, *voûté comme un aïeul*, perdu en de vagues souvenirs, et s'affaissant de plus en plus dans le sentiment indéfinissable de son existence manquée. Si quelque méditation suivie l'occupait, c'était d'ordinaire un problème bien abstrus d'idéologie condillacienne; car, privé de livres qu'il ne pouvait acheter, sevré du commerce des hommes, d'où il ne rapportait que trouble et regret, Joseph avait cherché un refuge dans cette science des esprits taciturnes et pensifs. Son intelligence avide, faute d'aliment extérieur, s'attaquait à elle-même, et vivait de sa propre substance comme le malheureux affamé qui se dévore.

«Cependant, au milieu de ces tourments intérieurs, Joseph poursuivait avec constance les études relatives à sa profession. Quelques hommes influents le remarquèrent enfin, et parlèrent de le protéger. On lui conseilla trois ou quatre années de service pratique dans l'un des hôpitaux de la capitale, après quoi on répondait de son avenir. Joseph crut alors toucher à une condition meilleure: c'était l'instant critique; il rassembla les forces de sa raison et se résigna aux dernières épreuves. S'il parvenait à les surmonter, et si, au sortir de là, comme on le lui faisait entendre, un patronage honorable et bienveillant l'introduisait dans le monde, sa destinée était sauve désormais; des habitudes nouvelles commençaient pour lui et l'enchaînaient dans un cercle que son imagination était impuissante à franchir; une vie toute de devoir et d'activité, en le saisissant à chaque point du temps, en l'étreignant de mille liens à la fois, étouffait en son âme jusqu'aux velléités de rêveries oisives; l'âge arrivait d'ailleurs pour l'en guérir, et peut-être un jour, parvenu à une vieillesse pleine d'honneur, entouré d'une postérité nombreuse et de la considération universelle, peut-être il se serait rappelé avec charme ces mêmes années si sombres; et, les renvoyant dans sa mémoire à travers un nuage d'oubli, les retrouvant humbles, obscures et vides d'événements, il en aurait parlé à sa jeune famille attentive, comme des années les plus heureuses de sa vie. Mais la fatalité, qui poursuivait Joseph, tournait tout à mal. À peine eut-il accepté la charge d'une fonction subalterne, et se fut-il placé, à l'égard de ses protecteurs, dans une position dépendante qu'il ne tarda pas à pénétrer les motifs d'une bienveillance trop attentive pour être désintéressée. Il avait compté être protégé, mais non exploité par eux; son caractère noble se révolta à cette dernière idée. Pourtant des raisons de convenance l'empêchaient de rompre à l'instant même et de se dégager brusquement de la fausse route où il s'était avancé. Il jugea donc à propos de temporiser trois ou quatre mois, souffrant en silence et se ménageant une occasion de retraite.

«Ces trois ou quatre mois furent sa ruine. Le désappointement moral, la fatigue de dissimuler, des fonctions pénibles et rebutantes, la disette de livres, un isolement absolu, et, pourquoi ne pas l'avouer? une vie misérable, un galetas au cinquième et l'hiver, tout se réunissait cette fois contre notre pauvre ami, qui, par caractère encore, n'était que trop disposé à s'exagérer sa situation. C'est lui-même, au reste, qu'il faut entendre gémir. Le morceau suivant, que nous tirons de son journal, est d'un ton déchirant. Quand son imagination malade se serait un peu grossi les traits du tableau, faudrait-il moins compatir à tant de souffrances?

«Ce vendredi 14 mars 1820, dix heures et demie du matin.

«Si l'on vous disait: Il est un jeune homme, heureusement doué par la nature et formé par l'éducation; il a ce qu'on appelle du talent, avec la facilité pour le produire et le réaliser; il a l'amour de l'étude, le goût des choses honnêtes et utiles, point de vices, et, au besoin, il se sent capable de déployer de fortes vertus. Ce jeune homme est sans ambition, sans préjugés. Quoique d'un caractère inflexible et d'airain, il est, si on ne l'atteint pas au fond, doux, tolérant, facile à vivre, surtout inoffensif; ceux qui le connaissent veulent bien l'aimer, ou du moins s'intéresser à lui; tout ce qu'ils lui peuvent reprocher, c'est d'être excessivement timide, peu parleur et triste. Il entre aisément dans les idées de tout le monde, et pourtant il a des idées à lui, auxquelles il tient, et avec raison. Ce jeune homme a toujours, depuis qu'il se connaît, reçu des éloges et des espérances: enfant, il a grandi au milieu d'encouragements flatteurs et de succès mérités; depuis, il n'a jamais dérogé à sa conduite première, et il est resté irréprochable. Sa pureté est même austère par moments, quoique pleine d'indulgence envers autrui. Ce jeune homme a gardé son cœur, et il a près de vingt ans, et ce cœur est sensible, aimant; c'est le cœur d'un poëte. Il respecte les femmes; il les adore quand elles lui paraissent estimables; il ne demande au ciel qu'une jeune et fidèle amie, avec laquelle il s'unisse saintement jusqu'au tombeau. Ce jeune homme a de modestes besoins; le froid, la fatigue, la faim même, l'ont déjà éprouvé, et le plus étroit bien-être lui suffit. Il méprise l'opinion ou plutôt la néglige, et sait surtout que le bonheur vient du dedans. Il a une mère tendre enfin. Que lui manque-t-il? Et si l'on ajoutait: Ce jeune homme est le plus malheureux des êtres. Depuis bien des jours, il se demande s'il est une seule minute où l'un de ses goûts ait été satisfait, et il ne la trouve pas. Il est pauvre, et jusqu'aux livres de son étude, il s'en passe, faute de quoi. Il est lancé dans une carrière qui l'éloigne du but de ses vœux; dans cette carrière même, il s'égare plutôt qu'il n'avance, dénué qu'il est de ressources et de soutien. Sa mère pour lui s'épuise, et ne peut faire davantage. Lui travaille, mais travaille à peu de lucre, à peu de profit intellectuel, à nul agrément. Ses forces portent à vide; la matière leur manque; elles se consument et le rongent. Les encouragements superficiels du dehors le replongent dans l'idée de sa fausse situation, et le navrent. La vue de jeunes et brillants talents qui s'épanouissent lui inspire, non pas de l'envie, il n'en eut jamais! mais une tristesse resserrante. S'il va un jour dans ce monde qui lui sourit, mais où il sent qu'il ne peut se faire une place, il est en pleurs le lendemain; et s'il se résigne, car il le faut bien, c'est la douleur dans l'âme et en baissant la tête. Qu'on ne lui parle pas de protecteurs, ils se ressemblent tous, plus ou moins: ils ne donnent que pour qu'on leur rende, ou, s'ils donnent gratuitement, c'est qu'il ne leur en coûte nulle peine; leur indifférence n'irait pas jusque-là. Sa fierté à lui, honorable et vertueuse, s'accommoderait mal de ces transactions coupables ou de ses méprisantes légèretés. Oh! qui ne le plaindrait, ce jeune et malheureux cœur, si on y lisait ce qu'il souffre! qui ne plaindrait cet homme de vingt ans (car on est homme à vingt ans quand on est resté pur), en le voyant, sous la tuile, mendier dans l'étude une vaine et chétive distraction; non pas dans une étude profonde, suivie, attachante, mais dans une étude rompue, par haillons et par miettes, comme la lui fait le denier de la pauvreté? Qui ne le plaindrait de cette cruelle impuissance où il est d'atteindre à sa destinée? et quel être heureux, s'il n'avait souffert lui-même, ne sourirait de pitié à ces petites joies que l'infortuné se fait en consolation d'une journée d'ennui et de marasme; joies niaises à qui n'a point passé par là, et que dédaignerait même un enfant: *prendre dans la rue le côté du soleil; s'arrêter à quatre heures sur le pont du canal, et, durant quelques minutes, regarder couler l'eau, etc., etc.* Quant à ce besoin d'aimer qu'on éprouve à vingt ans... mais moi, qui écris ceci, je me sens défaillir; mes yeux se voilent de larmes, et l'excès de mon malheur m'ôte la force nécessaire pour achever de le décrire... *Miserere!*»

«On voit, par quelques mots de cette méditation, que la vieille colère de Joseph contre la poésie s'était déjà beaucoup apaisée; il s'y glorifie d'avoir un *cœur de poëte*; et en effet, durant ses heures d'agonie, la Muse était revenue le visiter. Un soir qu'il avait par hasard entendu un opéra à Feydeau, et qu'il s'en retournait lentement vers son réduit à la clarté d'une belle lune de mars, la fraîcheur de l'air, la sérénité du ciel, la teinte frémissante des objets, et les derniers échos d'harmonie qui vibraient à son oreille, agirent ensemble sur son âme, et il se surprit murmurant des plaintes cadencées qui ressemblaient à des vers. Ce fut pour lui comme un rayon de lumière saisi au passage à travers des barreaux. Dans ses longs tête-à-tête avec lui-même, sa morgue philosophique était bien tombée. Il avait compris que tout ce qui est humain a droit au respect de l'homme, et que tout ce qui console est bon au malheureux. Il avait relu avec candeur et simplicité ces mélodieuses lamentations poétiques dont il avait autrefois persiflé l'accent. L'idée de s'associer aux êtres élus qui chantent ici-bas leurs peines, et de gémir harmonieusement à leur exemple, lui sourit au fond de sa misère et le releva un peu. L'art, sans doute, n'entrait pour rien dans ses premiers essais. Joseph ne voulait que se dire fidèlement ses souffrances, et se les dire en vers. Mais il y a dans la poésie même la plus humble, pourvu qu'elle soit vraie, quelque chose de si décevant, qu'il fut, par degrés, entraîné beaucoup plus loin qu'il n'avait cru d'abord. Pour le moment, son importante affaire était de recouvrer sa liberté. Après quatre mois de silence, il n'hésita plus; un mot la lui rendit. Cela fait, incapable de rien poursuivre, renonçant à tout but, s'enveloppant de sa pauvreté comme d'un manteau, il ne pensa qu'à vivre chaque jour en condamné de la veille qui doit mourir le lendemain, et à se bercer de chants monotones pour endormir la mort.

«Il reprit un logement dans son ancien quartier, et s'y confina plus étroitement que jamais, n'en sortant qu'à la nuit close. Là commença de propos délibéré, et se poursuivit sans relâche, son lent et profond suicide; rien que des défaillances et des frénésies, d'où s'échappaient de temps à autre des cris ou des soupirs; plus d'études suivies et sérieuses; parfois, seulement, de ces lectures vives et courtes qui fondent l'âme ou la brûlent; tous les romans de la famille de *Werther* et de *Delphine*; *le Peintre de Saltzbourg*, *Adolphe*, *René*, *Édouard*, *Adèle*, *Thérèse*, *Aubert* et *Valérie*; Sénancour, Lamartine et Ballanche; Ossian, Cowper, etc.

«En nous efforçant d'arracher cette humble mémoire à l'oubli, continue-t-il, et en risquant aujourd'hui, au milieu d'un monde peu rêveur, ces poésies mystérieuses que Joseph a confiées à notre amitié, nous avons dû faire un choix sévère, tel sans doute qu'il l'eût fait lui-même s'il les avait mises au jour de son vivant. Parmi les premières pièces qu'il composa, et dans lesquelles se trahit une grande inexpérience, nous ne prenons qu'un seul fragment, et nous l'insérons ici parce qu'il nous donne occasion de noter un fait de plus dans l'histoire de cette âme souffrante. Après avoir essayé de retracer l'enivrement d'un cœur de poëte à l'entrée de la vie, Joseph continue en ces mots:

Songe charmant, douce espérance!
Ainsi je rêvais à quinze ans;
Aux derniers reflets de l'enfance,
À l'aube de l'adolescence,
Se peignaient mes jours séduisants.

Mais la gloire n'est pas venue;
Mon amante auprès d'un époux
De moi ne s'est plus souvenue,
Et de ma folie inconnue
Ma mère se plaint à genoux.

Moi, malheureux, je rêve encore,
Et, poëte désenchanté,
À l'autel du Dieu que j'adore,
Sous la cendre je me dévore,
Foyer que la flamme a quitté.

Avez-vous vu, durant l'orage,
L'arbre par la foudre allumé?
Longtemps il fume; en long nuage
Sa verte séve se dégage
Du tronc lentement consumé.

Oh! qui lui rendra son jeune âge?
Qui lui rendra ses jets puissants,
Les nids bruyants de son feuillage,
Les rendez-vous sous son ombrage,
Ses rameaux, la nuit gémissants?

Qui rendra ma fraîche pensée
À son rêver délicieux?
Quel prisme à ma vue effacée
Repeindra la couleur passée
Où nageaient la terre et les cieux?

Était-ce une blanche atmosphère,
Le brouillard doré du matin,
Ou du soir la rougeur légère,
Ou cette pâleur de bergère
Dont Phœbé nuance son teint?

Était-ce la couleur de l'onde
Quand son cristal profond et pur
Réfléchit le dôme du monde?
Ou l'œil bleu de la beauté blonde
Luisait-il d'un si tendre azur?

Mais bleue encore est la prunelle;
Mais l'onde encore est un miroir;
Phœbé luit toujours aussi belle;
Chaque matin l'aube est nouvelle,
Et le ciel rougit chaque soir.

Et moi, mon regard est sans vie;
Dans l'univers décoloré
Je traîne l'inutile envie
D'y revoir la lueur ravie
Qui d'abord l'avait éclairé.

Je soulève en vain la paupière:
Sans l'œil de l'âme, que voit-on?
Ô ciel! ôte-moi ta lumière,
Mais rends-moi ma flamme première;
Aveugle-moi comme Milton!

Enfant, je suis Milton! relève ton courage;
N'use point ta jeunesse à sécher dans le deuil;
Il est pour les humains un plus noble partage
Avant de descendre au cercueil!

Abandonne la plainte à la vierge abusée,
Qui, sur ses longs fuseaux se pâmant à loisir,
Dans de vagues élans se complaît, amusée
Au récit de son déplaisir.

Brise, brise, il est temps, la quenouille d'Alcide;
Achille, loin de toi cette robe aux longs plis!
Renaud, ne livre plus aux guirlandes d'Armide
Tes bras trop longtemps amollis.

Tu rêves, je le sais, le laurier des poëtes;
Mais Pétrarque et le Dante ont-ils toujours rêvé
En ces temps où luisait, dans leurs nuits inquiètes,
Des partis le glaive levé?

Et moi, rêvais-je alors qu'Albion en colère,
Pareille à l'Océan qui s'irrite et bondit,
Loin d'elle rejetait la race impopulaire
Du tyran qu'elle avait maudit?

Il fallut oublier les mystiques tendresses,
Et les sonnets d'amour dits à l'écho des bois;
Il fallut, m'arrachant à mes douces tristesses,
Corps à corps combattre les rois.

Éden, suave Éden, berceau des frais mystères,
Pouvais-je errer en paix dans tes bosquets pieux,
Quand Albion pleurait, quand le cri de mes frères
Avec leur sang montait aux cieux?

Je croyais voir alors l'Ange à la torche sainte:
Terrible, il me chassait du divin paradis,
Et, debout à la porte, il en gardait l'enceinte,
Ainsi qu'il la garda jadis.

Sur moi, quand je fuyais, il secoua sa flamme;
Sion, quel chaste amour en moi fut allumé!
Dans tes embrassements je répandis mon âme,
De Sion enfant bien-aimé.

Sur Sion qui gémit la voix du Seigneur gronde;
Il vient la consoler par ces terribles sons;
Silence aux flots des mers, aux entrailles du monde!
Silence aux profanes chansons!

Non, la lyre n'est pas un jouet dans l'orage;
Le poëte n'est pas un enfant innocent,
Qui bégaye un refrain et sourit au carnage
Dans les bras de sa mère en sang.

Avant qu'à ses regards la patrie immolée
Dans la poussière tombe, elle l'a pour soutien:
Par le glaive il la sert, quand sa lyre est voilée;
Car le poëte est citoyen.

—Ainsi parlait Milton; et ma voix plus sévère,
Par degrés élevant son accent jusqu'au sien,
Après lui murmurait: «Oui, la France est ma mère,
Et le poëte est citoyen.»

«Tout ce discours de Milton révèle assez quelle fièvre patriotique fermentait au cœur de Joseph, et combien les souffrances du pays ajoutèrent aux siennes propres, tant que la cause publique fut en danger. C'était le seul sentiment assez fort pour l'arracher aux peines individuelles, et il en a consacré, dans quelques pièces, l'expression amère et généreuse. Plus d'un motif nous empêche, comme bien l'on pense, d'être indiscret sur ce point. À une époque d'ailleurs où les haines s'apaisent, où les partis se fondent, et où toutes les opinions honnêtes se réconcilient dans une volonté plus éclairée du bien, les réminiscences de colère et d'aigreur seraient funestes et coupables, si elles n'étaient avant tout insignifiantes. Joseph le sentait mieux que personne. Il vécut assez pour entrevoir l'aurore de jours meilleurs, et pour espérer en l'avenir politique de la France. Avec quel attendrissement grave et quel coup d'œil mélancolique jeté sur l'humanité, sa mémoire le reportait alors aux orages des derniers temps! En nous parlant de cette Révolution dont il adorait les principes et dont il admirait les hommes, combien de fois il lui arrivait de s'écrier avec lord Ormond dans *Cromwell*:

Triste et commun effet des troubles domestiques!
À quoi tiennent, mon Dieu, les vertus politiques?
Combien doivent leur faute à leur sort rigoureux,
Et combien semblent purs qui ne furent qu'heureux!

Et qu'il enviait au divin poëte d'avoir pu dire, parlant à sa lyre tant chérie:

Des partis l'haleine glacée
Ne t'inspira point tour à tour:
Aussi chaste que la pensée,

Nul souffle ne t'a caressée,
Excepté celui de l'amour!

«Par ses goûts, ses études et ses amitiés, surtout à la fin, Joseph appartenait d'esprit et de cœur à cette jeune école de poésie qu'André Chénier légua au dix-neuvième siècle du pied de l'échafaud, et dont Lamartine, Alfred de Vigny, Victor Hugo, Émile Deschamps, et dix autres après eux, ont recueilli, décoré, agrandi le glorieux héritage. Quoiqu'il ne se soit jamais essayé qu'en des peintures d'analyse sentimentale et des paysages de petite dimension, Joseph a peut-être le droit d'être compté à la suite, loin, bien loin de ces noms célèbres. S'il a été sévère dans la forme, et pour ainsi dire religieux dans la facture; s'il a exprimé au vif et d'un ton franc quelques détails pittoresques ou domestiques jusqu'ici trop dédaignés; s'il a rajeuni ou refrappé quelques mots surannés ou de basse bourgeoisie, exclus, on ne sait pourquoi, du langage poétique; si enfin il a constamment obéi à une inspiration naïve et s'est toujours écouté lui-même avant de chanter, on voudra bien lui pardonner peut-être l'individualité et la monotonie des conceptions, la vérité un peu crue, l'horizon un peu borné de certains tableaux; du moins son passage ici-bas dans l'obscurité et dans les pleurs n'aura pas été tout à fait perdu pour l'art: lui aussi, il aura eu sa part à la grande œuvre, lui aussi il aura apporté sa pierre toute taillée au seuil du temple; et peut-être sur cette pierre, dans les jours à venir, on relira quelquefois son nom.

«Paris, février 1829.»

IX.

Comme de juste, les premiers vers de Joseph Delorme ou de vous étaient amoureux. L'amour est l'aurore de la nature. Qui n'aime pas ne voit rien. Jusqu'à ce que ce soleil du cœur se lève, tout est ténèbre et par conséquent tout est froid. Les plus grands poëtes sont ceux qui ont le plus aimé de l'amour de l'âme. Voici comment vous aimiez, c'est-à-dire comment vous chantiez votre premier air: c'était chaste, par conséquent amoureux, car là, la chasteté n'est que le respect de ce qu'on aime.

PREMIER AMOUR.

Printemps, que me veux-tu? Pourquoi ce doux sourire,
Ces fleurs dans tes cheveux et ces boutons naissants?
Pourquoi dans les bosquets cette voix qui soupire,
Et du soleil d'avril ces rayons caressants?

Printemps si beau, ta vue attriste ma jeunesse;
De biens évanouis tu parles à mon cœur;
Et d'un bonheur prochain ta riante promesse
M'apporte un long regret de mon premier bonheur.

Un seul être pour moi remplissait la nature;
En ses yeux je puisais la vie et l'avenir;
Au musical accent de sa voix calme et pure,
Vers un plus frais matin je croyais rajeunir.

Oh! combien je l'aimais! et c'était en silence!
De son front virginal arrosé de pudeur,
De sa bouche où nageait tant d'heureuse indolence,
Mon souffle aurait terni l'éclatante candeur.

Par instants j'espérais. Bonne autant qu'ingénue,
Elle me consolait du sort trop inhumain;
Je l'avais vue un jour rougir à ma venue,
Et sa main par hasard avait touché ma main.

Que de fois, étalant une robe nouvelle,
Naïve, elle appela mon regard enivré,
Et sembla s'applaudir de l'espoir d'être belle,
Préférant le ruban que j'avais préféré!

Ou bien, si d'un pinceau la légère finesse
Sur l'ovale d'ivoire avait peint ses attraits,
Le velours de sa joue, et sa fleur de jeunesse,
Et ses grands sourcils noirs couronnant tous ses traits:

Ah! qu'elle aimait encor, sur le portrait fidèle
Que ses doigts blancs et longs me tenaient approché,
Interroger mon goût, le front vers moi penché,
Et m'entendre à loisir parler d'elle près d'elle!

Un soir, je lui trouvai de moins vives couleurs:
Assise, elle rêvait: sa paupière abaissée
Sous ses plis transparents dérobait quelques pleurs;
Son souris trahissait une triste pensée.

Bientôt elle chanta; c'était un chant d'adieux.
Oh! comme, en soupirant la plaintive romance,
Sa voix se fondait toute en pleurs mélodieux,
Qui, tombés en mon cœur, éteignaient l'espérance!

Le lendemain un autre avait reçu sa foi.
Par le vœu de ta mère à l'autel emmenée,
Fille tendre et pieuse, épouse résignée,
Sois heureuse par lui, sois heureuse sans moi!

Mais que je puisse au moins me rappeler tes charmes;
Que de ton souvenir l'éclat mystérieux

Descende quelquefois au milieu de mes larmes,
Comme un rayon de lune, un bel Ange des cieux!

Qu'en silence adorant ta mémoire si chère,
Je l'invoque en mes jours de faiblesse et d'ennui;
Tel en sa sœur aînée un frère cherche appui,
Tel un fils orphelin appelle encor sa mère.

Puis vient une série de pièces en vers où respire un souffle à la fois antique et moderne. Quelque chose de Virgile et d'André Chénier.

Mais une pièce étrange, et cependant au fond très-originale, très-belle et très-triste, intitulée les *Rayons jaunes*, attira sur ce remarquable volume les regards et les moqueries des critiques du temps. Je n'étais pas critique alors, je n'étais que sensible. Je me souviens que les *Rayons jaunes*, cette nuance non encore caractérisée du soir dans nos villes ou dans nos étages élevés de nos chambres à la campagne, me frappa comme une nouveauté des yeux, du cœur, de l'expression, et m'arracha des larmes. Je me dis: Voilà un jeune homme qui s'attache trop à un détail, mais le détail est pittoresque, et son expression restera dans le dictionnaire de nos tristesses. J'ai mille fois senti ces rayons jaunes. Je n'aurais pas osé les décrire, ce jeune homme est plus poëte que moi! du premier coup il déchire le voile des fausses convenances, et pénètre dans la nature vraie comme un conquérant dans son domaine.

LES RAYONS JAUNES.

Lurida præterea fiunt quæcumque...

LUCRECE, liv. IV.

Les dimanches d'été, le soir, vers les six heures,
Quand le peuple empressé déserte ses demeures
Et va s'ébattre aux champs,
Ma persienne fermée, assis à ma fenêtre,
Je regarde d'en haut passer et disparaître
Joyeux bourgeois, marchands,

Ouvriers en habits de fête, au cœur plein d'aise;
Un livre est entr'ouvert, près de moi, sur ma chaise:
Je lis ou fais semblant;
Et les jaunes rayons que le couchant ramène,
Plus jaunes ce soir-là que pendant la semaine,
Teignent mon rideau blanc.

J'aime à les voir percer vitres et jalousies;
Chaque oblique sillon trace à ma fantaisie
Un flot d'atomes d'or;
Puis, m'arrivant dans l'âme à travers la prunelle,

Ils redorent aussi mille pensers en elle,
Mille atomes encor.

Ce sont des jours confus dont reparaît la trame,
Des souvenirs d'enfance, aussi doux à notre âme
Qu'un rêve d'avenir:
C'était à pareille heure (oh! je me le rappelle)
Qu'après vêpres, enfants, au chœur de la chapelle,
On nous faisait venir.

La lampe brûlait jaune, et jaune aussi les cierges;
Et la lueur glissant aux fronts voilés des vierges
Jaunissait leur blancheur;
Et le prêtre vêtu de son étole blanche
Courbait un front jauni, comme un épi qui penche
Sous la faux du faucheur.

Oh! qui dans une église, à genoux sur la pierre,
N'a bien souvent, le soir, déposé sa prière,
Comme un grain pur de sel?
Qui n'a du crucifix baisé le jaune ivoire?
Qui n'a de l'Homme-Dieu lu la sublime histoire
Dans un jaune missel?

Mais où la retrouver, quand elle s'est perdue,
Cette humble foi du cœur, qu'un Ange a suspendue
En palme à nos berceaux;
Qu'une mère a nourrie en nous d'un zèle immense;
Dont chaque jour un prêtre arrosait la semence
Au bord des saints ruisseaux?

Peut-elle refleurir lorsqu'a soufflé l'orage,
Et qu'en nos cœurs l'orgueil debout a, dans sa rage,
Mis le pied sur l'autel?
On est bien faible alors, quand le malheur arrive,
Et la mort... faut-il donc que l'idée en survive
Au vœu d'être immortel!

J'ai vu mourir, hélas! ma bonne vieille tante,
L'an dernier; sur son lit, sans voix et haletante,
Elle resta trois jours,
Et trépassa. J'étais près d'elle dans l'alcôve;
J'étais près d'elle encor quand sur sa tête chauve
Le linceul fit trois tours.

Le cercueil arriva, qu'on mesura de l'aune;
J'étais là... puis, autour, des cierges brûlaient jaune,

Des prêtres priaient bas;
Mais en vain je voulais dire l'hymne dernière;
Mon œil était sans larme et ma voix sans prière,
Car je ne croyais pas.

Elle m'aimait pourtant...; et ma mère aussi m'aime,
Et ma mère à son tour mourra; bientôt moi-même
Dans le jaune linceul
Je l'ensevelirai; je clouerai sous la lame
Ce corps flétri, mais cher, ce reste de mon âme;
Alors je serai seul;

Seul, sans mère, sans sœur, sans frère et sans épouse;
Car qui voudrait m'aimer, et quelle main jalouse
S'unirait à ma main?...
Mais déjà le soleil recule devant l'ombre,
Et les rayons qu'il lance à mon rideau plus sombre
S'éteignent en chemin...

Non, jamais à mon nom ma jeune fiancée
Ne rougira d'amour, rêvant dans sa pensée
Au jeune époux absent;
Jamais deux enfants purs, deux anges de promesse,
Ne tiendront suspendus sur moi, durant la messe,
Le poêle jaunissant.

Non, jamais, quand la mort m'étendra sur ma couche,
Mon front ne sentira le baiser d'une bouche,
Ni mon œil obscurci
N'entreverra l'adieu d'une lèvre mi-close!
Jamais sur mon tombeau ne jaunira la rose,
Ni le jaune souci!

—Ainsi va ma pensée, et la nuit est venue;
Je descends, et bientôt dans la foule inconnue
J'ai noyé mon chagrin:
Plus d'un bras me coudoie; on entre à la guinguette,
On sort du cabaret; l'invalide en goguette
Chevrote un gai refrain.

Ce ne sont que chansons, clameurs, rixes d'ivrogne,
Ou qu'amours en plein air, et baisers sans vergogne,
Et publiques faveurs;
Je rentre: sur ma route on se presse, on se rue;
Toute la nuit j'entends se traîner dans ma rue
Et hurler les buveurs.

X.

Le nom de *Sainte-Beuve* avait éclaté; il était devenu plus hardi, il ne demandait conseil qu'à lui-même, il osa livrer une pièce du même ton, intitulée: *Promenade.* Relisez-la, mon ami. C'est encore vous à vingt ans:

PROMENADE.

.....Silvas inter reptare salubres.

Horace.

Reptare per limitem.

Pline le Jeune.

S'il m'arrive, un matin et par un beau soleil,
De me sentir léger et dispos au réveil,
Et si, pour mieux jouir des chants et de moi-même,
De bonne heure je sors par le sentier que j'aime,
Rasant le petit mur jusqu'au coin hasardeux,
Sans qu'un fâcheux m'ait dit: «Mon cher, allons tous deux;
Lorsque sous la colline, au creux de la prairie,
Je puis errer enfin, tout à ma rêverie,
Comme loin des frelons une abeille a son miel,
Et que je suis bien seul en face d'un beau ciel;
Alors... oh! ce n'est pas une scène sublime,
Un fleuve résonnant, des forêts dont la cime
Flotte comme une mer, ni le front sourcilleux
Des vieux monts tout voûtés se mirant aux lacs bleus!
Laissons Chateaubriand, loin des traces profanes,
À vingt ans s'élancer en d'immenses savanes,
Un bâton à la main, et ne rien demander
Que d'entendre la foudre en longs éclats gronder,
Ou mugir le lion dans les forêts superbes,
Ou sonner le serpent au fond des hautes herbes;
Et bientôt, se couchant sur un lit de roseaux,
S'abandonner pensif au cours des grandes eaux.
Laissons à Lamartine, à Nodier, nobles frères,
Leur Jura bien-aimé, tant de scènes contraires
En un même horizon, et des blés blondissants,
Et des pampres jaunis, et des bœufs mugissants,
Pareils à des points noirs dans les verts pâturages,
Et plus haut, et plus près du séjour des orages,
Des sapins étagés en bois sombre et profond,
Le soleil au-dessus et les Alpes au fond.
Qu'aussi Victor Hugo, sous un donjon qui croule,

Et le Rhin à ses pieds, interroge et déroule
Les souvenirs des lieux; quelle puissante main
Posa la tour carrée au plein cintre romain,
Ou quel doigt amincit ces longs fuseaux de pierre,
Comme fait son fuseau de lin la filandière;
Que du fleuve qui passe il écoute les voix,
Et que le grand vieillard lui parle d'autrefois!
Bien; il faut l'aigle aux monts, le géant à l'abîme,
Au sublime spectacle un spectateur sublime.
Moi, j'aime à cheminer et je reste plus bas.
Quoi! des rocs, des forêts, des fleuves?... oh! non pas,
Mais bien moins; mais un champ, un peu d'eau qui murmure,
Un vent frais agitant une grêle ramure;
L'étang sous la bruyère avec le jonc qui dort;
Voir couler en un pré la rivière à plein bord;
Quelque jeune arbre au loin, dans un air immobile,
Découpant sur l'azur son feuillage débile;
À travers l'épaisseur d'une herbe qui reluit,
Quelque sentier poudreux qui rampe et qui s'enfuit;
Ou si, levant les yeux, j'ai cru voir disparaître
Au détour d'une haie un pied blanc qui fait naître
Tout d'un coup en mon âme un long roman d'amour...,
C'est assez de bonheur, c'est assez pour un jour.
Et revenant alors, comme entouré d'un charme,
Plein d'oubli, lentement, et dans l'œil une larme,
Croyant à toi, mon Dieu, toi que j'osais nier!
Au chapeau de l'aveugle apportant mon denier,
Heureux d'un lendemain qu'à mon gré je décore,
Je sens et je me dis que je suis jeune encore,
Que j'ai le cœur bien tendre et bien prompt à guérir,
Pour m'ennuyer de vivre et pour vouloir mourir.

XI.

En voici une qui m'alla au cœur comme une voix de mère:

Tacendo il nome di questa gentilissima

DANTE, *Vita nuova.*

Toujours je la connus pensive et sérieuse:
Enfant, dans les ébats de l'enfance joueuse
Elle se mêlait peu, parlait déjà raison;
Et, quand ses jeunes sœurs couraient sur le gazon,
Elle était la première à leur rappeler l'heure,
À dire qu'il fallait regagner la demeure;

Qu'elle avait de la cloche entendu le signal;
Qu'il était défendu d'approcher du canal,
De troubler dans le bois la biche familière,
De passer en jouant trop près de la volière:
Et ses sœurs l'écoutaient. Bientôt elle eut quinze ans,
Et sa raison brilla d'attraits plus séduisants:
Sein voilé, front serein où le calme repose,
Sous de beaux cheveux bruns une figure rose.
Une bouche discrète, au sourire prudent,
Un parler sobre et froid, et qui plaît cependant;
Une voix douce et ferme, et qui jamais ne tremble,
Et deux longs sourcils noirs qui se fondent ensemble.
Le devoir l'animait d'une grave ferveur;
Elle avait l'air posé, réfléchi, non rêveur:
Elle ne rêvait pas comme la jeune fille,
Qui de ses doigts distraits laisse tomber l'aiguille,
Et du bal de la veille au bal du lendemain
Pense au bel inconnu qui lui pressa la main.
Le coude à la fenêtre, oubliant son ouvrage,
Jamais on ne la vit suivre à travers l'ombrage
Le vol interrompu des nuages du soir,
Puis cacher tout d'un coup son front dans son mouchoir.
Mais elle se disait qu'un avenir prospère
Avait changé soudain par la mort de son père;
Qu'elle était fille aînée, et que c'était raison
De prendre part active aux soins de la maison.
Ce cœur jeune et sévère ignorait la puissance
Des ennuis dont soupire et s'émeut l'innocence.
Il réprima toujours les attendrissements
Qui naissent sans savoir, et les troubles charmants,
Et les désirs obscurs, et ces vagues délices
De l'amour dans les cœurs naturelles complices.
Maîtresse d'elle-même aux instants les plus doux,
En embrassant sa mère elle lui disait *vous*.
Les galantes fadeurs, les propos pleins de zèle,
Les jeunes gens oisifs étaient perdus chez elle;
Mais qu'un cœur éprouvé lui contât un chagrin,
À l'instant se voilait son visage serein:
Elle savait parler de maux, de vie amère,
Et donnait des conseils comme une jeune mère.
Aujourd'hui la voilà mère, épouse, à son tour;
Mais c'est chez elle encor raison plutôt qu'amour.
Son paisible bonheur de respect se tempère;

Son époux déjà mûr serait pour elle un père;
Elle n'a pas connu l'oubli du premier mois,
Et la lune de miel qui ne luit qu'une fois.
Et son front et ses yeux ont gardé le mystère
De ces chastes secrets qu'une femme doit taire.
Heureuse comme avant, à son nouveau devoir
Elle a réglé sa vie... Il est beau de la voir,
Libre de son ménage, un soir de la semaine,
Sans toilette, en été, qui sort et se promène,
Et s'asseoit à l'abri du soleil étouffant,
Vers six heures, sur l'herbe avec sa belle enfant.
Ainsi passent ses jours depuis le premier âge,
Comme des flots sans nom sous un ciel sans orage,
D'un cours lent, uniforme, et pourtant solennel;
Car ils savent qu'ils vont au rivage éternel.

Et moi qui vois couler cette humble destinée
Au penchant du devoir doucement entraînée,
Ces jours purs, transparents, calmes, silencieux,
Qui consolent du bruit et reposent les yeux,
Sans le vouloir, hélas! je retombe en tristesse;
Je songe à mes longs jours passés avec vitesse,
Turbulents, sans bonheur, perdus pour le devoir,
Et je pense, ô mon Dieu! qu'il sera bientôt soir!

L'ENFANT RÊVEUR.

Abandonnant tout à coup mes jeunes compagnons, j'allais m'asseoir à l'écart pour contempler la nue fugitive, ou entendre la pluie tomber sur le feuillage.

René.

À MON AMI ***

Où vas-tu, bel enfant? tous les jours je te vois,
Au matin, t'échapper par la porte du bois,
Et, déjà renonçant aux jeux du premier âge,
Chercher dans les taillis un solitaire ombrage;
Et le soir, quand, bien tard, nous te croyons perdu,
Répondant à regret au signal entendu,
Tu reviens lentement par la plus longue allée,
La face de cheveux et de larmes voilée.
Qu'as-tu fait si longtemps? tu n'as pas dans leurs nids
Sous la mère enlevé les petits réunis;

. . . .

À M. A.... DE L.... (LAMARTINE).

Ces chantres sont de race divine: ils possèdent le seul talent incontestable dont le Ciel ait fait présent à la terre.

René.

Ô toi qui sais ce que la terre
Enferme de triste aux humains,
Qui sais la vie et son mystère,
Et qui fréquentes, solitaire,
La nuit, d'invisibles chemins;

Toi qui sais l'âme et ses orages,
Comme un nocher son élément,
Comme un oiseau sait les présages,
Comme un pasteur des premiers âges
Savait d'abord le firmament;

Qui sais le bruit du lac où tombe
Une feuille échappée au bois,
Les bruits d'abeille et de colombe,
Et l'Océan avec sa trombe,
Et le Ciel aux immenses voix;

Qui dans les sphères inconnues,
Ou sous les feuillages mouillés,
Ou par les montagnes chenues,
Ou dans l'azur flottant des nues,
Ou par les gazons émaillés,

Pélerin à travers les mondes,
Messager que Dieu nous donna,
Entends l'alcyon sur les ondes,
Ou les soupirs des vierges blondes,
Ou l'astre qui chante: Hosanna!

Sais-tu qu'il est dans la vallée,
Bien bas à terre, un cœur souffrant,
Une pauvre âme en pleurs, voilée,
Que ta venue a consolée
Et qui sans parler te comprend?

J'aime tes chants, harpe éternelle!
Astre divin, cher au malheur,
J'aime ta lueur fraternelle!
As-tu vu l'ombre de ton aile,
Beau cygne, caresser la fleur?

Est-ce assez pour moi que mon âme
Frémisse à ton chant inouï;
Qu'écoutant tes soupirs de flamme,
Comme à l'ami qui la réclame,
Dans l'ombre elle réponde: Oui;

Qu'aux voix qu'un vent du soir apporte
Elle mêle ton nom tout bas,
Et ranime son aile morte
À tes rayons si doux..., qu'importe,
Hélas! si tu ne le sais pas?

Si dans ta sublime carrière
Tu n'es pour elle qu'un soleil
Versant au hasard sa lumière,
Comme un vainqueur fait la poussière
Aux axes de son char vermeil;

Non pas un astre de présage
Luisant sur un ciel obscurci,
Un pilote au bout du voyage
Éclairant exprès le rivage,
Un frère, un ange, une âme aussi!

Mais que tu saches qu'à toute heure
Je suis là, priant, éploré;
Mais qu'un rayon plus doux m'effleure
Et plus longtemps sur moi demeure,
Je suis heureux... et j'attendrai.

J'attendrai comme un de ces Anges
Aux filles des hommes liés
Jadis par des amours étranges,
Et pour ces profanes mélanges
De Dieu quelque temps oubliés.

En vain leurs mortelles compagnes
Les comblaient de baisers de miel:
Ils erraient seuls par les campagnes,
Et montaient, de nuit, les montagnes,
Pour revoir de plus près le Ciel;

Et si, plus prompt que la tempête,
Un Ange pur, au rameau d'or,
Vers un monde ou vers un prophète
Volait, rasant du pied la tête
Ou de l'Horeb ou du Thabor,

Au noble exilé de sa race
Il lançait vite un mot d'adieu,
Et, tout suivant des yeux sa trace,
L'autre espérait qu'un mot de grâce
Irait jusqu'au trône de Dieu.

Que vouliez-vous répondre à ces vers, si ce n'est aimer? Aussi je vous aimais d'une amitié plus tendre que toutes mes amitiés d'enfance.

Vous souvenez-vous de ces heures intimes et bien à nous, où j'allais le matin vous prendre dans votre petit appartement des environs du Luxembourg, vous enlever à votre mère et vous entraîner pour marcher, causer, rêver dans ce jardin adjacent des Capucins, qu'on commençait seulement à niveler pour agrandir le Jardin Royal? Que de confidences amicales et poétiques ne nous sommes-nous pas faites? Que cette longue allée qui suivait de son parapet les terrains fangeux des Capucins n'a entendu de ces confidences de nos âmes, qui sont les pressentiments de hautes actions ou de poésie en faits! Vous étiez plus doux, plus modeste, plus triste que moi dans vos perspectives! Il y avait plus de silence, de résignation, de spiritualisme dans votre attitude que dans la mienne; mon vers avait plus d'écume que le vôtre! J'étais plus âgé et moins lettré que vous; ma poésie ne dépassait pas, dans son ambition, les années où je n'avais qu'elle pour occuper et pour évaporer mes longs loisirs; mais vous vous en souvenez, et, je l'avoue, je rêvais autre chose dès cette époque que des mots cadencés et des soupirs mélodieux! Je croyais me sentir plein d'éloquence à une tribune, mon idéal d'alors, et plein d'héroïsme en face des tyrannies ou des multitudes. D'une main je lançais un peuple, de l'autre main je découvrais ma poitrine et je réprimais une populace victorieuse et domptée, puis je retombais sans me plaindre dans l'humiliation de la misère ou dans le sang de mon échafaud; le plus grand des bonheurs n'est-ce pas l'échafaud pour l'innocent? Mon plus beau rêve fut toujours celui-là! Ce ne fut pas ma faute si je ne l'obtins pas en 1848. Vous avez lu peut-être, quelques années après 1830, et bien des années avant 1848, la prophétie bien imprévoyable alors de lady Stanhope, pendant une nuit d'entretien avec elle dans les solitaires roches de Djioû, où elle me dit: «Je ne sais pas au juste ce qui vous attend à votre retour en Europe, mais quelque chose de grand vous y attend; vous y retournerez, vous y jouerez un rôle élevé mais court, vous rendrez service à vos compatriotes et à l'Europe, puis vous reviendrez chercher un asile comme moi en Syrie, au pic du Liban ou du Taurus. Voilà ce que je vois comme je vous vois: mais derrière ce tronçon de votre existence, ne me demandez plus rien, je n'y vois plus!»

Ceci fut dit en 1832, et imprimé en 1833; dix-sept ans avant les événements de 1848.

Ces éventualités du destin étaient déjà loin dans mes songes. L'homme a des rapports plus multiples et plus lointains qu'il ne pense avec l'avenir. Les prophéties sont naturelles, plus que surnaturelles. Retirez-vous comme lady Stanhope, dans la solitude d'un monde désert, regardez le monde qui passe, et qu'un jeune homme vous apparaisse tout à coup dans une nuit de surprise et d'anxiété; causez une nuit entière avec lui, et vous verrez tout à coup le point de conjonction et la destinée de cet homme avec la destinée de son pays: sauf la date que Dieu s'est réservée, parce que les révolutions sont des horloges détraquées qui avancent ou qui retardent par une circonstance inappréciable à nos faibles intelligences. De même que, dans ce monde matinal, on voit de loin un objet qui s'avance, de même, dans le monde moral, on voit de loin celui qui doit les modifier. Ce n'est point prédire un événement qui n'est pas; c'est dire les rapports de l'homme existant avec l'événement qui n'est pas encore. Ce n'est pas prédiction, c'est prescience.

XII.

Peu de choses, dans le cours agité de ma vie, m'ont laissé pour un homme de plus attrayants souvenirs que ces conversations avec vous et notre époque, qu'on peut appeler notre âge d'innocence. Il y avait en vous tout ce qui séduit, tout ce qui attache, tout ce qui charme le plus; je ne sais quel demi-mystère qui laisse deviner ce qu'on n'a pas interrogé. Vous n'aviez fait encore que peu de poésies, mais ces poésies révélaient un homme entièrement nouveau. Je jouissais de vous en mon particulier comme d'une découverte. Les vers de Joseph Delorme étaient le présage de quelque chose d'inconnu. Je vous quittai avec douleur quand il me fallut aller rejoindre mon poste diplomatique hors de France; mais l'idée ne me vint jamais de chercher à vous engager dans cette même carrière positive ou dans une autre. J'aurais cru vous profaner en vous utilisant. Vous me paraissez de ces êtres qui vivent de parfums et non de pain. Je partis.

XIII.

C'est alors, je crois, que vous vous liâtes par l'admiration avec Victor Hugo, seule manière de se lier avec lui; votre liaison eut tous les caractères d'une passion; vous ne quittiez plus la maison; vous étiez comme ces jeunes Orientaux qui ont besoin de diviniser ce qu'ils admirent, et de pousser leur amour jusqu'à une servitude volontaire qui les identifie avec leur idole. Cela dura longtemps, je crois; mais j'en ignore les détails et la fin. Quand je rentrai en France, vous étiez redevenu vous-même. Il vous fallait un Dieu pour ami. Je pense, sans le savoir à fond, que Chateaubriand vieilli, dégoûté, malheureux, consolant et consolé auprès de madame Récamier, devint le vôtre. Cette illustration des grâces d'un siècle était devenue un digne débris de votre culte; c'est là du moins que je vous retrouvai, c'est-à-dire avec Ballanche, les deux Deschamps, Vigny, madame Émile de Girardin, Brifaut, chez madame Récamier, régnant par l'attrait universel sur l'universalité des talents. Je ne voyais pas M. de Chateaubriand, je n'avais fait que lui être présenté comme diplomate pendant qu'il gouvernait notre diplomatie. J'en avais été reçu assez froidement; je n'insistai pas. Je l'admirais comme écrivain d'imagination, comme homme je l'honorais moins. Nos deux ombres ne se mêlèrent pas sur la muraille du même salon. Quant à vous, jeune entre ces deux vieillards, serviteur empêché de ces deux faiblesses, vous me parûtes un jeune Grec dévoué par bon goût à la vieillesse et au génie, entre Platon vieilli et une belle ombre d'Athénienne, recueillant sur les lèvres d'un siècle mourant les traditions du passé et les secrets de l'avenir. Au milieu de cette cour un peu surannée, vous aviez le beau rôle, fidélité désintéressée au passé, affection compatissante au présent, foi muette dans un mystérieux inconnu qui s'approchait sans dire son nom. Je ne vous admirais pas moins là que dans nos premières années.

XIV.

Faisiez-vous des vers encore? faisiez-vous de la prose? faisiez-vous les deux? Je ne pus le discerner; je vous retrouvai plus retiré encore que jamais dans le même logement de philosophe sur un petit jardin, ombre de la campagne aux environs du Luxembourg, dans le sein de la même mère.

Bien qu'enthousiasmé un moment avec Hugo par la révolution avortée de 1830, vous n'aviez pas voulu des dépouilles; vous me paraissiez peu ami du gouvernement amphibie, qui cherchait à faire accepter ses faveurs pour montrer à la France honnête d'illustres partisans; vous écriviez contre lui, dit-on, dans des journaux dont les rancunes étaient devenues de l'antipathie. Vous aviez l'air pauvre, de cette pauvreté fière parce qu'elle est volontaire et ne se laisse ni caresser ni acheter. Vous avez toujours cette fine et douce expression intelligente et ces beaux cheveux blonds de notre jeunesse retombant en arrière comme une cascatelle du génie; mais une redingote d'un drap sombre râpée, et dont les pans battaient les talons des souliers à la *Dupin*, un chapeau aux ailes usées et battues, désavouaient toute prétention à l'élégance extérieure, et n'en montraient que dans l'esprit.

Quoique votre enthousiasme momentané pour la révolution de 1830 eût dépassé un peu mon humeur contre cette usurpation de famille, je vous aimai ainsi: tout sied à la supériorité, même la déchéance extérieure; l'homme négligé relève le costume. Achète un habit, fais retaper ton chapeau, ressemeler tes souliers, relève ton front, tu seras Alcibiade quand tu voudras! Laisse-toi prendre pour un indigent, tu portes en toi ta richesse si tu ne dois rien à personne!

XV.

Mais voilà sous ma main un second volume de poésies, intitulé les *Consolations*, qui me donne à peu près le secret de cette vie mystérieuse et séquestrée du monde. Ce volume parut à peu près en ce temps-là. Excusez-moi sur l'exactitude des dates; je ne tiens pas registre de mes impressions, mais j'en tiens mémoire dans mon cœur.

Voici ce que vous en dites en 1863, en les réimprimant pour vous et pour nous:

«Je continue et j'achève, dans un court loisir qui m'est accordé, cette publication de mes Poésies sous leur forme dernière. Ceci en est la seconde partie, qui se distingue de *Joseph Delorme* par l'accent et par un certain caractère d'élévation ou de pureté. Si l'on cherchait le lien, le point d'union ou d'embranchement des deux recueils, j'indiquerais la pièce de *Joseph Delorme*:

Toujours je la connus pensive et sérieuse...

comme celle d'où est née et sortie, en quelque sorte, cette nouvelle veine plus épurée. C'est ce côté que je n'avais qu'atteint et touché dans *Joseph Delorme*, qui se trouve développé dans les *Consolations*.

«Nous avons presque tous en nous un homme double. Saint Paul l'a dit, Racine l'a chanté. «Je connais ces deux hommes en moi,» disait Louis XIV. Buffon les a admirablement décrits dans l'espèce de guerre morale qu'ils se livrent l'un à l'autre. Moi aussi, me sentant double, je me suis dédoublé, et ce que j'ai donné dans les *Consolations* était comme une seconde moitié de moi-même, et qui n'était pas la moins tendre. Mais, devenu trop différent avec les années, il ne m'appartient aujourd'hui ni de la juger, cette moitié du moi d'alors, ni même d'essayer de la définir. Je dirai seulement, au point de vue littéraire, que les *Consolations* furent celui de mes recueils de poésies qui obtint, auprès du public choisi de ce temps-là, ce qui ressemblait le plus à un succès véritable; on m'accusera d'en avoir réuni les preuves et témoignages dans un petit chapitre-appendice. Bayle a remarqué que chaque auteur a volontiers son époque favorite, son moment plus favorable que les autres, et qui n'est pas toujours très-éloigné de son coup d'essai. Pour moi, quoique ma vie littéraire déjà si longue, et, pour ainsi dire, étendue sur un trop large espace, me laisse peu le plaisir des perspectives, il en a été cependant ainsi pendant un assez long temps; et quand je m'arrêtais pour regarder en arrière, il me semblait que c'était en 1829, à la date où j'écrivais les *Consolations*, que j'aimais le plus à me retrouver, et qu'il m'eût été le plus agréable aussi qu'on cherchât de mes nouvelles. Je le dis de souvenir plutôt que par un sentiment actuel et présent; car à l'heure où j'écris ces lignes, engagé plus que jamais dans la vie critique active, je n'ai plus guère d'impression personnelle bien vive sur ce lointain passé.

«Ce 16 juin 1862.»

À VICTOR H.

«Mon ami, ce petit livre est à vous; votre nom s'y trouve à presque toutes les pages; votre présence ou votre souvenir s'y mêle à toutes mes pensées. Je vous le donne, ou plutôt je vous le rends; il ne se serait pas fait sans vous. Au moment où vous vous lancez pour la première fois dans le bruit et dans les orages du drame, puissent ces souvenirs de vie domestique et d'intérieur vous apporter un frais parfum du rivage que vous quittez! Puissent-ils, comme ces chants antiques qui soutenaient le guerrier dans le combat, vous retracer l'image adorée du foyer, des enfants et de l'épouse!

«Pétrarque, ce grand maître dans la science du cœur et dans le mystère de l'amour, a dit au commencement de son *Traité sur la Vie solitaire*: «Je crois qu'une belle âme n'a de repos ici-bas à espérer qu'en Dieu, qui est notre fin dernière; qu'en elle-même et en son travail intérieur; et qu'en une âme amie, qui soit sa sœur par la ressemblance.» C'est aussi la pensée et le résumé du petit livre que voici:

«Lorsque, par un effet des circonstances dures où elle est placée, ou par le développement d'un germe fatal déposé en elle, une âme jeune, ardente, tournée à la rêverie et à la tendresse, subit une de ces profondes maladies morales qui décident de sa destinée; si elle y survit et en triomphe; si, la crise passée, la liberté humaine reprend le dessus et recueille ses forces éparses, alors le premier sentiment est celui d'un bien-être intime, délicieux, vivifiant, comme après une angoisse ou une défaillance. On rouvre les yeux au jour; on essuie de son front sa sueur froide; on s'abandonne tout entier au bonheur de renaître et de respirer. Plus la réflexion commence: on se complaît à penser qu'on a plongé plus avant que bien d'autres dans le Puits de l'abîme et dans la Cité des douleurs; on a la mesure du sort; on sait à fond ce qui en est de la vie, et ce que peut saigner de sang un cœur mortel. Qu'aurait-on désormais à craindre d'inconnu et de pire? Tous les maux humains ne se traduisent-ils pas en douleurs? Toutes les douleurs poussées un peu loin ne sont-elles pas les mêmes? On a été englouti un moment par l'Océan; on a rebondi contre le roc comme la sonde, ou bien on a rapporté du gravier dans ses cheveux; et, sauvé du naufrage, ne quittant plus de tout l'hiver le coin de sa cheminée, on s'enfonce des heures entières en d'inexprimables souvenirs. Mais ce calme, qui est dû surtout à l'absence des maux et à la comparaison du présent avec le passé, s'affaiblit en se prolongeant, et devient insuffisant à l'âme; il faut, pour achever sa guérison, qu'elle cherche en elle-même et autour d'elle d'autres ressources plus durables. L'étude d'abord semble lui offrir une distraction pleine de charme et puissante avec douceur; mais la curiosité de l'esprit, qui est le mobile de l'étude, suppose déjà le sommeil du cœur plutôt qu'elle ne le procure; et c'est ici le cœur qu'il s'agit avant tout d'apaiser et d'assoupir. Et puis ces sciences, ces langues, ces histoires qu'on étudierait, contiennent au gré des âmes délicates et tendres trop peu de suc essentiel sous trop d'écorces et d'enveloppes; une nourriture exquise et pulpeuse convient mieux aux estomacs débiles. La poésie est une nourriture par excellence, et de toutes les formes de poésie, la forme lyrique plus qu'aucune autre, et de tous les genres de poésie lyrique, le genre rêveur, personnel, l'élégie ou le roman d'analyse en particulier. On s'y adonne avec prédilection; on s'en pénètre; c'est un enchantement; et, comme on se sent encore trop voisin du passé pour le perdre de vue, on essaye d'y jeter ce voile ondoyant de poésie qui fait l'effet de la vapeur bleuâtre aux contours de l'horizon. Aussi la plupart des chants que les âmes malades nous ont transmis sur elles-mêmes datent-ils déjà de l'époque de convalescence; nous croyons le poëte au plus mal, tandis que souvent il touche à sa guérison; c'est comme le bruit que fait dans la plaine l'arme du chasseur, et qui ne nous arrive qu'un peu de temps après que le coup a porté. Cependant, convenons-en, l'usage exclusif et prolongé d'une certaine espèce de poésie n'est pas sans quelque péril pour l'âme; à force de refoulement intérieur et de nourriture subtile, la blessure à moitié fermée pourrait se rouvrir: il faut par instants à l'homme le mouvement et l'air du dehors; il lui faut autour de lui des objets où se poser; et quel convalescent surtout n'a besoin d'un bras d'ami qui le soutienne dans sa promenade et le conduise sur la terrasse au soleil?

«L'amitié, ô mon ami, quand elle est ce qu'elle doit être, l'union des âmes, a cela de salutaire, qu'au milieu de nos plus grandes et de nos plus désespérées douleurs, elle nous rattache insensiblement et par un lien invisible à la vie humaine, à la société, et nous empêche, en notre misérable frénésie, de nier, les yeux fermés, tout ce qui nous entoure. Or, comme l'a dit excellemment M. Ballanche, «toutes les pensées d'existence et d'avenir se tiennent; pour croire à la vie qui doit suivre celle-ci, il faut commencer par croire à cette vie elle-même, à cette vie passagère.» Le devoir de l'ami clairvoyant envers l'ami infirme consiste donc à lui ménager cette initiation délicate qui le ramène d'une espérance à l'autre; à lui rendre d'abord le goût de la vie; à lui faire supporter l'idée de lendemain; puis, par degrés, à substituer pieusement dans son esprit, à cette idée vacillante, le désir et la certitude du lendemain éternel. Mais indiquer ce but supérieur et divin de l'amitié, c'est assez reconnaître que sa loi suprême est d'y tendre sans cesse, et qu'au lieu de se méprendre à ses propres douceurs, au lieu de s'endormir en de vaines et molles complaisances, elle doit cheminer, jour et nuit, comme un guide céleste, entre les deux compagnons qui vont aux mêmes lieux. Toute autre amitié que celle-là serait trompeuse, légère, bonne pour un temps, et bientôt épuisé; elle mériterait qu'on lui appliquât la parole sévère du saint auteur de l'*Imitation*: «Noli confidere super amicos et proximos, nec in futurum tuam differas salutem, quia citius obliviscentur tui homines quam æstimas.» Il ne reste rien à dire, après saint Augustin, sur les charmes décevants et les illusions fabuleuses de l'amitié humaine. À la prendre de ce côté, je puis répéter devant vous, ô mon ami, que l'amitié des hommes n'est pas sûre, et vous avertir de n'y pas trop compter. Il est doux sans doute, il est doux, dans le calme des sens, dans les jouissances de l'étude et de l'art, «de causer entre amis, de s'approuver avec grâce, de se complaire en cent façons; de lire ensemble d'agréables livres; de discuter parfois sans aigreur, ainsi qu'un homme qui délibère avec lui-même, et par ces contestations rares et légères de relever un peu l'habituelle unanimité de tous les jours. Ces témoignages d'affection qui, sortis du cœur de ceux qui s'entr'aiment, se produisent au dehors par la bouche, par la physionomie, par les yeux et par mille autres démonstrations de tendresse, sont comme autant d'étincelles de ce feu d'amitié qui embrase les âmes et les fond toutes en une seule[21].» Mais si vous tenez à ce que ce feu soit durable, si vous ne pouvez vous faire à l'idée d'être oublié un jour de ces amis si bons, ô Vous, qui que vous soyez, ne mourez pas avant eux; car cette sorte d'amitié est tellement aimable et douce qu'elle-même bientôt se console elle-même, et que ce qui reste comble aisément le vide de ce qui n'est plus; la pensée des amis morts, quand par hasard elle s'élève, ne fait que mieux sentir aux amis vivants la consolation d'être ensemble, et ajoute un motif de plus à leur bonheur.

«Si vous êtes humble, obscur, mais tendre et dévoué, et que vous ayez un ami sublime, ambitieux, puissant, qui aime et obtienne la gloire et l'empire, aimez-le, mais n'en aimez pas trop un autre, car cette sorte d'amitié est absolue, jalouse, impatiente de partage; aimez-le, mais qu'un mot équivoque, lâché par vous au hasard, ne lui soit pas reporté envenimé par la calomnie; car ni tendresse à l'épreuve, ni dévouement à mourir mille fois pour lui, ne rachèteront ce mot insignifiant qui aura glissé dans son cœur.

«Si votre ami est beau, bien fait, amoureux des avantages de sa personne, ne négligez pas trop la vôtre; gardez-vous qu'une maladie ne vous défigure, qu'une affliction prolongée ne vous détourne des soins du corps; car cette sorte d'amitié, qui vit de parfums, est dédaigneuse, volage, et se dégoûte aisément.

«Si vous avez un ami riche, heureux, entouré des biens les plus désirables de la terre, ne devenez ni trop pauvre, ni trop délaissé du monde, ni malade sur un lit de douleurs; car cet ami, tout bon qu'il sera, vous ira visiter une fois ou deux, et la troisième il remarquera que le chemin est long, que votre escalier est haut et dur, que votre grabat est infect, que votre humeur a changé; et il pensera, en s'en revenant, qu'il y a au fond de cette misère un peu de votre faute, et que vous auriez bien pu l'éviter; et vous ne serez plus désormais pour lui, au sein de son bonheur, qu'un objet de compassion, de secours, et peut-être un sujet de morale.

«Si, malheureux vous-même, vous avez un ami plus malheureux que vous, consolez-le, mais n'attendez pas de lui consolation à votre tour; car, lorsque vous lui raconterez votre chagrin, il aura beau animer ses regards et entr'ouvrir ses lèvres comme s'il écoutait, en vous répondant il ne répondra qu'à sa pensée, et sera intérieurement tout plein de lui-même.

«Si vous aimez un ami plus jeune que vous, que vous le cultiviez comme un enfant, et que vous lui aplanissiez le chemin de la vie, il grandira bientôt; il se lassera d'être à vous et par vous, et vous le perdrez. Si vous aimez un ami plus vieux, qui, déjà arrivé bien haut, vous prenne par la main et vous élève, vous grandirez rapidement, et sa faveur alors vous pèsera, ou vous lui porterez ombrage.

«Que sont devenus ces amis du même âge, ces frères en poésie, qui croissaient ensemble, unis, encore obscurs, et semblaient tous destinés à la gloire! Que sont devenus ces jeunes arbres réunis autrefois dans le même enclos? Ils ont poussé, chacun selon sa nature; leurs feuillages, d'abord entremêlés agréablement, ont commencé de se nuire et de s'étouffer: leurs têtes se sont entre-choquées dans l'orage; quelques-uns sont morts sans soleil; il a fallu les séparer, et les voilà maintenant, bien loin les uns des autres, verts sapins, châtaigniers superbes, au front des coteaux, au creux des vallons, ou saules éplorés au bord des fleuves.

«La plupart des amitiés humaines, même des meilleures, sont donc vaines et mensongères, ô mon ami; et c'est à quelque chose de plus intime, de plus vrai, de plus invariable, qu'aspire une âme dont toutes les forces ont été brisées et qui a senti le fond de la vie. L'amitié qu'elle implore, et en qui elle veut établir sa demeure, ne saurait être trop pure et trop pieuse, trop empreinte d'immortalité, trop mêlée à l'invisible et à ce qui ne change pas; vestibule transparent, incorruptible, au seuil du Sanctuaire éternel; degré vivant, qui marche et monte avec nous, et nous élève au pied du saint Trône. Tel est, mon Ami, le refuge heureux que j'ai trouvé en votre âme. Par vous, je suis revenu à la vie du dehors, au mouvement de ce monde, et de là, sans secousse, aux vérités les plus sublimes. Vous m'avez consolé d'abord, et ensuite vous m'avez porté à la source de toute consolation; car vous l'avez vous-même appris dès la jeunesse, les autres eaux tarissent, et ce n'est qu'aux bords de cette Siloé céleste qu'on peut s'asseoir pour toujours et s'abreuver:

Voici la vérité qu'au monde je révèle:
Du Ciel dans mon néant je me suis souvenu:
Louez Dieu! La brebis vient quand l'agneau l'appelle;
J'appelais le Seigneur, le Seigneur est venu.

. . . .

Vous avez dans le port poussé ma voile errante;
Ma tige a reverdi de séve et de verdeur;

Seigneur, je vous bénis! à ma lampe mourante
Votre souffle vivant a rendu sa splendeur.

«Dieu donc et toutes ses conséquences; Dieu, l'immortalité, la rémunération et la peine; dès ici-bas le devoir et l'interprétation du visible par l'invisible: ce sont les consolations les plus réelles après le malheur, et l'âme, qui une fois y a pris goût, peut bien souffrir encore, mais non plus retomber. Chaque jour de plus, passé en cette vie périssable, la voit s'enfoncer davantage dans l'ordre magnifique qui s'ouvre devant elle à l'infini, et si elle a beaucoup aimé et beaucoup pleuré, si elle est tendre, l'intelligence des choses d'au delà ne la remplit qu'imparfaitement; elle en revient à l'Amour; c'est l'Amour surtout qui l'élève et l'initie, comme Dante, et dont les rayons pénétrants l'attirent de sphère en sphère comme le soleil aspire la rosée. De là mille larmes encore, mais délicieuses et sans amertume; de là mille joies secrètes, mille blanches lueurs découvertes au sein de la nuit; mille pressentiments sublimes entendus au fond du cœur de la prière, car une telle âme n'a de complet soulagement que lorsqu'elle a éclaté en prière, et qu'en elle la philosophie et la religion se sont embrassées avec sanglots.

«En ce temps-ci, où par bonheur on est las de l'impiété systématique, et où le génie d'un maître célèbre[22] a réconcilié la philosophie avec les plus nobles facultés de la nature humaine, il se rencontre dans les rangs distingués de la société une certaine classe d'esprits sérieux, moraux, rationnels; vaquant aux études, aux idées, aux discussions; dignes de tout comprendre, peu passionnés, et capables seulement d'un enthousiasme d'intelligence qui témoigne de leur amour ardent pour la vérité. À ces esprits de choix, au milieu de leur vie commode, de leur loisir occupé, de leur développement tout intellectuel, la religion philosophique suffit; ce qui leur importe particulièrement, c'est de se rendre raison des choses; quand ils ont expliqué, ils sont satisfaits: aussi le côté inexplicable leur échappe-t-il souvent, et ils le traiteraient volontiers de chimère, s'ils ne trouvaient moyen de l'assujettir, en le simplifiant, à leur mode d'interprétation universelle. Le dirai-je? ce sont des esprits plutôt que des âmes; ils habitent les régions moyennes; ils n'ont pas pénétré fort avant dans les voies douloureuses et impures du cœur; ils ne sont pas rafraîchis, après les flammes de l'expiation, dans la sérénité d'un éther inaltérable; ils n'ont pas senti la vie au vif.

«J'honore ces esprits, je les estime heureux; mais je ne les envie pas. Je les crois dans la vérité, mais dans une vérité un peu froide et nue. On ne gagne pas toujours à s'élever, quand on ne s'élève pas assez haut. Les physiciens qui sont parvenus aux plus grandes hauteurs de l'atmosphère, rapportent qu'ils ont vu le soleil sans rayons, dépouillé, rouge et fauve, et partout des ténèbres autour d'eux. Plutôt que de vivre sous un tel soleil, mieux vaut encore demeurer sur terre, croire aux *ondoyantes lueurs* du soir et du matin, et prêter sa docile prunelle à toutes les illusions du jour, dût-on laisser la paupière en face de l'astre éblouissant;—à moins que l'âme, un soir, ne trouve quelque part des ailes d'ange, et qu'elle ne s'échappe dans les plaines lumineuses, par delà notre atmosphère, à une hauteur où les savants ne vont pas.

«Oui, eût-on la géométrie de Pascal et le génie de René, si la mystérieuse semence de la rêverie a été jetée en nous et a germé sous nos larmes dès l'enfance; si nous nous sentons de bonne heure malades de la maladie de saint Augustin et de Fénelon; si, comme le disciple dont parle Klopstock, ce Lebbée dont la plainte est si douce, nous avons besoin qu'un gardien céleste abrite notre sommeil avec de tendres branches d'olivier; si enfin, comme le triste Abbadona, nous portons en nous le poids de quelque chose d'irréparable, il n'y a qu'une voie ouverte pour échapper à l'ennui dévorant, aux lâches défaillances ou au mysticisme insensé; et cette voie, Dieu merci, n'est pas nouvelle! Heureux qui n'en est jamais sorti! plus heureux qui peut y rentrer! Là seulement on trouve sécurité et plénitude; des remèdes appropriés à toutes les misères de l'âme; des formes divines et permanentes imposées au repentir, à la prière et au pardon; de doux et fréquents rappels à la vigilance; des trésors toujours abondants de charité et de grâce. Nous parlons souvent de tout cela, ô mon ami, dans nos longues conversations d'hiver, et nous ne différons quelquefois un peu que parce que vous êtes plus fort et que je suis plus faible. Bien jeune, vous avez marché droit, même dans la nuit; le malheur ne vous a pas jeté de côté; et, comme Isaac attendant la fille de Bathuel, vous vous promeniez solitaire dans le chemin qui mène au puits appelé Puits de *Celui qui vit et qui voit, Viventis et Videntis.* Votre cœur vierge ne s'est pas laissé aller tout d'abord aux trompeuses mollesses; et vos rêveries y ont gagné avec l'âge un caractère religieux, austère et primitif, et presque accablant pour notre infirme humanité d'aujourd'hui; quand vous avez eu assez pleuré, vous vous êtes retiré à Pathmos avec votre aigle, et vous avez vu clair dans les plus effrayants symboles. Rien désormais qui vous fasse pâlir; vous pouvez sonder toutes les profondeurs, ouïr toutes les voix; vous vous êtes familiarisé avec l'infini. Pour moi, qui suis encore nouveau venu à la lumière, et qui n'ai, pour me sauver, qu'un peu d'amour, je n'ose m'aventurer si loin à travers l'immense nature, et je ne m'inquiète que d'atteindre aux plus humbles, aux plus prochaines consolations qui nous sont enseignées. Ce petit livre est l'image fidèle de mon âme; les doutes et les bonnes intentions y luttent encore; l'étoile qui scintille dans le crépuscule semble par instants près de s'éteindre; la voile blanche que j'aperçois à l'horizon m'est souvent dérobée par un flot de mer orageuse; pourtant la voile blanche et l'étoile tremblante finissent toujours par reparaître.—Tel qu'il est, ce livre, je vous l'offre, et j'ai pensé qu'il serait d'un bon exemple.

«De son cachet littéraire, s'il peut être ici question de cela, je ne dirai qu'un mot. Dans un volume publié par moi il y a près d'un an, et qui a donné lieu à beaucoup de jugements divers, quelques personnes, dont le suffrage m'est précieux, avaient paru remarquer et estimer, comme une nouveauté en notre poésie, le choix de certains sujets empruntés à la vie privée et rendus avec relief et franchise. Si, à l'ouverture du volume nouveau, ces personnes pouvaient croire que j'ai voulu quitter ma première route, je leur ferai observer par avance que tel n'a pas été mon dessein; qu'ici encore c'est presque toujours de la vie privée, c'est-à-dire, d'un incident domestique, d'une conversation, d'une promenade, d'une lecture, que je pars, et que, si je ne me tiens pas à ces détails comme par le passé, si même je ne me borne pas à en dégager les sentiments moyens de cœur et d'amour humain qu'ils recèlent, et si je passe outre, aspirant d'ordinaire à plus de sublimité dans les conclusions, je ne fais que mener à fin mon procédé sans en changer le moins du monde; que je ne cesse pas d'agir sur le fond de la réalité la plus vulgaire, et qu'en supposant le but atteint (ce qu'on jugera), j'aurai seulement élevé cette réalité à une plus haute puissance de poésie. Ce livre alors serait, par rapport au précédent, ce qu'est dans une spirale le cercle supérieur au cercle qui est au-dessous; il y aurait eu chez moi progrès poétique dans la même mesure qu'il y a eu progrès moral.

«Décembre 1829.»

XVI.

Il est aisé de voir que l'homme qui, dès ce temps-là, écrivait ainsi la prose, ne serait pas seulement un poëte, mais un prosateur tout *particulier*. Nous entendons par ce mot un prosateur qui ne ressemble pas à un autre, et qui introduit dans la langue un genre inusité, étrange, familier et profond tout à la fois, un genre qui ne ressemblerait à rien, s'il ne ressemblait pas à *Montaigne*, oui, un Montaigne du dix-neuvième siècle.

Mais revenons d'abord au volume des *Consolations*:

Chateaubriand en fut très-touché, et s'exprimait ainsi en écrivant à Sainte-Beuve, peu connu de lui encore:

«Je viens, Monsieur, de parcourir trop rapidement les *Consolations*; des vers pleins de grâce et de charme, des sentiments tristes et tendres se font remarquer à toutes les pages. Je vous félicite d'avoir cédé à votre talent, en le dégageant de tout système. Écoutez votre génie, monsieur; chargez votre muse d'en redire les inspirations, et, pour atteindre la renommée, vous n'aurez besoin d'être porté dans la *casaque* de personne.

«Recevez, monsieur, je vous prie, mes sentiments les plus empressés et mes sincères félicitations.

Chateaubriand.»

Vous dites: Lamartine ne fut que médiocrement satisfait de *Joseph Delorme*.

Vous vous trompez; mais c'est ma faute. Je vous écrivis en effet alors une épître en vers, qui exprimait très-mal mes pensées, qui me donnait un air protecteur de *critique*, tandis qu'au fond de l'âme j'étais ému et enthousiasmé d'amitié et d'admiration. Je blâmais en pédagogue quelques formes aventurées de vers, pour dire comme tout le monde, mais je me mentais à moi-même; j'étais ivre de cette poésie toute neuve. Je crois que vous prîtes trop au sérieux cette critique de complaisance d'un *vétéran* des nouveautés, et que l'imposture vous prédisposa à un peu d'amertume envers moi. Je ne sais si je me trompe. Nous nous éloignâmes, mais cela ne changea rien à mon tendre intérêt pour vous.

«Il estimait peu alors *André Chénier*,» dites-vous. C'est vrai; je l'avoue. Excepté dans la *Jeune Captive*, pièce teinte avec son sang au pied de l'échafaud, *André Chénier* me paraissait un pastiche du Grec plus qu'un Français. Je lui reproche encore aujourd'hui ce manque d'originalité vraie; je goûtais mille fois mieux vos intimités novatrices de *Joseph Delorme*. Je fais bien peu de cas des copistes, malgré la rare perfection de leur *faire*. Le *faire* dans l'artiste est inséparable du *concevoir*. Que m'importe qu'on me copie un Raphaël, si c'est une copie! J'ose effrontément vous avouer à vous-même aujourd'hui que je vous préférais à *André Chénier*, bien que vous n'eussiez pas fait l'inimitable *Jeune Captive*.

XVII.

Et je n'étais pas seul à penser ainsi. Vous allez entendre des juges de plus d'autorité que moi.

«Lamartine, dites-vous encore, me l'écrivit en des termes plus indulgents pour moi que justes pour A. Chénier. Mais la première pièce des *Consolations* qu'il avait lue un jour manuscrite chez Victor Hugo, sur la marge d'un vieux *Ronsard* in-folio qui nous servait d'album, l'avait tout à fait conquis. Je le connus personnellement dans l'été de cette année 1829, et, en souvenir d'une promenade et d'un entretien au Luxembourg, je lui adressai la pièce qui est la VIe des *Consolations*. Il y répondit aussitôt, et le jour même où il la recevait, par une épître qu'il griffonna au crayon sur son album. Quelques jours après il me l'envoyait copiée, avec ce mot:

«Saint-Point, 24 août 1829.

«Je vous tiens parole, mon cher Sainte-Beuve, plus tôt que je ne comptais. Voici ces vers que je suis parvenu à vous griffonner en trois jours sur les idées que votre épître délicieuse m'avait inspirées quand je la reçus, et qui étaient ensevelis et effacés sur mon album au crayon...

«Pardonnez-moi de vous répéter en vers mes injures poétiques sur quelques morceaux de *Joseph Delorme*; vous verrez qu'elles sont l'ombre de la lumière qui environnera son nom. Et si ce sans-façon poétique vous déplaît, déchirez-les.

«Adieu, et mille amitiés à vous et à nos amis.

«Lamartine.»

«Ce fut dans l'été de 1830 que parurent les deux volumes des *Harmonies*, sur lesquels je fis des articles au *Globe*. Lamartine m'en remercia par une lettre qui exprime bien les préoccupations et les pensées de ce temps, et qui en fixe exactement la nuance. Il y mêle son jugement sur les *Consolations*, lequel est si favorable qu'il y aurait pudeur à le produire, si lui-même, bien des années après, n'avait dit les mêmes choses, et en des termes presque semblables, dans un de ses *Entretiens* familiers sur la littérature.

«Au château de Saint-Point, 27 juin 1830.

«Recevez mes biens vifs remercîments, mon cher Sainte-Beuve, pour toute la peine que vous a donnée le laborieux enfantement de mes deux volumes au jour. J'ai lu avec reconnaissance les deux articles du *Globe*. On m'a dit que *le Constitutionnel* même avait parlé assez favorablement. Le grand nombre de lettres particulières d'inconnus, que je reçois tous les jours, me font assez bien augurer pour l'avenir de cette publication...

«Je suis enfin au lieu du repos; les élections l'ont un moment troublé; mais elles sont partout comme ici, si prononcées dans un sens hostile qu'il n'y a plus rien à faire qu'à s'envelopper de son manteau et à attendre les événements. Lorsque, comme nous, on déplore les sottises des deux partis, on passe sa vie à gémir. Tout marche à un renversement de l'État, provisoirement tranquille, où nous étions depuis quelques années. Hâtez-vous de faire entendre votre voix poétique pendant qu'il y a encore au moins le silence de la terreur; bientôt peut-être on n'entendra plus que le cri des combattants. Les symptômes sont alarmants; vos paisibles amis de Paris, qui font de la politique avec leur encre et leur papier dans la liberté des théories, verront à quels éléments réels ils vont avoir affaire. La plume cédera au sabre. Soyez-en sûr...[23].

«Hier j'ai relu les *Consolations* pour me consoler de ce que j'entrevois; elles sont ravissantes. Je le dis et je le répète; c'est ce que je préfère dans la poésie française intime. Que de vérité, d'âme, d'onction et de poésie! J'en ai pleuré, moi qui oncques ne pleure.

«Soyez en repos contre vos détracteurs; je vous réponds de l'avenir avec une telle poésie: croissez seulement et multipliez.

«Adieu. Mille amitiés.

«A. de Lamartine.»

«Béranger, de son côté, avec une indulgence presque égale, mais aussi avec cette malice légère dont il savait assaisonner les éloges et en ne craignant pas de badiner et de sourire à de certains passages, m'écrivait:

«Mars 1830.

«Mon cher Delorme,

«Sachant que j'ai écrit à Hugo au sujet d'*Hernani*, peut-être, en recevant ma lettre, allez-vous croire que je veux me faire le thuriféraire de toute l'école romantique. Dieu m'en garde! et ne le croyez pas. Mais, en vérité, je vous dois bien des remercîments pour les doux instants que votre nouveau volume m'a procurés. Il est tout plein de grâce, de naïveté, de mélancolie. Votre style s'est épuré d'une façon remarquable, sans perdre rien de sa vérité et de son allure abandonnée. Moi, pédant (tout ignorant que je suis), je trouverais bien encore à guerroyer contre quelques mots, quelques phrases; mais vous vous amendez de si bonne grâce et de vous-même, qu'il ne faut que vous attendre à un troisième volume. C'est ce que je vais faire, au lieu de vous tourmenter de ridicules remarques.

«Savez-vous une crainte que j'ai? c'est que vos *Consolations* ne soient pas aussi recherchées du commun des lecteurs que les infortunes si touchantes du pauvre Joseph, qui pourtant ont mis tant et si fort la critique en émoi. Il y a des gens qui trouveront que vous n'auriez pas dû vous consoler sitôt; gens égoïstes, il est vrai, qui se plaisent aux souffrances des hommes d'un beau talent, parce que, disent-ils, la misère, la maladie, le désespoir, sont de bonnes muses. Je suis un peu de ces mauvais cœurs. Toutefois, j'ai du bon; aussi vos touchantes *Consolations* m'ont pénétré l'âme, et je me réjouis maintenant du calme de la vôtre. Il faut pourtant que je vous dise que moi, qui suis de ces poëtes tombés dans l'ivresse des sens dont vous parlez, mais qui sympathise même avec le mysticisme, parce que j'ai sauvé du naufrage une croyance inébranlable, je trouve la vôtre un peu affectée dans ses expressions. Quand vous vous servez du mot de *Seigneur*, vous me faites penser à ces cardinaux anciens qui remerciaient Jupiter et tous les dieux de l'Olympe de l'élection d'un nouveau pape. Si je vous pardonne ce lambeau de culte jeté sur votre foi de déiste, c'est qu'il me semble que c'est à quelque beauté, tendrement superstitieuse, que vous l'avez emprunté par condescendance amoureuse. Ne regardez pas cette observation comme un effet de critique impie. Je suis croyant, vous le savez, et de très-bonne foi; mais aussi je tâche d'être vrai en tout, et je voudrais que tout le monde le fût, même dans les moindres détails. C'est le seul moyen de persuader son auditoire.

«Qu'allez-vous conclure de ma lettre? Je ne sais trop. Aussi je sens le besoin de me résumer.

«À mes yeux vous avez grandi pour le talent, et grandi beaucoup. Le sujet de vos divers morceaux plaira peut-être moins à ceux qui vous ont le plus applaudi d'abord; il n'en sera pas ainsi pour ceux d'entre eux qui sont sensibles à tous les épanchements d'une âme aussi pleine, aussi délicate que la vôtre. L'éloge qui restera commun aux deux volumes, c'est de nous offrir un genre de poésie absolument nouveau en France, la haute poésie des choses communes de la vie. Personne ne vous avait devancé dans cette route; il fallait ce que je n'ai encore trouvé qu'en vous seul pour y réussir. Vous n'êtes arrivé qu'à moitié du chemin, mais je doute que personne vous y devance jamais; je dirai plus: je doute qu'on vous y suive. Une gloire unique vous attend donc; peut-être l'avez-vous déjà complétement méritée; mais il faut beaucoup de temps aux contemporains pour apprécier les talents simples et vrais; ne vous irritez donc point de nos hésitations à vous décerner la couronne. Mettez votre confiance en Dieu; c'est ce que j'ai fait, moi, poëte de cabaret et de mauvais lieux, et un tout petit rayon de soleil est tombé sur mon fumier. Vous obtiendrez mieux que cela, et je m'en réjouis. À vous de tout mon cœur.

«Béranger.»

«Mais je dus à Beyle (Stendhal), le spirituel épicurien et l'un des plus osés romantiques de la prose, un des suffrages qui étaient le plus faits pour me flatter. Il était peu disposé, en général, en faveur des vers, et des vers français en particulier. Dans un premier écrit sur le Romantisme en 1818, il avait dit:

«... La France et l'Allemagne sont muettes: le génie poétique, éteint chez ces nations, n'est plus représenté que par des foules de versificateurs assez élégants, mais le feu du génie manque toujours; mais, si on veut les lire, toujours l'ennui comme un poison subtil se glisse peu à peu dans l'âme du lecteur; ses yeux deviennent petits, il s'efforce de lire, mais il bâille, il s'endort et le livre lui tombe des mains.»

«Quelle fut donc ma surprise quand je reçus de lui, avec qui je n'avais eu d'ailleurs que des relations assez rares et de rencontre, une lettre ainsi conçue:

«Après avoir lu *les Consolations*
trois heures et demie de suite, le vendredi 26 mars (1830).

«S'il y avait un Dieu, j'en serais bien aise, car il me payerait de son paradis pour être honnête homme comme je suis.

«Ainsi je ne changerais rien à ma conduite, et je serais récompensé pour faire précisément ce que je fais.

«Une chose cependant diminuerait le plaisir que j'ai à rêver avec les douces larmes que fait couler une bonne action: cette idée d'en être *payé* par une récompense, un paradis.

«Voilà, monsieur, ce que je vous dirais en vers si je savais en faire aussi bien que vous. Je suis choqué que vous autres qui *croyez en Dieu*, vous imaginiez que, pour être *au désespoir* trois ans de ce qu'une maîtresse vous a quittés, il faille croire en Dieu. De même un Montmorency s'imagine que, pour être brave sur le champ de bataille, il faut s'appeler Montmorency.

«Je vous crois appelé, monsieur, aux plus grandes destinées littéraires, mais je trouve encore un peu d'affectation dans vos vers. Je voudrais qu'ils ressemblassent davantage à ceux de la Fontaine. Vous parlez trop de gloire. On aime à travailler, mais Nelson (lisez sa *Vie* par l'infâme Southey), Nelson ne se fait tuer que pour devenir *pair d'Angleterre*. Qui diable sait si la gloire viendra! Voyez Diderot promettre l'immortalité à M. Falconet, sculpteur.

«La Fontaine disait à la Champmeslé: Nous aurons la gloire, moi pour écrire, et vous pour réciter.» Il a deviné. Mais pourquoi parler de ces choses-là? La passion a sa pudeur: pourquoi révéler ces choses intimes? pourquoi des noms? Cela a l'air d'une prônerie, d'un *puff*.

«Voilà, monsieur, ma pensée, et toute ma pensée. Je crois qu'on parlera de vous en 1890. Mais vous ferez mieux que les *Consolations*, quelque chose de plus *fort* et de plus *pur*.»

«Ce même Beyle, quelques mois après et au lendemain de la révolution de Juillet, nommé consul à Trieste, et se croyant prêt à partir (il n'obtint pas l'*exequatur*), m'écrivait cet autre billet tout aimable, qui me prouvait une fois le plus qu'il augurait bien de moi et qu'il ne tenait pas à lui que je ne devinsse quelque chose:

«71, rue Richelieu, ce 29 septembre 1830.

«Monsieur, on m'assure à l'instant que je viens d'être nommé consul à Trieste. On dit la nature belle en ce pays. Les îles de l'Adriatique sont pittoresques. Je fais le premier acte de consulat en vous engageant à passer six mois ou un an dans la maison du consul. Vous seriez, monsieur, aussi libre qu'à l'auberge; nous ne nous verrions qu'à table. Vous seriez tout à vos inspirations poétiques.

«Agréez, monsieur, l'assurance de mes sentiments les plus distingués.

«Beyle.»

«C'était aux *Consolations* et aux espérances qu'elles donnaient que je devais tous ces témoignages.

«Parmi mes amis du *Globe* ou qui appartenaient par leurs idées à ce groupe, il en est deux de qui je reçus des marques de sympathie accompagnées de quelques indications justes et dont j'aurais pu profiter. M. Viguier, l'un des maîtres les plus distingués et les plus délicats de l'ancienne École normale, à qui j'avais dédié l'une des pièces (la IIe) du Recueil, après m'avoir remercié cordialement, après m'avoir dit: «Ce n'est pas un livre, c'est encore cette fois une âme vivante que vous m'avez fait lire; telle est votre manière: entre votre talent et votre manière morale il y a intimité;» ajoutait ces paroles que j'aurais dû peser davantage et dont j'ai vérifié depuis la justesse:

«Voilà donc une phase nouvelle, un autre degré de l'échelle poétique et morale. Il faudra bien vous laisser dire que l'on ne voit pas assez clairement le point où vous arrivez dans la foi, ni celui où vous tendez; que le désespoir, avec tous ses scandales, fait plus pour le succès et pour une certaine originalité qu'un premier retour à des pensées religieuses; que vous paraissez menacé du mysticisme dévot, et qu'en attendant, le mysticisme d'une rêverie toute subjective ne laisse pas assez arriver dans ce sanctuaire toujours tendu de deuil l'air du dehors, le soleil, la vie du monde. Qu'importe? ce n'est encore qu'une année de votre vie! L'unité du ton, quand il est vrai, fort et animé, n'est point la monotonie. Ce n'est pas la popularité, c'est la durée qui doit faire votre succès. Vous n'avez qu'à vivre pour varier les applications d'un si beau talent. Vivez donc, mon cher Sainte-Beuve, et vivez heureux! Que le bonheur vous inspire aussi bien que les chagrins et la pénitence: ce sera une double satisfaction pour ceux qui vous aiment.»

Lamartine.

(*La suite au prochain Entretien.*)

CII^{e} ENTRETIEN.

LETTRE À M. SAINTE-BEUVE.

(SECONDE PARTIE.)

I.

J'avais par hasard connu et aimé, en Italie, un beau jeune homme français, nommé *Farcy*. C'était une de ces âmes concentrées, quoique errantes, qui désespèrent de trouver dans les autres âmes ce qu'elles rêvent de perfection en elles-mêmes. J'avais passé quelques mois avec lui, et, quoique je ne me fusse pas ouvert complétement à lui, je vis qu'il m'aimait comme homme et comme poëte. Il partit pour la France un an avant la révolution de 1830. Un jour, je lus sa mort dans un journal. Le journaliste en fit naturellement un héros de Juillet. Ce n'était pas cela, c'était un héros de *je ne sais quoi*, un héros de l'ennui, du vide, de l'inspiration maladive de l'âme. Revenu à Paris, j'appris de M. D..., son ami, comment il était mort.

Les deux premières journées de la lutte entre le peuple et les troupes étaient passées; le combat languissait. Farcy ne s'y était pas mêlé; il redoutait autant la défaite que la victoire, danger extrême des deux côtés. Il restait incertain et impassible à sa fenêtre. À la fin du troisième jour, vers le soir, il se fit un reproche à lui-même de sa longanimité. Quelle que soit l'issue, se dit-il, cela aura une issue bientôt. Si le peuple est vaincu, il n'est plus peuple, il est esclave, c'est un mal; si le peuple est vainqueur, les circonstances seront extrêmes, il sera entraîné à l'anarchie: à l'anarchie, il y a un remède; à la servitude, il n'y en a plus. Ainsi, à tout risque, combattons pour le parti qui peut encore, à la rigueur, sauver la France. Que mon coup de fusil soit du moins pour quelque chose dans les conséquences de cette guerre civile! Il sortit son fusil à la main; mais il tournait à peine l'angle de l'hôtel de Nantes, maison isolée et pyramidale qui existait seule sur le Carrousel, qu'un coup de feu de hasard vint l'atteindre en pleine poitrine; il tomba philosophe, on le releva héros.

Or voici ce que Farcy venait d'écrire à Sainte-Beuve, quelques semaines auparavant, sur les *Consolations*:

«Dans le premier ouvrage (dans *Joseph Delorme*), c'était une âme flétrie par des études trop positives et par les habitudes des sens qui emportent un jeune homme timide, pauvre, et en même temps délicat et instruit; car ces hommes ne pouvant se plaire à une liaison continuée où on ne leur rapporte en échange qu'un esprit vulgaire et une âme façonnée à l'image de cet esprit, ennuyés et ennuyeux auprès de telles femmes, et d'ailleurs ne pouvant plaire plus haut ni par leur audace ni par des talents encore cachés, cherchent le plaisir d'une heure qui amène le dégoût de soi-même. Ils ressemblent à ces femmes bien élevées et sans richesses, qui ne peuvent souffrir un époux vulgaire, et à qui une union mieux assortie est interdite par la fortune.

«Il y a une audace et un abandon dans la confidence des mouvements d'un pareil cœur, bien rares en notre pays et qui annoncent le poëte.

«Aujourd'hui (dans les *Consolations*) il sort de sa débauche et de son ennui; son talent mieux connu, une vie littéraire qui ressemble à un combat, lui ont donné de l'importance et l'ont sauvé de l'affaissement. Son âme honnête et pure a ressenti cette renaissance avec tendresse, avec reconnaissance. Il s'est tourné vers Dieu, d'où vient la paix et la joie.

«Il n'est pas sorti de son abattement par une violente secousse: c'est un esprit trop analytique, trop réfléchi, trop habitué à user ses impressions en les commentant, à se dédaigner lui-même en s'examinant beaucoup; il n'a rien en lui pour être épris éperdument et pousser sa passion avec emportement et audace; plus tard peut-être... Aujourd'hui il cherche, il attend et se défie.

«Mais son cœur lui échappe et s'attache à une fausse image de l'amour. L'étude, la méditation religieuse, l'amitié, l'occupent, si elles ne le remplissent pas, et détournent ses affections. La pensée de l'art noblement conçu le soutient et donne à ses travaux une dignité que n'avaient pas ses premiers essais, simples épanchements de son âme et de sa vie habituelle.—Il comprend tout, aspire à tout, et n'est maître de rien ni de lui-même. Sa poésie a une ingénuité de sentiments et d'émotions qui s'attachent à des objets pour lesquels le grand nombre n'a guère de sympathie, et où il y a plutôt travers d'esprit ou habitudes bizarres de jeune homme pauvre et souffreteux, qu'attachement naturel et poétique. La misère domestique vient gémir dans ses vers à côté des élans d'une noble âme et causer ce contraste pénible qu'on retrouve dans certaines scènes de Shakespeare, qui excite notre pitié, mais non pas une émotion plus sublime.

«Ces goûts changeront; cette sincérité s'altérera; le poëte se révélera avec plus de pudeur; il nous montrera les blessures de son âme, les pleurs de ses yeux, mais non plus les flétrissures livides de ses membres, les égarements obscurs de ses sens, les haillons de son indigence morale. Le libertinage est poétique quand c'est un emportement du principe passionné en nous, quand c'est philosophie audacieuse, mais non quand il n'est qu'un égarement furtif, une confession honteuse. Cet état convient mieux au pécheur qui va se régénérer; il va plus mal au poëte, qui doit toujours marcher simple et le front levé, à qui il faut l'enthousiasme ou les amertumes profondes de la passion.

«L'auteur prend encore tous ses plaisirs dans la vie solitaire, mais il y est ramené par l'ennui de ce qui l'entoure, et aussi effrayé par l'immensité où il se plonge en sortant de lui-même. En rentrant dans sa maison, il se sent plus à l'aise, il sent plus vivement par le contraste; il chérit son étroit horizon, où il est à l'abri de ce qui le gêne, où son esprit n'est pas vaguement égaré par une trop vaste perspective. Mais, si la foule lui est insupportable, le vaste espace l'accable encore, ce qui est moins poétique. Il n'a pas pris assez de fierté et d'étendue pour dominer toute cette nature, pour l'écouter, la comprendre, la traduire dans ses grands spectacles. Sa poésie par là est étroite, chétive, étouffée: on n'y voit pas un miroir large et pur de la nature dans sa grandeur, la force et la plénitude de sa vie: ses tableaux manquent d'air et de lointains fuyants.

«Il s'efforce d'aimer et de croire, parce que c'est là dedans qu'est le poëte: mais sa marche vers ce sentiment est critique et logique, si je puis ainsi dire. Il va de l'amitié à l'amour comme il a été de l'incrédulité à l'élan vers Dieu.

«Cette amitié n'est ni morale ni poétique...»

Vous l'avouez vous-même, il avait raison.

«Il me fut difficile, pourquoi ne l'avouerais-je pas? de tenir tout ce que les *Consolations* avaient promis. Les raisons, si on les cherchait en dehors du talent même, seraient longues à donner, et elles sont de telle nature qu'il faudrait toute une confession nouvelle pour les faire comprendre. Ceux qui veulent bien me juger aujourd'hui avec une faveur relativement égale à celle de mes juges d'autrefois, trouveront une explication toute simple, et ils l'ont trouvée: «Je suis critique, disent-ils, je devais l'être avant tout et après tout; le critique devait tuer le poëte, et celui-ci n'était là que pour préparer l'autre.» Mais cette explication n'était pas, à mes yeux, suffisante.

«En effet, la vie est longue, et avant que la poésie, «cette maîtresse jalouse et qui ne veut guère de partage,» songeât à s'enfuir, il s'écoula encore bien du temps. J'étais poëte avant tout en 1829, et je suis resté obstinément fidèle à ma chimère pendant quelques années, la critique n'étant guère alors pour moi qu'un prétexte à analyse et à portrait. Qu'ai-je donc fait durant les saisons qui ont suivi? La Révolution de Juillet interrompit brusquement nos rêves, et il me fallut quelque temps pour les renouer. Moi-même, à la fin de l'année 1830, j'éprouvai dans ma vie morale des troubles et des orages d'un genre nouveau. Des années se passèrent pour moi à souffrir, à me contraindre, à me dédoubler. Je confiai toujours beaucoup à la Muse, et le Recueil qu'on va lire (les *Pensées d'Août*), aussi bien que les fragments dont j'ai fait suivre précédemment l'ancien *Joseph Delorme* et que j'ai glissés sous son nom, le prouvent assez. Le roman de *Volupté* fut aussi une diversion puissante, et ceux qui voudront bien y regarder verront que j'y ai mis beaucoup de cette matière subtile à laquelle il ne manque qu'un rayon pour éclore en poésie.

«Mais l'impression même sous laquelle j'ai écrit les *Consolations* n'est jamais revenue et ne s'est plus renouvelée pour moi. «Ces six mois célestes de ma vie,» comme je les appelle, ce mélange de sentiments tendres, fragiles et chrétiens, qui faisaient un charme, cela en effet ne pouvait durer; et ceux de mes amis (il en est) qui auraient voulu me fixer et comme m'immobiliser dans cette nuance, oubliaient trop que ce n'était réellement qu'une nuance, aussi passagère et changeante que le reflet de la lumière sur des nuages ou dans un étang, à une certaine heure du matin, à une certaine inclinaison du soir.»

II.

Mais ce que j'ignorais et ce que votre Préface m'apprend, c'est que le sceptique le plus résolu et le plus cynique du siècle, *Beyle*, l'auteur le plus spirituel de ces derniers temps, l'homme en apparence le plus antipathique à ce spiritualisme pieux dont les *Consolations* étaient débordantes, eut des rapports d'enthousiasme avec vous, et vous tendit les bras dès qu'il les eut lues.

Quelque chose de semblable avait eu lieu entre Beyle et moi en Italie, peu d'années avant.

J'avais une liaison intime et qui remontait à mes jeunes années, une parenté de cœur (et qui dure encore en se resserrant), avec un des amis les plus intimes de *Beyle*, M. *de Mareste*, connu, recherché, chéri d'à peu près tous les hommes éminents de ce temps, trop spirituel pour être fanatique (les fanatismes sont des manies), mais très-fanatique des talents qui sont les supériorités de la nature. M. de Mareste est un homme qui rit souvent, mais chez qui le rire bienveillant ne va jamais jusqu'au cœur et laisse des larmes pour toutes les blessures, un homme qui, comme l'ami de Cicéron, se serait retiré au fond de la Grèce pendant les guerres civiles de Rome, pour éviter de haïr personne; *magister elegantium*, un Saint-Évremond français suivant *Hortense Mancini* à Londres, afin d'aimer le beau jusque dans sa vieillesse! Souvent, pendant que j'étais très-jeune et que j'allais avec ivresse au bal, je me suis étonné, en sortant de la salle à la première pointe du jour, de voir des larmes de rosée trembler et briller sur toutes les feuilles des buissons et sur toutes les herbes qui me mouillaient les pieds; ces gouttes d'eau rafraîchissantes étaient tombées en dehors à notre insu, en silence, pendant que la chaleur des bougies et la poussière du parquet nous brûlaient à l'intérieur de la salle. C'était l'image de la bonté de M. de Mareste: gaie et chaude à l'intérieur avec les heureux du monde; sensible, et humide et compatissante au dehors avec ceux qui souffrent et qui pleurent; aimé de tout le monde, des heureux parce qu'il partage leur gaieté, des malheureux parce qu'il pleure sur eux comme eux-mêmes.

III.

Or M. de Mareste aimait Beyle, je ne comprenais pas pourquoi; car je l'avais de confiance, moi, en antipathie, pour avoir entendu dire qu'il ne croyait pas en Dieu, et qu'il s'en vantait, et qu'il était cynique. Le cynisme, à mes yeux, était alors et est encore l'impiété de la nature envers Dieu et envers soi-même, la raillerie grossière de ce qu'il y a de plus respectable et de plus saint dans la création: la beauté et la douleur.—Un coup de sifflet à la Divinité partout où elle se montre!—Et contre nous-même! car, si nous ne nous respectons pas, comment voulez-vous que le sort nous respecte?...........

Mareste cependant avait consenti à donner à Beyle une lettre d'introduction pour moi; il vint. Il ne chercha pas à adoucir sa doctrine. Dès le premier entretien il me dit:

«On vous a sans doute dit des horreurs de moi; que j'étais un athée, que je me moquais des quatre lettres de l'alphabet qui nomment ce qu'on appelle *Dieu*, et des hommes, ces mauvais miroirs de leur *Dieu*. Je ne cherche point à vous tromper, c'est vrai! J'ai bien examiné la vie, et la nature, cette source intermittente de la vie, et la mort muette qui ne dit rien, et l'innombrable série des fables par lesquelles des hommes aussi ignorants que vous et moi ont cherché à interpréter ce silence! Je ne dis pas que Dieu existe, je ne dis pas qu'il n'existe pas, je dis seulement que je n'en sais rien, que cette idée me paraît avoir fait aux hommes autant de mal que de bien, et qu'en attendant que *Dieu* se révèle, je crois que son premier ministre, le hasard, gouverne aussi bien ce triste monde que lui. Je crois seulement que je ne crois à rien; je me trompe cependant, je crois à ce qu'on appelle *conscience*, soit instinct, soit mauvaise habitude d'idées, soit effet de préjugés et de respect humain. Je sens que je suis honnête homme, et qu'il me serait impossible de ne pas l'être, non pour plaire à un *Être suprême* qui n'existe pas, mais pour me plaire à moi-même, qui ai besoin de vivre en paix avec mes préjugés et mes habitudes, et pour donner un but à ma vie et un aliment à mes pensées. J'ai jeté loin derrière moi le sac théologique de ce que vous appelez, vous autres, les pieuses croyances. Je vous envie, car de consolantes illusions sont des vérités très-douces pour ceux qui y croient; mais moi, non, je ne crois à rien, et je me livre seulement à mon goût pour les beaux-arts et pour la littérature. Je crois que Raphaël dessine bien, et que Titien est un admirable coloriste, que Voltaire écrit comme pense un homme d'esprit, et que *Byron* chante comme l'humanité pleure, surtout dans *Don Juan*!

«Et me voilà! dit-il en souriant, avec un air de bonne foi communicatif. Mareste, notre ami, m'a dit que vous aviez mille fois plus d'esprit qu'il n'y en a dans vos livres, que vous en prendriez encore beaucoup plus en vieillissant, et que vous étiez très-bon à connaître pour moi, parce que vos sentiments étaient excellents, vos idées sincères, et que vous compreniez tout le monde, même moi, si je vous plaisais!... Je viens vous plaire.—Causons!»

IV.

Nous causâmes sans mystère et sans colère des deux parts; je lui dis que j'avais lu avec charme presque tout ce qu'il avait écrit, et qu'excepté le cynisme antipathique à ma nature et l'athéisme inacceptable par mon esprit, j'avais tout goûté de lui, même le scepticisme; que je n'étais rien moins que sceptique cependant; que je croyais fermement qu'il y avait une foi difficile à trouver, mais trouvable, un *arcanum* de la vie intérieure, dont la recherche était l'œuvre des grands esprits, et que, dans cette foi, il y avait non-seulement la croyance, mais le repos; que c'était l'affaire de la vie entière de la découvrir, que j'y travaillais, et que j'y travaillerais jusqu'à mon dernier jour, et que les hommes qui se disaient comme lui incrédules n'étaient que d'aimables paresseux qui revenaient sur leurs pas aux premières difficultés de la route; que j'étais heureux de connaître en lui un de ces esprits impatients, découragés avant le temps, et que, s'il voulait venir à toute heure du soir finir avec moi les journées, nous causerions ou de Dieu, s'il voulait, ou de la littérature et des arts, lui me donnant du goût, moi de la foi, chacun dans notre mesure!

V.

Et cela eut lieu ainsi pendant deux ou trois mois d'automne. Je logeais dans un faubourg de la ville; chaque soir, avant ou après dîner, Beyle arrivait. On jetait une bourrée de myrte odorant au feu, et nous causions avec la confiance qu'inspirent aux hommes la solitude et la bonne foi. Je lui inspirai quelques doutes sur son incrédulité; et lui jetait, en fait de musique, d'arts et de poésie, beaucoup d'éclairs sur mon ignorance.

VI.

Ce fut alors que j'appris qu'il était poëte jusqu'à l'adoration, et que le volume des *Consolations* de Sainte-Beuve, entre autres, tombé par hasard dans ses mains, lui avait donné tant d'enthousiasme qu'il lui avait écrit: «Je viens de passer *trois heures* entières à vous lire; je pars pour l'Italie; venez, il y aura toujours à votre service une chambre solitaire pour le travail, une liberté entière pour votre loisir, une admiration sincère et passionnée pour vous. Venez, un ami vous attend!»

Or, si un livre si rempli de Divinité faisait cette impression sur Beyle, quelle impression n'avait-il pas dû faire sur moi?—Vous allez en juger.

VII.

Ce volume commence par une des épîtres les plus éthérées de la littérature française. On ne trouve rien de ce ton dans Boileau ni dans Voltaire, ces rois de l'épître. L'élégie s'y mêle, et, au lieu de ces grains de sel attique en français qui font sourire, on y savoure avec délices ces gouttes de larmes un peu amères qui font presque pleurer.

Je ne sais si je me trompe, mon cher Sainte-Beuve; mais ce ton me semble aussi nouveau dans l'épître que tendre et amical. On sent que c'était murmurer à demi-voix, en plein jour, en beau soleil de trois heures après midi; chaste et pur comme un rayon d'été ou comme le regard ravissant et respecté de cette charmante femme de votre meilleur ami, épars sur ce groupe de ses beaux enfants à peine éclos. Il est aisé de voir qu'un sentiment indécis entre la passion tempérée par le respect et l'amour innomé, le rêve triste de l'âme, sera l'accent de votre vie; ce spiritualisme passionné, mais muet, comprenant le bonheur des autres, mais sans le profaner ou l'envier. C'est en effet le céleste caractère de cette pièce. Quiconque a passé dans ses belles années par ces épreuves si difficiles à traverser, se reconnaît dans ces limbes du pur attachement jouissant de contempler ces *Béatrices* de l'amour idéal, mais interdites par la sainte amitié. Il y a dans l'intimité de certaines familles une espèce d'adoption qui est le préservatif de tout autre amour. L'enfant de la maison aime sa mère plus qu'un fils, mais il ne l'aime pas comme un amant. Ce serait un sacrilége, et, s'il se complaît à écrire ce qu'il éprouve en la voyant, c'est ainsi qu'il écrit:

À MADAME V. H.

Notre bonheur n'est qu'un malheur plus ou moins consolé.

Ducis.

Oh! que la vie est longue aux longs jours de l'été,
Et que le temps y pèse à mon cœur attristé!
Lorsque midi surtout a versé sa lumière,
Que ce n'est que chaleur et soleil et poussière;
Quand il n'est plus matin et que j'attends le soir,
Vers trois heures, souvent, j'aime à vous aller voir;
Et là vous trouvant seule, ô mère et chaste épouse!
Et vos enfants au loin épars sur la pelouse,
Et votre époux absent et sorti pour rêver,
J'entre pourtant; et Vous, belle et sans vous lever,
Me dites de m'asseoir; nous causons; je commence
À vous ouvrir mon cœur, ma nuit, mon vide immense,
Ma jeunesse déjà dévorée à moitié,
Et vous me répondez par des mots d'amitié;
Puis revenant à vous, Vous si noble et si pure,
Vous que, dès le berceau, l'amoureuse nature
Dans ses secrets desseins avait formée exprès
Plus fraîche que la vigne au bord d'un antre frais,
Douce comme un parfum et comme une harmonie;
Fleur qui deviez fleurir sous les pas du génie;
Nous parlons de vous-même, et du bonheur humain,

Comme une ombre, d'en haut, couvrant votre chemin
De vos enfants bénis que la joie environne,
De l'époux votre orgueil, votre illustre couronne;
Et quand vous avez bien de vos félicités
Épuisé le récit, alors vous ajoutez
Triste, et tournant au ciel votre noire prunelle:
«Hélas! non, il n'est point ici-bas de mortelle
Qui se puisse avouer plus heureuse que moi;
Mais à certains moments, et sans savoir pourquoi,
Il me prend des accès de soupirs et de larmes;
Et plus autour de moi la vie épand ses charmes,
Et plus le monde est beau, plus le feuillage vert,
Plus le ciel bleu, l'air pur, le pré de fleurs couvert,
Plus mon époux aimant comme au premier bel âge,
Plus mes enfants joyeux et courant sous l'ombrage,
Plus la brise légère et n'osant soupirer,
Plus aussi je me sens ce besoin de pleurer.»

C'est que, même au-delà des bonheurs qu'on envie,
Il reste à désirer dans la plus belle vie;
C'est qu'ailleurs et plus loin notre but est marqué;
Qu'à le chercher plus bas on l'a toujours manqué;
C'est qu'ombrage, verdure et fleurs, tout cela tombe,
Renaît, meurt pour renaître enfin sur une tombe;
C'est qu'après bien des jours, bien des ans révolus,
Ce ciel restera bleu quand nous ne serons plus;
Que ces enfants, objets de si chères tendresses,
En vivant oublieront vos pleurs et vos caresses;
Que toute joie est sombre à qui veut la sonder,
Et qu'aux plus clairs endroits, et pour trop regarder
Le lac d'argent, paisible, au cours insaisissable,
On découvre sous l'eau de la boue et du sable.

Mais comme au lac profond et sur son limon noir
Le ciel se réfléchit, vaste et charmant à voir,
Et, déroulant d'en haut la splendeur de ses voiles,
Pour décorer l'abîme y sème les étoiles,
Tel dans ce fond obscur de notre humble destin
Se révèle l'espoir de l'éternel matin;
Et quand sous l'œil de Dieu l'on s'est mis de bonne heure,
Quand on s'est fait une âme où la vertu demeure;
Quand, morts entre nos bras, les parents révérés
Tout bas nous ont bénis avec des mots sacrés;
Quand nos enfants, nourris d'une douceur austère,

Continueront le bien après nous sur la terre;
Quand un chaste devoir a réglé tous nos pas,
Alors on peut encore être heureux ici-bas;
Aux instants de tristesse on peut, d'un œil plus ferme,
Envisager la vie et ses biens et leur terme,
Et ce grave penser, qui ramène au Seigneur,
Soutient l'âme et console au milieu du bonheur.

Mai 1829.

À M. VIGUIER.

Dicebam hæc et flebam amarissime contritione cordis mei; et ecce audio vocem de vicina domo cum cantu dicentis et crebro repetentis, quasi pueri an puellæ nescio: *Tolle, lege! tolle, lege!*

SAINT AUGUSTIN, *Confess.*, liv. VIII.

Au temps des Empereurs, quand les dieux adultères,
Impuissants à garder leur culte et leurs mystères,
Pâlissaient, se taisaient sur l'autel ébranlé
Devant le Dieu nouveau dont on avait parlé,
En ces jours de ruine et d'immense anarchie
Et d'espoir renaissant pour la terre affranchie,
Beaucoup d'esprits, honteux de croire et d'adorer,
Avides, inquiets, malades d'ignorer,
De tous lieux, de tous rangs, avec ou sans richesse,
S'en allaient par le monde et cherchaient la sagesse.
À pied, ou sur des chars brillants d'ivoire et d'or,
Ou sur une trirème embarquant leur trésor,
Ils erraient: Antioche, Alexandrie, Athènes,
Tour à tour leur montraient ces lueurs incertaines
Qui, dès qu'un œil humain s'y livre et les poursuit,
Toujours, sans l'éclairer, éblouissent sa nuit.

Platon les guide en vain dans ses cavernes sombres;
En vain de Pythagore ils consultent les nombres:
La science les fuit; ils courent au-devant,
Esclaves de quiconque ou la donne ou la vend.
Du Stoïcien menteur, du Cynique en délire,
Dans leur main, chaque fois, le manteau se déchire.

VIII.

Je ne voulais que citer, et je n'ai pas pu m'empêcher de copier. Il y a des pièces, en effet (et ce sont les plus parfaites), où la beauté est dans le tout. Qui pourrait ne pas comprendre dans celle-ci la touchante et involontaire adresse de ce tourment triste des derniers vers qui ramène à la mélancolie vague de la personne innomée, des pensées dont l'amour voudrait s'emparer pour lui faire sentir un vide que lui seul pourrait combler?

Je n'ai jamais pu lire ces vers sans que mon cœur, humide de larmes, ne sourît en même temps de l'involontaire habileté du poëte; c'est une des notes les plus voilées et tout à la fois les plus pénétrantes de la poésie aimante, qui, pour se tromper soi-même, prend la voix de la simple amitié.

IX.

La troisième *Consolation*, adressée à M. Auguste Le Prévost, un ami de l'auteur, peint admirablement l'impression du dimanche, aussi poétique à force de verve que les sonores épanchements de la cloche de village dans la nature agreste de Bretagne par Chateaubriand. Lisez encore, et réfléchissez à la profondeur naïve de ce talent:

À M. AUGUSTE LE PREVOST.

Quis memorabitur tui post mortem, et quis orabit pro te?

De Imit. Christi, lib. I, cap. xxiii.

Dans l'île Saint-Louis, le long d'un quai désert,
L'autre soir je passais: le ciel était couvert,
Et l'horizon brumeux eût paru noir d'orages,
Sans la fraîcheur du vent qui chassait les nuages;
Le soleil se couchait sous de sombres rideaux;
La rivière coulait verte entre les radeaux;
Aux balcons çà et là quelque figure blanche
Respirait l'air du soir;—et c'était un dimanche.
Le dimanche est pour nous le jour du souvenir;
Car, dans la tendre enfance, on aime à voir venir,
Après les soins comptés de l'exacte semaine
Et les devoirs remplis, le soleil qui ramène
Le loisir et la fête, et les habits parés,
Et l'église aux doux chants, et les jeux dans les prés.

Et plus tard, quand la vie, en proie à la tempête,
Ou stagnante d'ennui, n'a plus loisir ni fête,
Si pourtant nous sentons, aux choses d'alentour,
À la gaîté d'autrui, qu'est revenu ce jour,
Par degrés attendris jusqu'au fond de notre âme,
De nos beaux ans brisés nous renouons la trame,
Et nous nous rappelons nos dimanches d'alors,
Et notre blonde enfance, et ces riants trésors.
Je rêvais donc ainsi, sur ce quai solitaire,

À mon jeune matin si voilé de mystère,
À tant de pleurs obscurs en secret dévorés,
À tant de biens trompeurs ardemment espérés,
Qui ne viendront jamais,... qui sont venus peut-être!
En suis-je plus heureux qu'avant de les connaître?
Et, tout rêvant ainsi, pauvre rêveur, voilà
Que soudain, loin, bien loin, mon âme s'envola,
Et d'objets en objets, dans sa course inconstante,
Se prit aux longs discours que feu ma bonne tante
Me tenait, tout enfant, durant nos soirs d'hiver,
Dans ma ville natale, à Boulogne-sur-Mer.
Elle m'y racontait souvent, pour me distraire,
Son enfance, et les jeux de mon père, son frère,
Que je n'ai pas connu; car je naquis en deuil,
Et mon berceau d'abord posa sur un cercueil.
Elle me parlait donc et de mon père et d'elle;
Et ce qu'aimait surtout sa mémoire fidèle,
C'était de me conter leurs destins entraînés
Loin du bourg paternel où tous deux étaient nés.
De mon antique aïeul je savais le ménage,
Le manoir, son aspect et tout le voisinage:
La rivière coulait à cent pas près du seuil;
Douze enfants (tous sont morts!) entouraient le fauteuil,
Et je disais les noms de chaque jeune fille.
Du curé, du notaire, amis de la famille,
Pieux hommes de bien, dont j'ai rêvé les traits,
Morts pourtant sans savoir que jamais je naîtrais.

Et tout cela revint en mon âme mobile,
Ce jour que je passais le long du quai, dans l'île.

Et bientôt, au sortir de ces songes flottants,
Je me sentis pleurer, et j'admirai longtemps
Que de ces hommes morts, de ces choses vieillies,
De ces traditions par hasard recueillies,
Moi, si jeune et d'hier, inconnu des aïeux,
Qui n'ai vu qu'en récits les images des lieux,
Je susse ces détails, seul peut-être sur terre,
Que j'en gardasse un culte en mon cœur solitaire,
Et qu'à propos de rien, un jour d'été, si loin
Des lieux et des objets, ainsi j'en prisse soin.
Hélas! pensai-je alors, la tristesse dans l'âme,
Humbles hommes, l'oubli sans pitié nous réclame,
Et, sitôt que la mort nous a remis à Dieu,

Le souvenir de nous ici nous survit peu;
Notre trace est légère et bien vite effacée;
Et moi, qui de ces morts garde encor la pensée,
Quand je m'endormirai comme eux, du temps vaincu,
Sais-je, hélas! si quelqu'un saura que j'ai vécu?
Et, poursuivant toujours, je disais qu'en la gloire,
En la mémoire humaine, il est peu sûr de croire;
Que les cœurs sont ingrats, et que bien mieux il vaut
De bonne heure aspirer et se fonder plus haut,
Et croire en Celui seul qui, dès qu'on le supplie,
Ne nous fait jamais faute, et qui jamais n'oublie.

Juillet 1829.

X.

Et ceux-ci, qui n'ont que le tort de m'être adressés, et de me proclamer homme grand et heureux, tandis que le sort me préparait un double démenti et un faux présage!

À M. A..... DE L..... (LAMARTINE.)

Le jour que je vous vis pour la troisième fois,
C'était en juin dernier, voici bientôt deux mois;
Vous en souviendrez-vous? j'ose à peine le croire,
Mais ce jour à jamais emplira ma mémoire.
Après nous être un peu promenés seul à seul,
Au pied d'un marronnier ou sous quelque tilleul
Nous vînmes nous asseoir, et longtemps nous causâmes
De nous, des maux humains, des besoins de nos âmes;
Moi surtout, moi plus jeune, inconnu, curieux,
J'aspirais vos regards, je lisais dans vos yeux,
Comme aux yeux d'un ami qui vient d'un long voyage;
Je rapportais au cœur chaque éclair du visage;
Et dans vos souvenirs ceux que je choisissais,
C'était votre jeunesse, et vos premiers accès
D'abords flottants, obscurs, d'ardente poésie,
Et les égarements de votre fantaisie,
Vos mouvements sans but, vos courses en tout lieu,
Avant qu'en votre cœur le démon fût un Dieu.
Sur la terre jeté, manquant de lyre encore,
Errant, que faisiez-vous de ce don qui dévore?
Où vos pleurs allaient-ils? par où montaient vos chants?
Sous quels antres profonds, par quels brusques penchants
S'abîmait loin des yeux le fleuve? Quels orages
Ce soleil chauffait-il derrière les nuages?

Ignoré de vous-même et de tous, vous alliez...
Où? dites? parlez-moi de ces temps oubliés.
Enfant, Dieu vous nourrit de sa sainte parole:
Mais bientôt le laissant pour un monde frivole,
Et cherchant la sagesse et la paix hors de lui,
Vous avez poursuivi les plaisirs par ennui;
Vous avez, loin de vous, couru mille chimères,
Goûté les douces eaux et les sources amères,
Et sous des cieux brillants, sur des lacs embaumés,
Demandé le bonheur à des objets aimés.
Bonheur vain! fol espoir! délire d'une fièvre!
Coupe qu'on croyait fraîche et qui brûle la lèvre!
Flocon léger d'écume, atome éblouissant
Que l'esquif fait jaillir de la vague en glissant!
Filet d'eau du désert que boit le sable aride!
Phosphore des marais, dont la fuite rapide
Découvre plus à nu l'épaisse obscurité
De l'abîme sans fond où dort l'éternité!
Oh! quand je vous ai dit à mon tour ma tristesse,
Et qu'aussi j'ai parlé des jours pleins de vitesse,
Ou de ces jours si lents qu'on ne peut épuiser,
Goutte à goutte tombant sur le cœur sans l'user;
Que je n'avais au monde aucun but à poursuivre;
Que je recommençais chaque matin à vivre;
Oh! qu'alors sagement et d'un ton fraternel
Vous m'avez par la main ramené jusqu'au Ciel!
«Tel je fus, disiez-vous; cette humeur inquiète,
Ce trouble dévorant au cœur de tout poëte,
Et dont souvent s'égare une jeunesse en feu,
N'a de remède ici que le retour à Dieu:
Seul il donne la paix, dès qu'on rentre en la voie;
Au mal inévitable il mêle un peu de joie,
Nous montre en haut l'espoir de ce qu'on a rêvé,
Et sinon le bonheur, le calme est retrouvé.»

Et souvent depuis lors, en mon âme moins folle,
J'ai mûrement pesé cette simple parole;
Je la porte avec moi, je la couve en mon sein,
Pour en faire germer quelque pieux dessein.
Mais quand j'en ai longtemps échauffé ma pensée,
Que la Prière en pleurs, à pas lents avancée,
M'a baisé sur le front comme un fils, m'enlevant
Dans ses bras loin du monde, en un rêve fervent,
Et que j'entends déjà dans la sphère bénie

Des harpes et des voix la douceur infinie,
Voilà que de mon âme, à l'entour, au dedans,
Quelques funestes cris, quelques désirs grondants
Éclatent tout à coup, et d'en haut je retombe
Plus bas dans le péché, plus avant dans la tombe!
—Et pourtant aujourd'hui qu'un radieux soleil
Vient d'ouvrir le matin à l'Orient vermeil;
Quand tout est calme encor, que le bruit de la ville
S'éveille à peine autour de mon paisible asile;
À l'instant où le cœur aime à se souvenir,
Où l'on pense aux absents, aux morts, à l'avenir,
Votre parole, ami, me revient et j'y pense;
Et consacrant pour moi le beau jour qui commence,
Je vous renvoie à vous ce mot que je vous dois,
À vous, sous votre vigne, au milieu des grands bois.
Là désormais, sans trouble, au port après l'orage,
Rafraîchissant vos jours aux fraîcheurs de l'ombrage,
Vous vous plaisez aux lieux d'où vous étiez sorti.
Que verriez-vous de plus? vous avez tout senti.
Les heures qu'on maudit et celles qu'on caresse
Vous ont assez comblé d'amertume ou d'ivresse.
Des passions en vous les rumeurs ont cessé;
De vos afflictions le lac est amassé;
Il ne bouillonne plus; il dort, il dort dans l'ombre,
Au fond de vous, muet, inépuisable et sombre;
À l'entour un esprit flotte, et de ce côté
Les lieux sont revêtus d'une triste beauté.
Mais ailleurs, mais partout, que la lumière est pure!
Quel dôme vaste et bleu couronne la verdure;
Et combien cette voix pleure amoureusement!
Vous chantez, vous priez, comme Abel, en aimant;
Votre cœur tout entier est un autel qui fume,
Vous y mettez l'encens et l'éclair le consume;
Chaque ange est votre frère, et, quand vient l'un d'entre eux,
En vous il se repose,—ô grand homme, homme heureux!

Juillet 1829.

XI.

Et cette *Consolation* à deux amis qu'il avait quittés pour quelques jours, et dont l'absence le poignait déjà. Qui n'y reconnaîtra le *génie* et la *beauté* de la première *Consolation*?

Lisez:

À DEUX ABSENTS.

Vois ce que tu es dans cette maison! tout pour toi. Tes amis te considèrent: tu fais souvent leur joie, et il semble à ton cœur qu'il ne pourrait exister sans eux. Cependant, si tu partais, si tu t'éloignais de ce cercle, sentiraient-ils le vide que ta perte causerait dans leur destinée? et combien de temps?

Werther.

Couple heureux et brillant, vous qui m'avez admis
Dès longtemps comme un hôte à vos foyers amis,
Qui m'avez laissé voir en votre destinée
Triomphante, et d'éclat partout environnée,
Le cours intérieur de vos félicités,
Voici deux jours bientôt que je vous ai quittés;
Deux jours, que seul, et l'âme en caprices ravie,
Loin de vous dans les bois j'essaye un peu la vie;
Et déjà sous ces bois et dans mon vert sentier
J'ai senti que mon cœur n'était pas tout entier;
J'ai senti que vers vous il revenait fidèle,
Comme au pignon chéri revient une hirondelle,
Comme un esquif au bord qu'il a longtemps gardé;
Et, timide, en secret, je me suis demandé
Si, durant ces deux jours, tandis qu'à vous je pense,
Vous auriez seulement remarqué mon absence.
Car sans parler du flot qui gronde à tout moment,
Et de votre destin qu'assiége incessamment
La Gloire aux mille voix, comme une mer montante,
Et des concerts tombant de la nue éclatante
Où déjà par le front vous plongez à demi;
Doux bruits, moins doux pourtant que la voix d'un ami:
Vous, noble époux; vous, femme, à la main votre aiguille,
À vos pieds vos enfants; chaque soir, en famille,
Vous livrez aux doux riens vos deux cœurs reposés,
Vous vivez l'un dans l'autre et vous vous suffisez.
Et si quelqu'un survient dans votre causerie,
Qui sache la comprendre et dont l'œil vous sourie,
Il écoute, il s'assied, il devise avec vous,
Et les enfants joyeux vont entre ses genoux;
Et s'il sort, s'il en vient un autre, puis un autre
(Car chacun se fait gloire et bonheur d'être vôtre),
Comme des voyageurs sous l'antique palmier,
Ils sont les bienvenus ainsi que le premier.
Ils passent; mais sans eux votre existence est pleine.
Et l'ami le plus cher, absent, vous manque à peine.

Le monde n'est pour vous, radieux et vermeil,
Qu'un atome de plus dans votre beau soleil,
Et l'Océan immense aux vagues apaisées
Qu'une goutte de plus dans vos fraîches rosées;
Et bien que le cœur sûr d'un ami vaille mieux
Que l'Océan, le monde et les astres des cieux,
Ce cœur d'ami n'est rien devant la plainte amère
D'un nouveau-né souffrant; et pour vous, père et mère,
Une larme, une toux, le front un peu pâli
D'un enfant adoré, met le reste en oubli.
C'est la loi, c'est le vœu de la sainte Nature;
En nous donnant le jour: «Va, pauvre créature,
Va, dit-elle, et prends garde, au sortir de mes mains,
De trébucher d'abord dans les sentiers humains.
Suis ton père et ta mère, attentif et docile;
Ils te feront longtemps une route facile:
Enfant, tant qu'ils vivront, tu ne manqueras pas,
Et leur ardent amour veillera sur tes pas.
Puis, quand ces nœuds du sang relâchés avec l'âge
T'auront laissé, jeune homme, au tiers de ton voyage,
Avant qu'ils soient rompus et qu'en ton cœur fermé
S'ensevelisse, un jour, le bonheur d'être aimé,
Hâte-toi de nourrir quelque pure tendresse,
Qui, plus jeune que toi, t'enlace et te caresse;
À tes nœuds presque usés joins d'autres nœuds plus forts;
Car que faire ici-bas, quand les parents sont morts,
«Que faire de son âme orpheline et voilée,
À moins de la sentir d'autre part consolée,
D'être père, et d'avoir des enfants à son tour,
Que d'un amour jaloux on couve nuit et jour?»
Ainsi veut la Nature, et je l'ai méconnue;
Et quand la main du Temps sur ma tête est venue,
Je me suis trouvé seul et j'ai beaucoup gémi,
Et je me suis assis sous l'arbre d'un ami.
Ô vous dont le platane a tant de frais ombrage,
Dont la vigne en festons est l'honneur du rivage,
Vous dont j'embrasse en pleurs et le seuil et l'autel,
Êtres chers, objets purs de mon culte immortel;
Oh! dussiez vous de loin, si mon destin m'entraîne,
M'oublier, ou de près m'apercevoir à peine,
Ailleurs, ici, toujours, vous serez tout pour moi:
—Couple heureux et brillant, je ne vis plus qu'en toi.

Saint-Maur, août 1829.

Puis-je lire sans reconnaissance cette dernière *Consolation*, qui me fut adressée après sept années d'absence, et qui me rappelait un mot de nos conversations ambulantes prononcé avant mon départ?

Non; nous étions alors en froid; mais on voit que l'instinct de l'amitié nous attirait alors l'un vers l'autre comme il m'y ramène aujourd'hui.

Dans un article inséré à la *Revue des Deux-Mondes*, sur M. de Lamartine, pendant son voyage en Orient (juin 1832), on lisait: «L'absence habituelle où M. de Lamartine vécut loin de Paris et souvent hors de France, durant les dernières années de la Restauration, le silence prolongé qu'il garda après la publication de son *Chant d'Harold*, firent tomber les clameurs des critiques, qui se rejetèrent sur d'autres poëtes plus présents: sa renommée acheva rapidement de mûrir. Lorsqu'il revint au commencement de 1830 pour sa réception à l'Académie française et pour la publication de ses *Harmonies*, il fut agréablement étonné de voir le public gagné à son nom et familiarisé avec son œuvre. C'est à un souvenir de ce moment que se rapporte la pièce de vers suivante, dans laquelle on a tâché de rassembler quelques impressions déjà anciennes, et de reproduire, quoique bien faiblement, quelques mots échappés au poëte, en les entourant de traits qui peuvent le peindre.—À lui, au sein des mers brillantes où ils ne lui parviendront pas, nous les lui envoyons, ces vers, comme un vœu d'ami dans le voyage.»

Un jour, c'était au temps des oisives années,
Aux dernières saisons, de poésie ornées
Et d'art, avant l'orage où tout s'est dispersé,
Et dont le vaste flot, quoique rapetissé,
Avec les rois déchus, les trônes à la nage.

. . . .

. . . .

De retour à Paris après sept ans, je crois,
De soleils de Toscane ou d'ombre sous tes bois.
Comptant trop sur l'oubli, comme durant l'absence,
Tu retrouvais la gloire avec reconnaissance.
Ton merveilleux laurier sur chacun de tes pas
Étendait un rameau que tu n'espérais pas;
L'écho te renvoyait tes paroles aimées;
Les moindres des chansons anciennement semées
Sur ta route en festons pendaient comme au hasard;
Les oiseaux par milliers, nés depuis ton départ,
Chantaient ton nom, un nom de tendresse et de flamme,
Et la vierge, en passant, le chantait dans son âme.
Non, jamais toit chéri, jaloux de te revoir,
Jamais antique bois où tu reviens t'asseoir,
Milly, ses sept tilleuls; Saint-Point, ses deux collines,

N'ont envahi ton cœur de tant d'odeurs divines,
Amassé pour ton front plus d'ombrage, et paré
De plus de nids joyeux ton sentier préféré!

Et dans ton sein coulait cette harmonie humaine,
Sans laisser d'autre ivresse à ta lèvre sereine
Qu'un sourire suave, à peine s'imprimant;
Ton œil étincelait sans éblouissement,
Et ta voix mâle, sobre et jamais débordée,
Dans sa vibration marquait mieux chaque idée!

Puis, comme l'homme aussi se trouve au fond de tout,
Tu ressentais parfois plénitude et dégoût.
—Un jour donc, un matin, plus las que de coutume,
De tes félicités repoussant l'amertume,
Un geste vers le seuil qu'ensemble nous passions:
«Hélas! t'écriais-tu, ces admirations,
Ces tributs accablants qu'on décerne au génie,
Ces fleurs qu'on fait pleuvoir quand la lutte est finie,
Tous ces yeux rayonnants éclos d'un seul regard,
Ces échos de sa voix, tout cela vient trop tard!
Le dieu qu'on inaugure en pompe au Capitole,
Du dieu jeune et vainqueur n'est souvent qu'une idole!
L'âge que vont combler ces honneurs superflus,
S'en repaît,—les sent mal,—ne les mérite plus!
Oh! qu'un peu de ces chants, un peu de ces couronnes,
Avant les pâles jours, avant les lents automnes,
M'eût été dû plutôt à l'âge efflorescent
Où, jeune, inconnu, seul avec mon vœu puissant,
Dans ce même Paris cherchant en vain ma place,
Je n'y trouvais qu'écueils, fronts légers ou de glace,
Et qu'en diversion à mes vastes désirs,
Empruntant du hasard l'or qu'on jette aux plaisirs,
Je m'agitais au port, navigateur sans monde,
Mais aimant, espérant, âme ouverte et féconde!
Oh! que ces dons tardifs où se heurtent mes yeux
Devaient m'échoir alors, et que je valais mieux!»

Et le discours bientôt sur quelque autre pensée
Échappa, comme une onde au caprice laissée;
Mais ce qu'ainsi la bouche aux vents avait jeté,
Mon souvenir profond l'a depuis médité.

Il a raison, pensais-je, il dit vrai, le poëte!
La jeunesse emportée et d'humeur indiscrète

Est la meilleure encor; sous son souffle jaloux
Elle aime à rassembler tout ce qui flotte en nous
De vif et d'immortel; dans l'ombre ou la tempête
Elle attise en marchant son brasier sur sa tête:
L'encens monte et jaillit! Elle a foi dans son vœu;
Elle ose la première à l'avenir en feu,
Quand chassant le vieux Siècle un nouveau s'initie,
Lire ce que l'éclair lance de prophétie.
Oui, la jeunesse est bonne; elle est seule à sentir
Ce qui, passé trente ans, meurt ou ne peut sortir,
Et devient comme une âme en prison dans la nôtre;
La moitié de la vie est le tombeau de l'autre;
Souvent tombeau blanchi, sépulcre décoré,
Qui reçoit le banquet pour l'hôte préparé.
C'est notre sort à tous; tu l'as dit, ô grand homme!
Eh! n'étais-tu pas mieux celui que chacun nomme,
Celui que nous cherchons, et qui remplis nos cœurs,
Quand par delà les monts d'où fondent les vainqueurs,
Dès les jours de Wagram, tu courais l'Italie,
De Pise à Nisita promenant ta folie,
Essayant la lumière et l'onde dans ta voix,
Et chantant l'oranger pour la première fois?
Oui, même avant la corde ajoutée à ta lyre,
Avant le Crucifix, le Lac, avant Elvire,
Lorsqu'à regret rompant tes voyages chéris,
Retombé de Pæstum aux étés de Paris,
Passant avec Jussieu[24] tout un jour à Vincennes
À tailler en sifflets l'aubier des jeunes chênes;
De Talma, les matins, pour Saül, accueilli;
Puis retournant cacher tes hivers à Milly,
Tu condamnais le sort,—oui, dans ce temps-là même
(Si tu ne l'avais dit, ce serait un blasphème),
Dans ce temps, plus d'amour enflait ce noble sein,
Plus de pleurs grossissaient la source sans bassin,
Plus de germes errants pleuvaient de ta colline,
Et tu ressemblais mieux à notre Lamartine!
C'est la loi: tout poëte à la gloire arrivé,
À mesure qu'au jour son astre s'est levé,
A pâli dans son cœur. Infirmes que nous sommes!
Avant que rien de nous parvienne aux autres hommes,
Avant que ces passants, ces voisins, nos entours,
Aient eu le temps d'aimer nos chants et nos amours,
Nous-mêmes déclinons! comme au fond de l'espace

Tel soleil voyageur qui scintille et qui passe,
Quand son premier rayon a jusqu'à nous percé,
Et qu'on dit: *Le voilà*, s'est peut-être éclipsé!

Ainsi d'abord pensais-je; armé de ton oracle,
Ainsi je rabaissais le grand homme en spectacle;
Je niais son midi manifeste, éclatant,
Redemandant l'obscur, l'insaisissable instant.
Mais en y songeant mieux, revoyant sans fumée,
D'une vue au matin plus fraîche et ranimée,
Ce tableau d'un poëte harmonieux, assis
Au sommet de ses ans, sous des cieux éclaircis,
Calme, abondant toujours, le cœur plein, sans orage,
Chantant Dieu, l'univers, les tristesses du sage,
L'humanité lancée aux océans nouveaux...
—Alors je me suis dit: Non, ton oracle est faux,
Non, tu n'as rien perdu; non, jamais la louange,
Un grand nom,—l'avenir qui s'entr'ouvre et se range,
Les générations qui murmurent: *C'est lui!*
Ne furent mieux de toi mérités qu'aujourd'hui;
Dans sa source et son jet, c'est le même génie;
Mais de toutes les eaux la marche réunie,
D'un flot illimité qui noierait les déserts,
Égale, en s'y perdant, la majesté des mers.
Tes feux intérieurs sont calmés, tu reposes;
Mais ton cœur reste ouvert au vif esprit des choses.
L'or et ses dons pesants, la Gloire qui fait roi,
T'ont laissé bon, sensible, et loin autour de toi
Répandant la douceur, l'aumône et l'indulgence.
Ton noble accueil enchante, orné de négligence.
Tu sais l'âge où tu vis et ses futurs accords;
Ton œil plane; ta voile, errant de bords en bords,
Glisse au cap de Circé, luit aux mers d'Artémise;
Puis l'Orient t'appelle, et sa terre promise,
Et le Mont trois fois saint des divines rançons!
Et de là nous viendront tes dernières moissons,
Peinture, hymne, lumière immensément versée,
Comme un soleil couchant ou comme une Odyssée!

Oh! non, tout n'était pas dans l'éclat des cheveux,
Dans la grâce et l'essor d'un âge plus nerveux,
Dans la chaleur du sang qui s'enivre ou s'irrite!
Le Poëte y survit, si l'Âme le mérite;

Le Génie au sommet n'entre pas au tombeau,
Et son soleil qui penche est encor le plus beau!

XII.

Ce fut vers ce temps que vous parûtes sérieusement abandonner ce métier immortel mais ingrat des vers, et que vous composâtes un livre *mixte* que je ne goûtai pas, malgré les beautés dont il était plein: VOLUPTE.

Ce livre ne me plut pas, malgré les belles pages dont il est rempli. C'était, selon moi, un livre à deux fins. J'ai été homme de cheval, je n'ai jamais aimé ce qu'on appelle un cheval à deux fins. *Volupté* était pour moi un cheval à deux fins: amour sensuel et dévotion mystique. Lequel des deux? C'était trop d'un. Il y avait le même talent, l'immense talent, mais un talent faisait tort à l'autre, excepté quelques pages divines, telles que celles-ci: la mort de Théram:

«Vers le matin pourtant, les autres personnes étant absentes toujours, et même la domestique depuis quelques instants sortie, tandis que je lisais avec feu et que les plus courts versets du rituel se multipliaient sous ma lèvre en mille exhortations gémissantes, tout d'un coup les cierges pâlirent, les lettres se dérobèrent à mes yeux, la lueur du matin entra, un son lointain de cloche se fit entendre, et le chant d'un oiseau, dont le bec frappa la vitre, s'élança comme par un signal familier. Je me levai et regardai vers elle avec transe. Toute son attitude était immobile, son pouls sans battement. J'approchai de sa lèvre, comme miroir, l'ébène brillante d'un petit crucifix que je porte d'ordinaire au cou, don testamentaire de madame de Cursy; il ne s'y montra aucune haleine. J'abaissai avec le doigt sa paupière à demi fermée; la paupière obéit et ne se releva pas, semblable aux choses qui ne vivent plus. Avec le premier frisson du matin, dans le premier éclair de l'aube blanchissante, au premier ébranlement de la cloche, au premier gazouillement de l'oiseau, cette âme vigilante venait de passer!»

J'ai été coupable de la même faute, mon cher ami, dans *Raphaël*; j'ai voulu allier dans le même livre l'amour frénétique et la piété. Je n'ai pas été assez franc; j'en ai été puni par l'insuccès du livre qui n'était qu'à moitié vrai; j'étais alors bien plus amoureux que pieux. J'aurais dû le dire; ce morceau de mes *Confidences* manque aussi de sincérité. La nature, qu'on ne trompe pas, le découvre, et la main rejette le livre qui veut tromper le lecteur!

Cette faute de mon *Raphaël* fut la faute de votre *Volupté*: l'homme est double, mais ce n'est pas dans le même moment; la passion n'est vraie qu'à la condition d'être simple.

XIII.

Nous nous perdîmes de vue pendant près de quinze ans après la publication de *Volupté*. Après 1848, votre vie changea de lit; la mienne aussi.

Vous publiâtes vos *Pensées d'Août*, vos fleurs mûres; votre poëme de *Monsieur Jean, maître d'École*. Une de vos notes rappelle, avec l'amitié des premiers jours, mon nom à votre pensée. *Maître Jean* était un *Jocelyn civil*. Il n'y avait ni assez d'amour, ni assez de religion, ni assez de sacrifice en lui pour prendre l'âme tout entière. Cela sentait l'*École normale* plus que le sanctuaire dans les hautes montagnes des Alpes. Le cadre était trop petit et trop profane pour le tableau.

«Ce petit poëme est assez compliqué, et, dans la première publication que j'en ai faite au *Magasin pittoresque*, il a été peu compris. Il me semble pourtant que j'y ai réalisé peut-être ce que j'ai voulu. Or, voici en partie ce que j'ai voulu. Dans son admirable et charmant *Jocelyn*, M. de Lamartine, avec sa sublimité facile, a d'un pas envahi tout ce petit domaine de poésie dite intime, privée, domestique, familière, où nous avions essayé d'apporter quelque originalité et quelque nouveauté. Il a fait comme un possesseur puissant qui, apercevant hors du parc quelques petites chaumières, quelques *cottages* qu'il avait jusque-là négligés, étend la main et transporte l'enceinte du parc au delà, enserrant du coup tous ces petits coins curieux, qui à l'instant s'agrandissent et se fécondent par lui. Or il m'a semblé qu'il était bon peut-être de replacer la poésie domestique, et familière, et réelle, sur son terrain nu, de la transporter plus loin, plus haut, même sur les collines pierreuses, et hors d'atteinte de tous les magnifiques ombrages. *Monsieur Jean* n'est que cela. Magister et non prêtre, janséniste et non catholique d'une interprétation nouvelle, puisse-t-il, dans sa maigreur un peu ascétique, ne pas paraître trop indigne de venir bien respectueusement à la suite du célèbre vicaire de notre cher et divin poëte!»

Quand l'amitié revient ainsi à un cœur qui n'a jamais cessé d'aimer, il y a un festin de l'enfant prodigue dans l'esprit d'un homme d'Israël. Ce n'est pas l'amour-propre qui se réjouit, c'est l'ami qui se retrouve!

XIV.

Ce furent vos dernières publications poétiques. Les temps n'étaient plus aux vers. Vous changeâtes de nature et d'existence comme nous avions fait tous, et vous devîntes ce que vous êtes resté depuis, un prosateur toujours grandissant, le premier des critiques. Vous ne l'êtes pas devenu du premier coup. Un poëte véritable est trop vaste d'imagination pour se défaire de ses images, de son harmonie, et se résumer dans la prose. Il lui reste longtemps des besoins d'expression plus parfaite qu'il cherche involontairement à jeter dans sa nouvelle forme. Il lui repousse de nouvelles plumes, comme à un oiseau dont on a coupé les ailes. Il ne vole plus pour voler simplement et pour arriver au but, mais pour mirer encore ses ailes étendues dans le lac et pour écouter en volant l'harmonie de ses périodes. Je fus quelque temps ainsi, moi aussi, quand, après avoir brisé la plume de *Jocelyn*, je pris avec un certain effort la plume des *Girondins*, puis la parole des orateurs. Je crus que je me ravalais; mais non, je faisais comme vous, je grandissais selon ma mesure, car j'appropriais mon expérience à l'usage plus utile que j'en voulais faire. J'étais pièce d'or et je me changeais en monnaie. Je souffrais dans mon amour-propre, mais je conquérais, comme vous aussi, cent mille lecteurs et un million d'auditeurs, au lieu de quelques centaines d'admirateurs. Vos études sur les sectaires de Pascal, sur cette petite église de Port-Royal, sur Virgile, sur ces bijoux de la foi et de l'histoire, n'étaient que des études et vous préparaient à ce que vous faites aujourd'hui. Vous descendiez patiemment l'escalier de la haute littérature pour arriver au terrain plane et libre que vous parcourez en maître maintenant.

Vous aviez un défaut, il y a quelques années, dans vos premiers volumes de vos conversations du *Lundi*: vous étiez trop riche, trop abondant, trop nuancé, trop fin. Cela nuisait à la clarté et à l'intelligence.

L'écheveau si touffu de vos pensées était trop emmêlé pour le vulgaire. Les nuances prévalaient sur les couleurs. Tout cela s'est dévidé et classifié peu à peu. Votre style, sans rien perdre de sa fertilité prodigieuse, est devenu presque évangélique. Les enfants ont pu vous comprendre, et les sages ont eu la certitude d'être compris par leur commentateur. En un mot, le prosateur a égalé le poëte. Votre critique ne s'est plus bornée au mot, comme celle de *La Harpe*, ce pédant estimable de la jeunesse; la pédagogie n'est pas votre fait; vous allez aux choses; vous êtes moraliste plus que critique dans vos considérations, vous êtes le *Quintilien* des idées; votre littérature est une histoire de l'esprit humain dans ces derniers temps; votre *Cours* est le cours du siècle, et les anecdotes personnelles dont vous l'enrichissez le rendent aussi intéressant pour l'esprit qu'instructif. Vous expliquez l'homme par son temps. Comme le naturaliste consommé, vous voyez le fruit dans la racine, vous suivez la séve dans ses nœuds, vous en montrez les déviations par les accidents de sa vie. On comprend l'homme par sa vie avant de le comprendre par ses œuvres. Autrefois vous étiez un peu amer dans vos jugements, vous ne l'êtes plus. Le temps fait pour vous ce qu'il fait pour les plantes, l'automne les adoucit en les mûrissant. Vous avez fini par comprendre qu'avec un être aussi faible et aussi mobile que l'homme, la bienveillance faisait partie de la justice, et qu'il fallait donner aux autres cette indulgence dont nous avions besoin pour nous-même; ainsi vous êtes devenu bon en devenant juste. Continuez à écrire, nous ne cesserons pas de vous lire!

XV.

Votre belle inspiration sur Virgile, au Collége de France, signala votre retour dans votre patrie. Elle eut un succès mérité et universel.

«Deux grands poëtes dominent le monde: Homère en Grèce, l'auteur de la Bible grecque, le Moïse de l'Hellénie, la vaste et incomparable source de toute poésie. Un mystère plane sur le temps et sur l'homme. C'est la source du Nil que les voyageurs anciens et modernes n'ont pu découvrir, et qui semble découler directement du ciel à travers les nuées de l'Abyssinie. C'est le poëte de la fable.

«L'autre, né en Italie, à une époque relativement récente, Virgile, est le poëte de l'histoire. Né à Mantoue, n'ayant eu d'autre maître de poésie que la nature agreste de la Lombardie, il commence tout jeune ses *Églogues*, qui sont aussi ses chefs-d'œuvre. Il n'aurait écrit que cela qu'on l'adorerait pour la simplicité des sujets, pour la perfection des vers, pour l'ineffable mélancolie des sentiments.

«Ce sont les *Églogues* qui marquent véritablement son début. De bonne heure il conçut l'idée de naturaliser dans la littérature et la poésie romaine certaines grâces et beautés de la poésie grecque, qui n'avaient pas encore reçu en latin tout leur agrément et tout leur poli, même après Catulle et après Lucrèce. C'est par Théocrite, en ami des champs, qu'il commença. De retour dans le domaine paternel, il en célébra les douceurs et le charme en transportant dans ses tableaux le plus d'imitations qu'il y put faire entrer du poëte de Sicile. C'était l'époque du meurtre de César, et bientôt du triumvirat terrible de Lépide, d'Antoine et d'Octave: Mantoue, avec son territoire, entra dans la part d'empire faite à Antoine, et Asinius Pollion fut chargé pendant trois ans du gouvernement de la Gaule cisalpine, qui comprenait cette cité. Il connut Virgile, il l'apprécia et le protégea; la reconnaissance du poëte a chanté, et le nom de Pollion est devenu immortel et l'un des beaux noms harmonieux qu'on est accoutumé à prononcer comme inséparables du plus poli des siècles littéraires.

«Pollion! Gallus! saluons avec Virgile ces noms plus poétiques pour nous que politiques, et ne recherchons pas de trop près quels étaient les hommes mêmes. Nourris et corrompus dans les guerres civiles, ambitieux, exacteurs, intéressés, sans scrupules, n'ayant en vue qu'eux-mêmes, ils avaient bien des vices. Pollion fit preuve jusqu'au bout d'habileté et d'un grand sens, et il sut vieillir d'un air d'indépendance sous Auguste, avec dignité et dans une considération extrême. Gallus, qui eut part avec lui dans la protection du jeune Virgile, finit de bonne heure par une catastrophe et par le suicide; lui aussi il semble, comme Fouquet au début de Louis XIV, n'avoir pu tenir contre *les attraits enchanteurs de la prospérité*. Il semble avoir pris pour devise: *Quo non ascendam?* La tête lui tourna, et il fut précipité. Mais ces hommes aimaient l'esprit, aimaient le talent, ils en avaient peut-être eux-mêmes, quoiqu'il soit plus sûr encore pour leur gloire, j'imagine, de ne nous être connus comme auteurs, Pollion, de tragédies, Gallus, d'élégies, que par les louanges et les vers de Virgile. Les noms de ces premiers patrons, et aussi celui de Varus, décorent les essais bucoliques du poëte, leur impriment un caractère romain, avertissent de temps en temps qu'il convient que les forêts soient *dignes d'un consul*, et nous apprennent enfin à quelles épreuves pénibles fut soumise la jeunesse de celui qui eut tant de fois besoin d'être protégé.

«Au retour de la victoire de Philippes remportée sur Brutus et Cassius, Octave, rentré à Rome, livra, pour ainsi dire, l'Italie entière en partage et en proie à ses vétérans. Dans cette dépossession soudaine et violente, et qui atteignit aussi les poëtes Tibulle et Properce dans leur patrimoine, Virgile perdit le champ paternel. La première églogue, qui n'est guère que la troisième dans l'ordre chronologique, nous a dit dès l'enfance comment Tityre, qui n'est ici que Virgile lui même, dut aller dans la grande ville, à Rome; comment, présenté, par l'intervention de Mécène probablement, au maître déjà suprême, à celui qu'il appelle un Dieu, à Auguste, il fut remis en possession de son héritage, et put célébrer avec reconnaissance son bonheur, rendu plus sensible par la calamité universelle. Mais ce bonheur ne fut pas sans quelque obstacle ou quelque trouble nouveau. L'églogue neuvième, qui paraît avoir été composée peu après la précédente, nous l'atteste: Virgile s'y est désigné lui-même sous le nom de Ménalque: «Hé quoi! n'avais-je pas ouï dire (c'est l'un des bergers qui parle) que depuis l'endroit où les collines commencent à s'incliner en douce pente, jusqu'au bord de la rivière et jusqu'à ces vieux hêtres dont le faîte est rompu, votre Ménalque, grâce à la beauté de ses chansons, avait su conserver tout ce domaine?» Et l'autre berger reprend: «Oui, vous l'avez entendu dire, et ç'a été en effet un bruit fort répandu; mais nos vers et nos chansons, au milieu des traits de Mars, ne comptent pas plus, ô Lycidas! que les colombes de Dodone quand l'aigle fond du haut des airs.» Puis il donne à entendre qu'il s'en est fallu de peu que Ménalque, cet aimable chantre de la contrée, n'eût perdu la vie: «Et qui donc alors eût chanté les Nymphes? s'écrie Lycidas; qui eût répandu les fleurs dont la prairie est semée, et montré l'ombre verte sous laquelle murmurent les fontaines?»

«C'est à ce danger de Ménalque que se rapporte probablement l'anecdote du centurion ravisseur qui ne voulait point rendre à Virgile le champ usurpé, et qui, mettant l'épée à la main, força le poëte, pour se dérober à sa poursuite, de passer le Mincio à la nage. Il fallut quelque protection nouvelle et présente, telle que celle de Varus (on l'entrevoit), pour mettre le poëte à l'abri de la vengeance, et pour tenir la main à ce que le bienfait d'Octave eût son exécution; à moins qu'on n'admette que ce ne fut que l'année suivante, et après la guerre de Pérouse, Octave devenant de plus en plus maître, que Virgile reconquit décidément sa chère maison et son héritage.

«Ce n'est qu'en lisant de près les *Églogues* qu'on peut suivre et deviner les vicissitudes de sa vie, et plus certainement les sentiments de son âme en ces années: même sans entrer dans la discussion du détail, on se les représente aisément. Une âme tendre, amante de l'étude, d'un doux et calme paysage, éprise de la campagne et de la muse pastorale de Sicile; une âme modeste et modérée, née et nourrie dans cette médiocrité domestique qui rend toutes choses plus senties et plus chères;—se voir arracher tout cela, toute cette possession et cette paix, en un jour, par la brutalité de soldats vainqueurs! ne se dérober à l'épée nue du centurion qu'en fuyant! quel fruit des guerres civiles! Virgile en garda l'impression durable et profonde. On peut dire que sa politique, sa morale publique et sociale datèrent de là. Il en garda une mélancolie, non pas vague, mais naturelle et positive; il ne l'oublia jamais. Le cri de tendre douleur qui lui échappa alors, il l'a mis dans la bouche de son berger Mélibée, et ce cri retentit encore dans nos cœurs après des siècles:

«Est-ce que jamais plus il ne me sera donné, après un long temps, revoyant ma terre paternelle et le toit couvert de chaume de ma pauvre maison, après quelques étés, de me dire en les contemplant: «C'était pourtant là mon domaine et mon royaume!» Quoi! un soldat sans pitié possédera ces cultures si soignées où j'ai mis mes peines! un barbare aura ces moissons! Voilà où la discorde a conduit nos malheureux concitoyens! voilà pour qui nous avons ensemencé nos champs[25]!»

«Toute la biographie intime et morale de Virgile est dans ces paroles et dans ce sentiment.

«Plus qu'aucun poëte, Virgile est rempli du dégoût et du malheur des guerres civiles, et, en général, des guerres, des dissensions et des luttes violentes. Que ce soit Mélibée ou Énée qui parle, le même accent se retrouve, la même note douloureuse: «Vous m'ordonnez donc, ô reine! de renouveler une douleur qu'il faudrait taire..., de repasser sur toutes les misères que j'ai vues, et dont je suis moi-même une part vivante!» Ainsi dira Énée à Didon après sept années d'épreuves, et dans un sentiment aussi vif et aussi saignant que le premier jour. Voilà Virgile et l'une des sources principales de son émotion.

«Je crois être dans le vrai en insistant sur cette médiocrité de fortune et de condition rurale dans laquelle était né Virgile, médiocrité, ai-je dit, qui rend tout *mieux senti et plus cher*, parce qu'on y touche à chaque instant la limite, parce qu'on y a toujours présent le moment où l'on a acquis et celui où l'on peut tout perdre: non que je veuille prétendre que les grands et les riches ne tiennent pas également à leurs vastes propriétés, à leurs forêts, leurs chasses, leurs parcs et châteaux; mais ils y tiennent moins tendrement, en quelque sorte, que le pauvre ou le modeste possesseur d'un enclos où il a mis de ses sueurs, et qui y a compté les ceps et les pommiers; qui a presque compté à l'avance, à chaque récolte, ses pommes, ses grappes de raisin bientôt mûres, et qui sait le nombre de ses essaims. Que sera-ce donc si ce possesseur et ce fils de la maison est, à la fois, un rêveur, un poëte, un amant; s'il a mis de son âme et de sa pensée, et de ses plus précoces souvenirs, sous chacun de ces hêtres et jusque dans le murmure de chaque ombrage? Ce petit domaine de Virgile (et pas si petit peut-être), qui s'étendait entre les collines et les marécages, avec ses fraîcheurs et ses sources, ses étangs et ses cygnes, ses abeilles dans la haie de saules, nous le voyons d'ici, nous l'aimons comme lui; nous nous écrions avec lui, dans un même déchirement, quand il s'est vu en danger de le perdre: *Barbarus has segetes!...*

«Il ne serait pas impossible, je le crois, dans un pèlerinage aux bords du Mincio, de deviner à très-peu près (comme on vient de le faire pour la villa d'Horace) et de déterminer approximativement l'endroit où habitait Virgile. En partant de ce lieu pour aller à Mantoue, lorsqu'on arrivait à l'endroit où le Mincio s'étend en un lac uni, on était à mi-chemin; c'est ce que nous apprend le Lycidas de la neuvième églogue, en s'adressant au vieux Mœris, qu'il invite à chanter: «Vois, le lac est là immobile, qui te fait silence; tous les murmures des vents sont tombés; d'ici, nous sommes déjà à moitié du chemin, car on commence à apercevoir le tombeau de Bianor.» Il ne manque, pour avoir la mesure précise, que de savoir où pouvait être ce tombeau de Bianor. Je trouve dans l'ouvrage d'un exact et ingénieux auteur anglais une description du domaine de Virgile, que je prends plaisir à traduire, parce qu'elle me paraît composée avec beaucoup de soin et de vérité:

«La ferme, le domaine de Virgile, nous dit Dunlop (*Histoire de la littérature romaine*), était sur les bords du Mincio. Cette rivière, qui, par la couleur de ses eaux, est d'un vert de mer profond, a sa source dans la Bénaque ou lac de Garda. Elle en sort et coule au pied de petites collines irrégulières qui sont couvertes de vignes; puis, passé le château romantique qui porte aujourd'hui le nom de Valleggio, situé sur une éminence, elle descend à travers une longue vallée, et alors elle se répand dans la plaine en deux petits lacs, l'un au-dessus et l'autre juste au-dessous de la ville de Mantoue. De là, le Mincio poursuit son cours, dans l'espace d'environ deux milles, à travers un pays plat mais fertile, jusqu'à ce qu'il se jette dans le Pô (à Governolo). Le domaine du poëte était situé sur la rive droite du Mincio, du côté de l'ouest, à trois milles environ au-dessous de Mantoue et proche le village d'Andès ou Pietola. Ce domaine s'étendait sur un terrain plat, entre quelques hauteurs au sud-ouest et le bord uni de la rivière, comprenant dans ses limites un vignoble, un verger, un rucher et d'excellentes terres de pâturages qui permettaient au propriétaire de porter ses fromages à Mantoue, et de nourrir des victimes pour les autels des dieux. Le courant même, à l'endroit où il bordait le domaine de Virgile, est large, lent et sinueux. Ses bords marécageux sont couverts de roseaux, et des cygnes en grand nombre voguent sur ses ondes ou paissent l'herbe sur sa marge humide et gazonnée.

«En tout, le paysage du domaine de Virgile était doux, d'une douceur un peu pâle et stagnante, de peu de caractère, peu propre à exciter de sublimes émotions ou à suggérer de vives images; mais le poëte avait vécu de bonne heure au milieu des grandes scènes du Vésuve; et, même alors, s'il étendait ses courses un peu au-delà des limites de son domaine, il pouvait visiter, d'un côté, le cours grandiose du rapide et majestueux Éridan, ce *roi des fleuves*, et, de l'autre côté, la Bénaque, qui présente par moments l'image de l'Océan agité.

«Le lieu de la résidence de Virgile est bas et humide, et le climat en est froid à certaines saisons de l'année. Sa constitution délicate et les maux de poitrine dont il était affecté le déterminèrent, vers l'année 714 ou 715, vers l'âge de trente ans, à chercher un ciel plus chaud...»

«Mais ceci tombe dans la conjecture.—Le plus voyageur des critiques, M. Ampère, a touché, comme il sait faire, le ton juste de ce même paysage et de la teinte morale qu'on se plaît à y répandre, dans un chapitre de son *Voyage Dantesque*:

«Tout est virgilien à Mantoue, dit-il; on y trouve la topographie virgilienne et la place virgilienne; aimable lieu qui fut dédié au poëte de la cour d'Auguste par un décret de Napoléon.

«Dante a caractérisé le Mincio par une expression exacte et énergique, selon son habitude: «(Il ne court pas longtemps sans trouver une plaine basse dans laquelle il s'étend et qu'il *emmarécage*).

Non molto ha corso che trova una lama
Nella qual *si distende e la impaluda.*»

«Ce qui n'a pas la grâce de Virgile: «(... là où le large Mincio s'égare en de lents détours sinueux et voile ses rives d'une molle ceinture de roseaux.)

.....Tardis ingens ubi flexibus errat
Mincius, et tenera prætexit arundine ripas.»

«La brièveté expressive et un peu sèche du poëte florentin, comparée à l'abondance élégante de Virgile, montre bien la différence du style de ces deux grands artistes peignant le même objet.

«Du reste, le mot *impaluda* rend parfaitement l'aspect des environs de Mantoue. En approchant de cette ville, il semble véritablement qu'on entre dans un autre climat; des prairies marécageuses s'élève presque constamment une brume souvent fort épaisse. Par moments on pourrait se croire en Hollande.

«Tout l'aspect de la nature change: au lieu des vignes, on ne voit que des prés, des prés virgiliens, *herbosa prata.* On conçoit mieux ici la mélancolie de Virgile dans cette atmosphère brumeuse et douce, dans cette campagne monotone, sous ce soleil fréquemment voilé.»

«Notons la nuance, mais n'y insistons pas trop et n'exagérons rien; n'y mettons pas trop de cette vapeur que Virgile a négligé de nous décrire; car il n'est que Virgile pour être son propre paysagiste et son peintre, et, dans la première des descriptions précédentes (je parle de celle de l'auteur anglais), on a pu le reconnaître, ce n'est, après tout, que la prose du paysage décrit par Virgile lui-même en ces vers harmonieux de la première églogue:

> Fortunate senex, hic inter flumina nota...

Que tous ceux, et ils sont encore nombreux, qui savent par cœur ces vers ravissants, se les redisent.

«Ainsi Virgile est surtout sensible à la fraîcheur profonde d'un doux paysage verdoyant et dormant; au murmure des abeilles dans la haie; au chant, mais un peu lointain, de l'émondeur là-bas, sur le coteau; au roucoulement plus voisin du ramier ou de la tourterelle; il aime cette habitude silencieuse et tranquille, cette monotonie qui prête à une demi-tristesse et au rêve.

«Même lorsqu'il arrivera, plus tard, à toute la grandeur de sa manière, il excellera surtout à peindre de grands paysages reposés.

«Peu après qu'il eut quitté tout à fait son pays natal, nous trouvons Virgile de retour du voyage de Brindes, raconté par Horace, que ce voyage soit de l'année 715 ou 717. Il rejoint en chemin Mécène et Horace; il a pour compagnons Plotius et Varius, et l'agréable narrateur les qualifie tous trois (mais nous aimons surtout à rapporter l'éloge à Virgile) les âmes les plus belles et *les plus sincères* que la terre ait portées, celles auxquelles il est attaché avec le plus de tendresse.

Si Pollion, comme on le croit, avait conseillé à Virgile d'écrire les poésies bucoliques, qu'il mit trois ans à composer et à corriger, ce fut Mécène qui lui proposa le sujet si romain, si patriotique et tout pacifique des *Géorgiques*, auquel il consacra sept années. Sur ce conseil ou cet ordre amical donné par Mécène à Virgile, et dont lui seul pouvait dignement embrasser et conduire le difficile labeur, l'un des hommes qui savaient le mieux la *chose romaine*, Gibbon, a eu une vue très-ingénieuse, une vue élevée: selon lui, Mécène aurait eu l'idée, par ce grand poëme rural, tout à fait dans le goût des Romains, de donner aux vétérans, mis en possession des terres (ce qui était une habitude depuis Sylla), le goût de leur nouvelle condition et de l'agriculture. La plupart des vétérans en effet, mis d'abord en possession des terres, ne les avaient pas cultivées, mais en avaient dissipé le prix dans la débauche. Il s'agissait de les réconcilier avec le travail des champs, si cher aux aïeux, et de leur en présenter des images engageantes: «Quel vétéran, s'écrie Gibbon, ne se reconnaissait dans le vieillard des bords du Galèse? Comme eux, accoutumé aux armes dès sa jeunesse, il trouvait enfin le bonheur dans une retraite sauvage, que ses travaux avaient transformée en un lieu de délices.»

Je ne sais trop si Gibbon ne met pas ici un peu du sien, si les vétérans lisaient l'épisode du vieillard de Tarente. Les fils de ces vétérans, du moins, purent le lire.

«Ayant renoncé, non pas de cœur, à son pays de Mantoue, Virgile, comblé des faveurs d'Auguste, passa les années suivantes et le reste de sa vie, tantôt à Rome, plus souvent à Naples et dans la Campanie Heureuse, occupé à la composition des *Géorgiques*, et, plus tard, de l'*Énéide*; délicat de santé, ayant besoin de recueillement pour ses longs travaux; peu homme du monde, mais homme de solitude, d'intimité, d'amitié, de tendresse; cultivant le loisir obscur et enchanté, au sein duquel il se consumait sans cesse à perfectionner et à accomplir ses œuvres de gloire, à édifier son *temple de marbre*, comme il l'a dit allégoriquement. Félicité rare! destinée, certes, la plus favorisée entre toutes celles des poëtes épiques, si souvent errants, proscrits, exilés! Mais il savait, et il s'en souvenait sans cesse, combien l'infortune pour l'homme est voisine du bonheur, et que c'est entre les calamités d'hier et celles de demain que s'achètent les intervalles de repos du monde. Après les déchirements de la spoliation et de l'exil, ayant reconquis, et si pleinement, toutes les jouissances de la nature et du foyer, il n'oublia jamais qu'il n'avait tenu à rien qu'il ne les perdît: un voile légèrement transparent en demeura sur son âme pieuse et tendre.

«Je ne conçois pas, à cette distance où nous sommes, d'autre biographie de Virgile qu'une *biographie idéale*, si je puis dire. Les anciens grammairiens, chez qui on serait tenté de chercher une biographie positive du poëte, y ont mêlé trop d'inepties et de fables; mais, de quelques traits pourtant qu'ils nous ont transmis et qui s'accordent bien avec le ton de l'âme et la couleur du talent, résulte assez naturellement pour nous un Virgile timide, modeste, rougissant, comparé à une vierge, parce qu'il se troublait aisément, s'embarrassait tout d'abord, et ne se développait qu'avec lenteur; charmant et du plus doux commerce quand il s'était rassuré; lecteur exquis (comme Racine), surtout pour les vers, avec des insinuations et des nuances dans la voix; un vrai *dupeur d'oreilles* quand il récitait d'autres vers que les siens. Dans un chapitre du *Génie du Christianisme*, où il compare Virgile et Racine, M. de Chateaubriand a trop bien parlé de l'un et de l'autre, et avec trop de goût, pour que je n'y relève pourtant pas un passage hasardé qui n'irait à rien moins qu'à fausser, selon moi, l'idée qu'on peut se faire de la personne de Virgile:

«Nous avons déjà remarqué, dit M. de Chateaubriand, qu'une des premières causes de la mélancolie de Virgile fut sans doute le sentiment des malheurs qu'il éprouva dans sa jeunesse. Chassé du toit paternel, il garda toujours le souvenir de sa Mantoue; mais ce n'était plus le Romain de la république, aimant son pays à la manière dure et âpre des Brutus, c'était le Romain de la monarchie d'Auguste, le rival d'Homère et le nourrisson des Muses.

«Virgile cultiva ce germe de tristesse en vivant seul au milieu des bois. Peut-être faut-il encore ajouter à cela des accidents particuliers. Nos défauts moraux ou physiques influent beaucoup sur notre humeur, et sont souvent la cause du tour particulier que prend notre caractère. Virgile avait une difficulté de prononciation; il était faible de corps[26], rustique d'apparence. Il semble avoir eu dans sa jeunesse des passions vives auxquelles ces imperfections naturelles purent mettre des obstacles. Ainsi des chagrins de famille, le goût des champs, un amour-propre en souffrance et des passions non satisfaites s'unirent pour lui donner cette rêverie qui nous charme dans ses écrits.»

«Tout cela est deviné à ravir et de poëte à poëte: mais l'*amour-propre en souffrance* et les *passions non satisfaites* me semblent des conjectures très-hasardées: parlons seulement de l'âme délicate et sensible de Virgile et de ses malheurs de jeunesse. D'ailleurs il avait précisément le contraire de la *difficulté de prononciation*; il avait un merveilleux enchantement de prononciation. Ce qui a trompé l'illustre auteur, qui, à tous autres égards, a parlé si excellemment de Virgile, c'est qu'il est dit en un endroit de la Vie du poëte par Donat, qu'il était *sermone tardissimus*; mais cela signifie seulement qu'il n'improvisait pas, qu'il n'avait pas, comme on dit, la parole en main. Il ne lui arriva de plaider qu'une seule fois en sa vie, et sans faire la réplique. En un mot, et c'est ce qui n'étonnera personne, Virgile était aussi peu que possible un avocat. Son portrait par Donat, qui a servi de point de départ à celui qu'on vient de lire par M. de Chateaubriand, peut se traduire plus légèrement peut-être, et s'expliquer comme il suit, en évitant tout ce qui pourrait charger: Virgile était grand de corps, de stature (je me le figure cependant un peu mince, un peu frêle, à cause de son estomac et de sa poitrine, quoiqu'on ne le dise pas); il avait gardé de sa première vie et de sa longue habitude aux champs le teint brun, hâlé, un certain air de village, un premier air de gaucherie; enfin, il y avait dans sa personne quelque chose qui rappelait l'homme qui avait été élevé à la campagne. Il fallait quelque temps pour que cette urbanité qui était au fond de sa nature se dégageât.

«Les portraits de lui qui nous le représentent les cheveux longs, l'air jeune, le profil pur, en regard de la majestueuse figure de vieillard d'Homère, n'ont rien d'authentique et seraient aussi bien des portraits d'Auguste ou d'Apollon.

«Sénèque, dans une lettre à Lucilius, parle d'un ami de ce dernier, d'un jeune homme de bon et ingénu naturel, qui, dans le premier entretien, donna une haute idée de son âme, de son esprit, mais toutefois une idée seulement; car il était pris à l'improviste et il avait à vaincre sa timidité: «et même, en se recueillant, il pouvait à peine triompher de cette pudeur, excellent signe dans un jeune homme; tant la rougeur, dit Sénèque, lui sortait du fond de l'âme (*adeo illi ex alto suffusus est rubor*); et je crois même que, lorsqu'il sera le plus aguerri, il lui en restera toujours.» Virgile me semble de cette famille, il avait la rougeur prompte et la tendresse du front (*frontis mollities*); c'était une de ces rougeurs intimes qui viennent d'un fonds durable de pudeur naturelle. Il était de ceux encore dont Pope, l'un des plus beaux esprits et des plus sensibles, disait: «Pour moi, j'appartiens à cette classe dont Sénèque a dit: «Ils sont si amis de l'ombre, qu'ils considèrent comme étant dans le tourbillon tout ce qui est dans la lumière.»

«Virgile aimait trop la gloire pour ne pas aimer la louange, mais il l'aimait de loin et non en face; il la fuyait au théâtre ou dans les rues de Rome; il n'aimait pas être montré au doigt et à ce qu'on dît: *C'est lui!* Il aimait à faire à loisir de belles choses qui rempliraient l'univers et qui rassembleraient dans une même admiration tout un peuple de nobles esprits; mais ses délices, à lui, étaient de les faire en silence et dans l'ombre, et sans cesser de vivre avec les nymphes des bois et des fontaines, avec les dieux cachés.

«Et, dans tout ceci, je n'imagine rien; je ne fais qu'user et profiter de traits qui nous ont été transmis, mais en les interprétant comme je crois qu'il convient le mieux. Avec Virgile, on court peu de risque de se tromper, en inclinant le plus possible du côté de ses qualités intérieures.

«À ce que je viens de dire que Virgile était décoré de pudeur, il ne serait pas juste d'opposer comme une contradiction ce qu'on raconte d'ailleurs de certaines de ses fragilités: «Il fut recommandable dans tout l'ensemble de sa vie, a dit Servius; il n'avait qu'un mal secret et une faiblesse, il ne savait pas résister aux tendres désirs.» On pourrait le conclure de ses seuls vers. Mais, dans son estimable Vie d'Horace, M. Walckenaer me semble avoir touché avec trop peu de ménagement cette partie de la vie et des mœurs de Virgile. Combattant sans beaucoup de difficulté l'opinion exagérée qu'on pourrait se faire de la chasteté de Virgile, il ajoute: «Plus délicat de tempérament qu'Horace, Virgile s'abandonna avec moins d'emportement que son ami, mais avec aussi peu de scrupule, aux plaisirs de Vénus. Il fut plus sobre et plus retenu sur les jouissances de la table et dans les libations faites à Bacchus. Chez les modernes, il eût passé pour un homme bon, sensible, mais voluptueux et adonné à des goûts dépravés: à la cour d'Auguste, c'était un sage assez réglé dans sa conduite, car il n'était ni prodigue ni dissipateur, et il ne cherchait à séduire ni les vierges libres ni les femmes mariées.» Tout ce croquis est bien heurté, bien brusque, et manque de nuances, et, par conséquent, de ressemblance et de vérité. Je ne suis pas embarrassé pour Virgile de ce qu'il eût passé pour être s'il eût vécu chez les modernes; je crois qu'il eût passé pour un peu mieux que cela, et que la vraie morale eût eu à se louer plus qu'à se plaindre de lui, aussi bien que la parfaite convenance. Et en acceptant même sur son compte les quelques anecdotes assez suspectes que les anciens biographes ou grammairiens nous ont transmises, et qui intéressent ses mœurs, on y trouverait encore ce qui répond bien à l'idée qu'on a de lui et ce qui le distingue à cet égard de son ami Horace, de la retenue jusque dans la vivacité du désir, quelque chose de sérieux, de profond et de discret dans la tendresse.

«C'est ce sérieux, ce tour de réflexion noble et tendre, ce principe d'élévation dans la douceur et jusque dans les faiblesses, qui est le fond de la nature de Virgile, et qu'on ne doit jamais perdre de vue à son sujet.

XVI.

«La reconnaissance pour Auguste, à qui il doit la restitution de son petit bien aux bords du *Mincio*, s'exprime bientôt après en vers magnifiques dans le commencement du livre III de son second ouvrage, les *Géorgiques*.

«Il bâtira, dit-il, un temple de marbre au sein d'une vaste prairie verdoyante, sur les rives du Mincio. Il y placera César (c'est-à-dire Auguste) comme le dieu du temple, et il instituera, il célébrera des courses et des jeux tout à l'entour, des jeux qui feront déserter à la Grèce ceux d'Olympie. Lui le fondateur, le front ceint d'une couronne d'olivier et dans tout l'éclat de la pourpre, il décernera les prix et les dons. Sur les dehors du temple se verront gravés dans l'or et dans l'ivoire les combats et les trophées de celui en qui se personnifie le nom romain. On y verra aussi debout, en marbre de Paros, des statues où la vie respire, toute la descendance d'Assaracus, cette suite de héros venus de Jupiter, Tros le grand ancêtre, et Apollon fondateur de Troie. L'Envie enchaînée et domptée par la crainte des peines vengeresses achèvera la glorieuse peinture. Les vers sont admirables et des plus polis, des plus éblouissants qui soient sortis de dessous le ciseau de Virgile. Cette pure et sévère splendeur des marbres au sein de la verdure tranquille du paysage nous offre un parfait emblème de l'art virgilien. Le poëme didactique ici est dépassé dans son cadre: c'est grand, c'est triomphal, c'est épique déjà. Ce *temple de marbre*, peuplé de héros troyens, que se promettait d'édifier Virgile et qui est tout allégorique, il l'a réalisé d'une autre manière et qu'il ne prévoyait point alors, et il l'a exécuté dans l'*Énéide*: il n'avait fait que présager et célébrer à l'avance son *Exegi monumentum*! En mourant, il doutait qu'il l'eût accompli: c'est à nous de rendre aux choses et à l'œuvre tout leur sens, d'y voir toute l'harmonieuse ordonnance, et de dire que Virgile mourant, au lieu de se décourager et de défaillir, aurait pu se faire relire son hymne glorieux du troisième chant des *Géorgiques*, et, satisfait de son vœu rempli, rendre le dernier souffle dans une ivresse sacrée[27].

«Les *Géorgiques* sont, dans leur genre, le plus parfait modèle de *poésie didactique* qui ait enchanté les agriculteurs de tous les âges, la limite précise où la nature et la poésie se rencontrent pour s'embrasser. Nous n'avons rien, dans les œuvres modernes, qui réunisse ce mérite savant et ce mérite naturel. Delille s'est immortalisé en les traduisant; Thompson et Saint-Lambert ont succombé dans l'imitation. Cela n'a qu'un défaut: l'homme y manque; l'homme est le plus grand sujet d'intérêt de toute langue. Les *Géorgiques* ont des choses, mais ce n'est pas encore l'humanité.

«Virgile le sentait, et il y pensait déjà; le triomphe d'Auguste pendant son retour de *Brindes* à Rome, la vingtième année avant la naissance du Christ, paraît lui avoir donné l'idée première de l'*Énéide*, poëme légendaire de Rome.

«Auguste, dites-vous, était devenu, de proscripteur, le refuge des proscrits. Il était empereur, sans en prendre le nom; il voulait consacrer sa famille à l'empire, et l'empire à sa famille. Il pria *Horace*, ami de Virgile et de Mécène, de consentir à lui servir de secrétaire. Horace s'excusa sur sa faible santé. Auguste ne lui en voulut pas, et continua de souper familièrement avec lui et avec Mécène.» Les deux amis introduisirent Virgile dans cette intimité. C'est là que fut conçu le plan de l'*Énéide*.

«Properce, dans une de ses élégies, célèbre d'avance le triomphe de Virgile.

«C'est à Virgile qu'il appartient de chanter les rivages d'Actium chers au soleil, et les flottes victorieuses de César; il va naître quelque chose de plus grand que l'*Iliade*.»

«Properce se trompait; une légende nationale en très-beaux vers ne pouvait jamais égaler ni l'*Iliade* ni l'*Odyssée*, nées d'elles-mêmes dans l'âge de foi et par l'organe du dieu des poëtes.—L'*Énéide* était l'ouvrage de l'art,—Homère était la nature.»

XVII.

Ici, mon cher Sainte-Beuve, vous nous racontez la mort prématurée de Virgile, qui succombe à cinquante-deux ans à *Brindes*, en revenant de Grèce, où il était allé perfectionner l'*Énéide*, et sa tombe à Naples, au pied du Pausilippe, et en face du plus beau et du plus doux paysage de la Campanie.

Puis vous passez à la discussion sur le mérite de son poëme.

Ici nous différons, mais non dans tout.

Votre admirable distinction entre le chantre antique, l'histoire vivante et poétisée, telle qu'Homère, qu'on écoute au bord de la mer ou sur le seuil de sa demeure, et le poëte épique, qui écrit son œuvre à loisir et qu'on lit par amusement ou par une froide admiration dans les académies ou dans son cabinet, suffirait pour nous réconcilier. Vous résumez toutes ses qualités de style dans sa perfection. Oui, mais pour que cette *perfection* soit parfaite, il faut qu'elle soit originale. Or, dans l'*Énéide*, Virgile n'est pas Virgile, il n'est que le plus parfait des imitateurs. Vous en convenez avec moi.

Vous examinez ensuite quelles sont les conditions du poëme épique. Je les réduis à une seule principale. Le poëme épique ne peut et ne doit naître qu'à une époque du monde où il peut être cru. C'est pourquoi nous ne pouvons en avoir et nous n'en aurons pas jusqu'à ce qu'une nouvelle foi populaire s'élève dans le monde et prédispose les poëtes à de nouveaux enthousiasmes et les nations à de nouvelles croyances. Ce sont, en effet, les peuples qui font les poëmes épiques, ce ne sont pas les poëtes.

Mais, depuis ce beau travail sur l'*Énéide*, où je regrette que vous n'ayez pas assez développé cette pensée vraie, vous vous êtes lancé à pleine haleine dans la haute critique presque biographique, purement personnelle et littéraire. Le temps où nous vivons n'est bon qu'à penser. Pensons donc l'un et l'autre, puisque les événements différemment envisagés par nous, et puisque l'âge qui m'atteint, et qui vous suit, ne nous laissent pas d'autre usage à faire de nos facultés, pensons donc avec l'impartialité de l'âge et avec la patience du temps. Et bien que je ne me repente nullement des services énergiques que les événements m'ont entraîné à rendre à mon pays en 1848, et que je ne rougisse pas de la part de vigueur et de prudence que j'ai pu apporter alors, avec d'autres, à ces événements historiques, retirons-nous, pendant le peu d'années que les circonstances politiques nous laissent avant notre mort, dans le domaine des lettres où vous brillez et où je m'éteins. Le temps ne nous regarde plus. Laissons-le faire et conseillons-lui toujours la modération et la sagesse. Nous ne serions plus propres à l'animer ou à le contenir, comme à d'autres époques de notre vie. Nous l'avons aidé, nous l'avons servi, nous l'avons contenu, nous l'avons combattu, nous l'avons vaincu; il nous a laissés sur son rivage quand il a jugé qu'il pouvait se passer de nous, et qu'il a été demander son salut ou sa perte à d'autres institutions et à d'autres hommes! Ce n'est point à nous de protester contre les égarements monarchiques, comme nous avons résisté aux égarements funestes de la république de mauvaise odeur et d'odieuses doctrines de 1793. Restons ce que nous sommes, et ne trempons pas plus qu'en 1847 dans ces coalitions de vengeance et de colère incapables de rien réparer, car elles n'apportent à l'opinion que des passions contraires, unies par le besoin commun de détruire, et dont l'union inconsidérée ne présente à l'analyse que la ligue inopportune et inconséquente des républicains et des royalistes combattant ensemble un jour avec le radicalisme socialiste pour conquérir le champ de bataille où ils s'entre-détruiront le lendemain de la victoire. Ce n'est pas là de la politique, c'est du désespoir. Contentons-nous de préserver notre honneur en vivant séparés de ces partis, et en regardant ce qui se passe en dehors de nous avec les leçons de l'expérience et les vœux pour notre pays. Voilà maintenant notre rôle, étrangers au pouvoir, étrangers aux factions, seuls avec notre passé, que l'histoire jugera avec d'autant plus d'indulgence que nous aurons moins pressé son jugement!

Vous avez, plus heureux que moi, refusé de mêler les eaux pures de votre talent avec les eaux troubles et tumultueuses de votre temps; et plût à Dieu que j'en eusse fait autant à l'âge de ma séve politique! Je n'aurais pas vu de grandes et belles journées, il est vrai, passer comme l'éclair sur mon nom, pour le signaler à l'amour immérité des uns, à la haine plus imméritée des autres; je ne serais pas forcé de me dépouiller pièce à pièce de mes biens les plus chers, sans savoir encore s'il me restera une pierre pour recouvrir bientôt ma poussière, et écrire comme un rapsode de la France des lignes vénales pour gagner péniblement le pain de mes créanciers avec les subsides de mes amis!

Lamartine.

Notes

1: Charles-Édouard signait *comte d'Albanie*, et sa femme *comtesse d'Albany*. Le prince francisait son nom, à peu près comme l'Arioste, dans maintes strophes de l'*Orlando furioso*, en avait fait un nom italien, *il duca d'Albania*. La princesse était restée fidèle à l'orthographe anglaise.

2: Ici, dans une note, l'aimable traducteur de M. de Reumont, M. Saint-René-Taillandier, fait allusion au même nom, donné jadis par moi, dans *Jocelyn*, au plus aimé de mes chiens célèbres.

3: «C'est une espèce de tournoi qui se célèbre encore de nos jours.» (*Note du traducteur.*)

4: «Il s'agit ici de la mort, toute récente à cette date, de la fille de M. de Montmorin, Mme de Beaumont. On sait que cette noble personne, dont l'influence fut si vive et si douce dans le monde des Joubert, des Ballanche, des Chateaubriand, se sentant frappée d'un mal sans remède, était allée demander au ciel de l'Italie l'apaisement de ses souffrances. Elle partit en 1803, aux premiers jours de l'automne. Chateaubriand, secrétaire de légation auprès de la cour pontificale, attendait son amie à Florence; il la conduisit à Rome et ne la quitta plus. Le vendredi 4 novembre, elle s'éteignit dans ses bras. On peut lire, au tome IV des *Mémoires d'outre-tombe* (1re édition, 1849), les touchants détails de cette mort et le récit des funérailles que Chateaubriand fit à Mme de Beaumont dans l'église Saint-Louis des Français. «Je t'aimerai toujours, s'écrie l'ardent poëte, s'appropriant les vers de l'Anthologie grecque,—je t'aimerai toujours; mais toi, chez les morts, ne bois pas, je t'en prie, à cette coupe qui te ferait oublier tes anciens amis.»

5: On y voit beaucoup de monuments de marbre, et de peintures de Cimabue et du Giotto. Le cimetière y est plein de terre apportée de Jérusalem.

6: Ayant fait en Espagne une Vierge qu'on voulut mal lui payer, il la brisa à coups de marteau; ce qui le fit mettre dans les prisons de l'Inquisition, où il se laissa mourir de faim pour n'être pas brûlé.

7: Cet artiste fut un des fondateurs de l'École italienne dans le onzième siècle.

8: Michel-Ange avait en effet le nez de côté. *Voyez* sa Vie.

9: C'est-à-dire sa maîtresse.

10: C'est l'usage en Italie de faire des sonnets pour toutes les fêtes et tous les événements un peu marquants.

11: Jérôme Schio, de Vérone, confesseur du pape, et bon négociateur.

12: Ce Français Nero, qui accusait Benvenuto, était un homme d'une médiocre probité, selon *L'archi.*

13: C'était un fameux prédicateur, partisan des ennemis des Médicis. On l'enferma dans le château Saint-Ange, où il mourut de la mort la plus cruelle.

14: C'est qu'il avait envie de le tuer, comme il fit en effet.

15: Nicolas de Neufville, seigneur de Villeroy, secrétaire des finances.

16: Les Grands-Augustins, où se trouve à présent le marché de la Volaille. Cellini devait nécessairement y passer pour se rendre du pont au Change au Petit-Nesle.

17: Il y a plusieurs exemples de ces guérisons subites, causées par la joie ou une passion forte. Le consul Fulvius, dit Pline l'ancien, fut guéri de même, par la victoire qu'il remporta sur les Celtes.

18: Cette servante, appelée Piera, devint sa femme, et il en eut plusieurs enfants.

19: C'est l'usage en Italie de faire des sonnets pour tous les événements et les choses extraordinaires.

20: Espèce de monnaie, comme nos centimes.

21: S. AUG., *Conf.*, liv. IV, ch. 8.

22: M. Victor Cousin.

23: «On trouvera peut-être que M. de Lamartine se méprenait ici dans ses présages trop sombres. Mais le poëte voit de loin; et en 1830, si M. de Lamartine s'est trompé dans ses prévisions immédiates, ce n'était qu'affaire de temps et de distance; il anticipait 1848 et 1851; il voyait deux ou trois horizons à la fois. Ce qu'il ne prévoyait pas, c'est qu'il serait l'Orphée qui plus tard dirigerait et réglerait par moments de son archet d'or cette invasion de barbares.

«SAINTE-BEUVE.»

24: M. Laurent de Jussieu, l'un des plus anciens amis de Lamartine.

25: «Dans ces traductions, je me suis occupé à mettre en saillie le sentiment principal, sauf à introduire dans le texte une légère explication. Si l'on traduisait avec suite tout un ouvrage, on devrait s'y prendre différemment;

mais, pour de simples passages cités, je crois qu'il est permis et qu'il est bon de faire ainsi.»

26: Dans la première édition l'auteur avait ajouté «laid de visage.»

27: On a supposé que ce morceau du IIIe livre des *Géorgiques* y avait été inséré après coup par le poëte, et lorsque déjà il s'occupait de l'*Énéide*; il y a des détails qui semblent en effet avoir été ajoutés un peu plus tard; mais le cadre premier existait, je le crois, et le sens général, selon l'opinion de Heyne, est plutôt prophétique qu'historique.

Milton Keynes UK
Ingram Content Group UK Ltd.
UKHW011140220424
441551UK00007B/711